#수능공략
#단기간 학습

수능전략
수학 영역

Chunjae Makes Chunjae

▼

[수능전략] 수학 영역 수학 I

기획총괄	김덕유
편집개발	오종래, 장효정, 이진희, 최보윤
디자인총괄	김희정
표지디자인	윤순미, 심지영
내지디자인	박희춘, 안정승
제작	황성진, 조규영

발행일	2022년 2월 15일 초판 2022년 2월 15일 1쇄
발행인	(주)천재교육
주소	서울시 금천구 가산로9길 54
신고번호	제2001-000018호
고객센터	1577-0902
교재 내용문의	(02)3282-8858

※ 정답 분실 시에는 천재교육 교재 홈페이지에서 내려받으세요.

수능전략

수·학·영·역

수학Ⅰ

BOOK 1

이 책의 구성과 활용

본책인 BOOK 1과 BOOK2의 구성은 아래와 같습니다.

BOOK 1
1주, 2주

BOOK 2
1주, 2주

BOOK 3
정답과 해설

주 도입

본격적인 학습에 앞서, 재미있는 만화를 살펴보며 이번 주에 학습할 내용을 확인해 봅니다.

1일

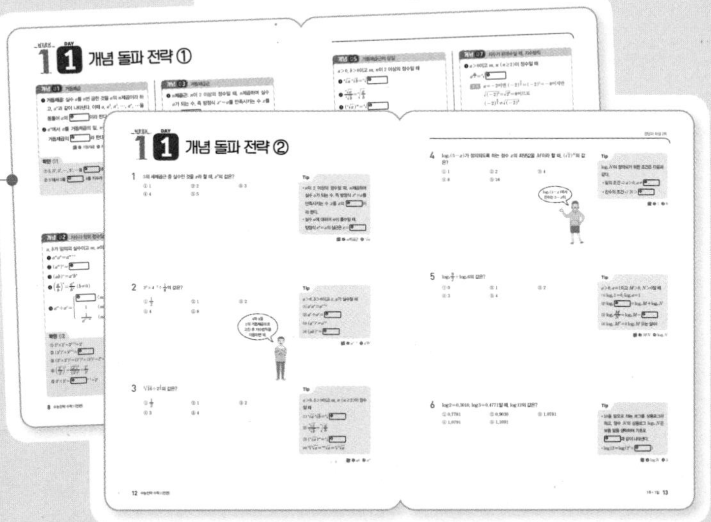

개념 돌파 전략
수능을 대비하기 위해 꼭 알아야 할 핵심 개념을 익힌 뒤, 간단한 문제를 풀며 개념을 잘 이해했는지 확인해 봅니다.

2일, 3일

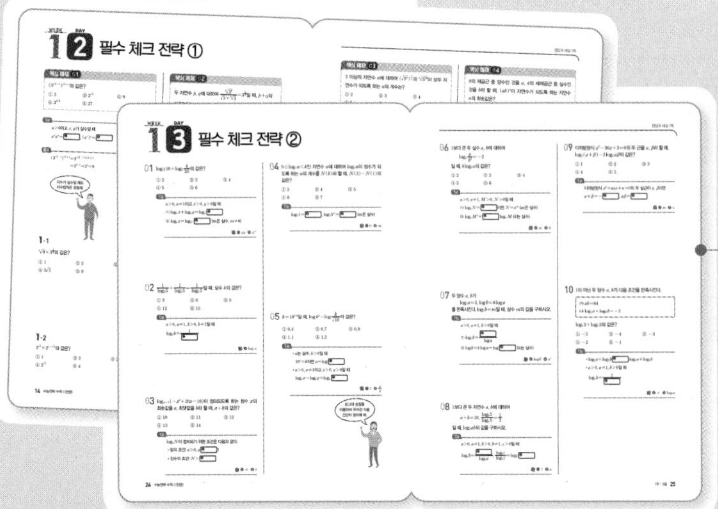

필수 체크 전략
기출문제에서 선별한 대표 유형 문제와 쌍둥이 문제를 함께 풀며 문제에 접근하는 과정과 해결 전략을 체계적으로 익혀 봅니다.

본 책에서 다룬 대표 유형과 그 해결 전략을 집중적으로 연습할 수 있도록 권두 부록을 구성했습니다.
부록을 뜯으면 미니북으로 활용할 수 있습니다.

주 마무리 코너

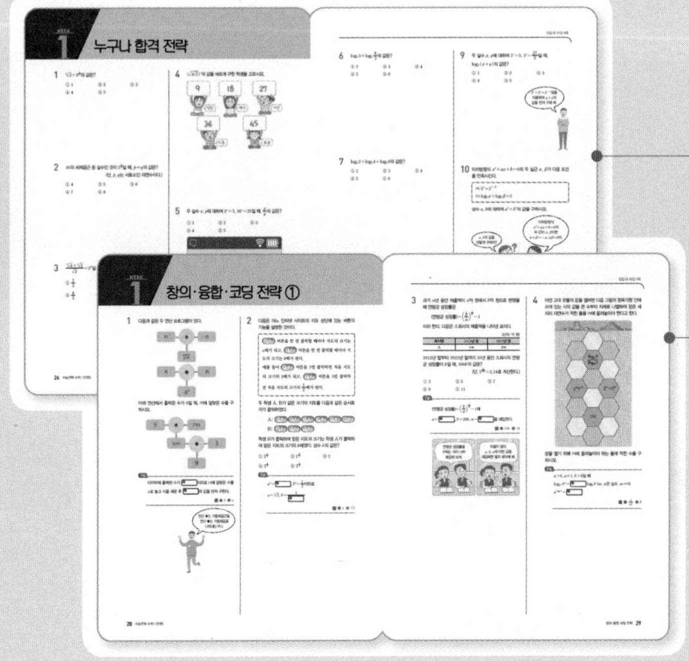

누구나 합격 전략

수능 유형에 맞춘 기초 연습 문제를 풀며
학습 자신감을 높일 수 있습니다.

창의 · 융합 · 코딩 전략

수능에서 요구하는 융복합적 사고력과
문제 해결력을 기를 수 있습니다.

권 마무리 코너

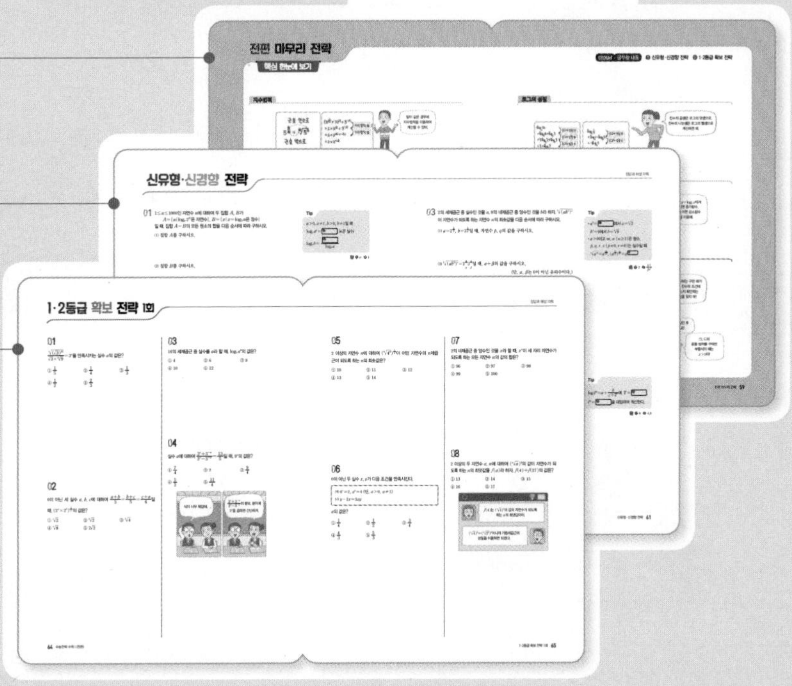

수능 마무리 전략

학습 내용을 도식으로 정리하여 앞에서
공부한 내용을 한눈에 파악할 수 있습니다.

신유형 · 신경향 전략

신유형·신경향 문제를 집중적으로 풀며
문제 적응력을 높일 수 있습니다.

1 · 2등급 확보 전략

실제 수능과 같이 구성한 모의고사를 풀며
고난도 문제에 대비할 수 있습니다.

이 책의 차례

BOOK 1

WEEK 1

지수와 로그

WEEK 2

지수함수와 로그함수

BOOK 2

WEEK 1

WEEK 2

WEEK

1 지수와 로그

$\{(-3)^2\}^{\frac{3}{2}}$을 계산해 볼까요?
$\{(-3)^2\}^{\frac{3}{2}}$
-27이네요.
$\{(-3)^2\}^{\frac{3}{2}}=(-3)^{2\times\frac{3}{2}}=(-3)^3=-27$
저는 27이 나왔어요.
$\{(-3)^2\}^{\frac{3}{2}}=9^{\frac{3}{2}}=3^{2\times\frac{3}{2}}=3^3=27$
헷갈린다. 누가 맞은 거야?
둘 다 틀린 데가 없는 거 같은데?
정답은 27이에요.
야호! 맞았다! 지수가 유리수일 때의 지수법칙은 밑이 양수일 때만 성립하거든.
지수가 정수일 때는 밑이 0만 아니면 됐었는데. 조심해야겠다.
지수가 실수일 때도 마찬가지로 밑이 양수이어야 한다는 조건에 주의해야 해요.
네!

공부할 내용 1. 거듭제곱과 거듭제곱근 2. 지수법칙 3. 로그 4. 로그의 여러 가지 성질

WEEK 1 DAY 1

개념 돌파 전략 ①

개념 01 거듭제곱

❶ **거듭제곱:** 실수 a를 n번 곱한 것을 a의 n제곱이라 하고, a^n과 같이 나타낸다. 이때 a, a^2, a^3, $\cdots$, a^n, $\cdots$을 통틀어 a의 [❶]이라 한다.

❷ a^n에서 a를 거듭제곱의 밑, n을 거듭제곱의 [❷]라 한다.

a^n ← 지수
↑
밑

답 ❶ 거듭제곱 ❷ 지수

확인 01

① 5, 5^2, 5^3, $\cdots$, 5^n, $\cdots$을 [❶]의 거듭제곱이라 한다.

② 5^4에서 5를 [❷], 4를 지수라 한다.

답 ❶ 5 ❷ 밑

개념 02 지수가 양의 정수일 때, 지수법칙

a, b가 임의의 실수이고 m, n이 양의 정수일 때

❶ $a^m a^n = a^{m+n}$

❷ $(a^m)^n =$ [❶]

❸ $(ab)^n = a^n b^n$

❹ $\left(\dfrac{a}{b}\right)^n = \dfrac{a^n}{b^n}$ $(b \neq 0)$

❺ $a^m \div a^n = \begin{cases} [❷\quad] & (m>n) \\ 1 & (m=n) \\ \dfrac{1}{a^{n-m}} & (m<n) \end{cases}$ (단, $a \neq 0$)

답 ❶ a^{mn} ❷ a^{m-n}

확인 02

① $2^2 \times 2^3 = 2^{2+3} = 2^5$

② $(3^2)^4 = 3^{2\times4} =$ [❶]

③ $(2^3 \times 3^2)^2 = (2^3)^2 \times (3^2)^2 = 2^6 \times 3^4$

④ $\left(\dfrac{2^3}{3^2}\right)^2 = \dfrac{(2^3)^2}{(3^2)^2} = \dfrac{2^6}{3^4}$

⑤ $2^5 \div 2^3 =$ [❷]$^{5-3} = 2^2$

답 ❶ 3^8 ❷ 2

개념 03 거듭제곱근

❶ **n제곱근:** n이 2 이상의 정수일 때, n제곱하여 실수 a가 되는 수, 즉 방정식 $x^n = a$를 만족시키는 수 x를 a의 [❶]이라 한다.

❷ a의 제곱근, 세제곱근, 네제곱근, $\cdots$을 통틀어 a의 [❷]이라 한다.

참고 실수 a의 n제곱근은 복소수의 범위에서 n개가 있다.

답 ❶ n제곱근 ❷ 거듭제곱근

확인 03

$x^2 = 4$에서 $x = -2$ 또는 $x =$ [❶]이므로 4의 [❷]은 -2, 2이다.

답 ❶ 2 ❷ 제곱근

개념 04 $\sqrt[n]{a}$ 중 실수인 것

n이 2 이상의 정수일 때, 실수 a의 n제곱근 중에서 실수인 것은 다음과 같다.

	$a>0$	$a=0$	$a<0$
n이 홀수	$\sqrt[n]{a}$	[❶]	$\sqrt[n]{a}$
n이 짝수	$\sqrt[n]{a}$, $-\sqrt[n]{a}$	0	[❷]

답 ❶ 0 ❷ 없다.

확인 04

① -125의 세제곱근 중에서 [❶]인 것은 -5이다.
$\therefore \sqrt[3]{-125} = -5$

② 256의 네제곱근 중에서 실수인 것은 4, -4이다.
$\therefore \sqrt[4]{256} = 4$, $-\sqrt[4]{256} =$ [❷]

답 ❶ 실수 ❷ -4

개념 05 거듭제곱근의 성질

$a>0$, $b>0$이고 m, n이 2 이상의 정수일 때

❶ $\sqrt[n]{a}\sqrt[n]{b}=\sqrt[n]{\boxed{❶}}$

❷ $\dfrac{\sqrt[n]{a}}{\sqrt[n]{b}}=\sqrt[n]{\dfrac{a}{b}}$

❸ $(\sqrt[n]{a})^m=\sqrt[n]{\boxed{❷}}$

❹ $\sqrt[m]{\sqrt[n]{a}}=\sqrt[mn]{a}=\sqrt[n]{\sqrt[m]{a}}$

답 ❶ ab ❷ a^m

확인 05

① $\sqrt[3]{3}\times\sqrt[3]{9}=\sqrt[3]{3\times9}=\sqrt[3]{3^3}=(\sqrt[3]{3})^3=\boxed{❶}$

② $\dfrac{\sqrt[3]{625}}{\sqrt[3]{5}}=\sqrt[3]{\dfrac{625}{5}}=\sqrt[3]{5^3}=(\sqrt[3]{5})^3=5$

③ $(\sqrt[4]{4})^2=\sqrt[4]{4^2}=\sqrt[4]{2^4}=(\sqrt[4]{2})^4=2$

④ $\sqrt{\sqrt[3]{5^6}}=\sqrt[6]{5^6}=(\boxed{❷})^6=5$

답 ❶ 3 ❷ $\sqrt[6]{5}$

개념 06 지수가 정수일 때, 지수법칙

❶ $a\neq0$이고 n이 양의 정수일 때

① $a^0=\boxed{❶}$ ② $a^{-n}=\dfrac{1}{a^n}$

❷ $a\neq0$, $b\neq0$이고 m, n이 정수일 때

① $a^ma^n=a^{m+n}$ ② $a^m\div a^n=a^{m-n}$

③ $(a^m)^n=a^{mn}$ ④ $(ab)^m=a^m\boxed{❷}$

답 ❶ 1 ❷ b^m

확인 06

① $(-1)^0=1$

② $2^{-3}=\dfrac{1}{2^3}=\boxed{❶}$

③ $3^2\times3^{-2}=3^{2+(-2)}=3^0=\boxed{❷}$

④ $5^{-3}\div5^{-2}=5^{-3-(-2)}=5^{-1}=\dfrac{1}{5}$

답 ❶ $\dfrac{1}{8}$ ❷ 1

개념 07 지수가 유리수일 때, 지수법칙

❶ $a>0$이고 m, n $(n\geq2)$이 정수일 때

$a^{\frac{m}{n}}=\sqrt[n]{\boxed{❶}}$

주의 $a=-2$이면 $(-2)^{\frac{6}{2}}=(-2)^3=-8$이지만
$\sqrt{(-2)^6}=\sqrt{2^6}=8$이므로
$(-2)^{\frac{6}{2}}\neq\sqrt{(-2)^6}$

❷ $a>0$, $b>0$이고 r, s가 유리수일 때

① $a^ra^s=a^{r+s}$ ② $a^r\div a^s=a^{r-s}$

③ $(a^r)^s=\boxed{❷}$ ④ $(ab)^r=a^rb^r$

답 ❶ a^m ❷ a^{rs}

확인 07

① $16^{\frac{1}{2}}=\sqrt{16}=\sqrt{4^2}=4$

② $2^{\frac{1}{2}}\times2^{-\frac{1}{3}}=2^{\frac{1}{2}+\left(-\frac{1}{3}\right)}=2^{\boxed{❶}}$

③ $5^{\frac{7}{2}}\div5^3=5^{\frac{7}{2}-3}=\boxed{❷}^{\frac{1}{2}}$

답 ❶ $\dfrac{1}{6}$ ❷ 5

개념 08 지수가 실수일 때, 지수법칙

$a>0$, $b>0$이고 x, y가 실수일 때

❶ $a^xa^y=a^{x+y}$ ❷ $a^x\div a^y=\boxed{❶}$

❸ $(a^x)^y=a^{xy}$ ❹ $(ab)^x=a^x\boxed{❷}$

답 ❶ a^{x-y} ❷ b^x

확인 08

① $3^{-\sqrt{2}}\times3^{\sqrt{2}}=3^{-\sqrt{2}+\sqrt{2}}=3^{\boxed{❶}}=1$

② $5^{2\sqrt{2}}\div5^{\sqrt{2}}=5^{2\sqrt{2}-\sqrt{2}}=5^{\sqrt{2}}$

③ $(2^{\sqrt{3}})^{\sqrt{27}}=2^{\sqrt{3}\times\sqrt{27}}=2^{\sqrt{81}}=\boxed{❷}$

④ $(2^{\sqrt{8}}\times3^{\sqrt{2}})^{\sqrt{2}}=2^{\sqrt{16}}\times3^{\sqrt{4}}=2^4\times3^2$

답 ❶ 0 ❷ 2^9

개념 돌파 전략 ①

개념 09 로그의 뜻

$a>0$, $a\neq1$일 때, 임의의 양수 N에 대하여 등식 $a^x=N$을 만족시키는 실수 x는 오직 하나 존재한다. 이 실수 x를 기호로

$\log_a N$

$\log_a N$ (↑ 밑, ↑ 진수)

과 같이 나타내고, a를 ❶ [　　] 으로 하는 N의 로그라 한다. 이때 N을 $\log_a N$의 ❷ [　　] 라 한다.

답 ❶ 밑 ❷ 진수

확인 09

① $2^3=8 \Longleftrightarrow$ ❶ [　　] $=\log_2 8$

② $-2=\log_{10}\frac{1}{100} \Longleftrightarrow 10^{-2}=\frac{1}{❷[\quad]}$

답 ❶ 3 ❷ 100

개념 10 $\log_a N$이 정의되기 위한 조건

$a>0$, $a\neq1$, $N>0$일 때

$a^x=N \Longleftrightarrow x=\log_a N$

이때 밑은 1이 아닌 양수이어야 하고 진수는 양수이어야 하므로 $\log_a N$이 정의되기 위한 조건은 다음과 같다.

- 밑의 조건 ⇨ $a>0$, $a\neq$ ❶ [　　]
- 진수의 조건 ⇨ $N>$ ❷ [　　]

답 ❶ 1 ❷ 0

확인 10

$\log_2(x+2)$가 정의되기 위한 조건은 진수가 ❶ [　　] 이어야 하므로 $x+2>0$

$\therefore x>$ ❷ [　　]

답 ❶ 양수 ❷ -2

개념 11 로그의 성질

$a>0$, $a\neq1$이고 $M>0$, $N>0$일 때

❶ $\log_a 1=0$, $\log_a a=$ ❶ [　　]

❷ $\log_a MN=\log_a M+\log_a N$

❸ $\log_a \frac{M}{N}=\log_a M-\log_a N$

❹ $\log_a M^k=$ ❷ [　　] $\log_a M$ (k는 실수)

답 ❶ 1 ❷ k

확인 11

① $\log_{10}1=0$, $\log_5 5=1$

② $\log_2 15=\log_2(3\times$ ❶ [　　] $)=\log_2 3+\log_2 5$

③ $\log_7 \frac{2}{3}=\log_7 2-$ ❷ [　　]

답 ❶ 5 ❷ $\log_7 3$

개념 12 로그의 밑의 변환

$a>0$, $a\neq1$, $b>0$, $c>0$, $c\neq1$일 때

❶ $\log_a b=\frac{❶[\quad]}{\log_c a}$

❷ $\log_a b=\frac{1}{❷[\quad]}$ $(b\neq1)$

답 ❶ $\log_c b$ ❷ $\log_b a$

확인 12

① $\log_8 4=\frac{❶[\quad]}{\log_2 8}=\frac{\log_2 2^2}{\log_2 2^3}=\frac{2}{3}$

② $\log_2 7=\frac{❷[\quad]}{\log_7 2}$

답 ❶ $\log_2 4$ ❷ 1

개념 13 로그의 여러 가지 성질

❶ $a>0$, $a\neq1$, $b>0$일 때

$\log_{a^m}b^n=\dfrac{n}{m}$ ❶ ☐ $(m, n$은 실수, $m\neq0)$

❷ $a>0$, $a\neq1$, $b>0$일 때

① $a^{\log_c b}=b^{\log_c a}$ $(c>0, c\neq1)$

② $a^{\log_a b}=$ ❷ ☐

답 ❶ $\log_a b$ ❷ b

확인 13

① $\log_{3^4}3^8=\dfrac{8}{4}\log_3 3=2$

② $x=3^{\log_2 5}$로 놓고 양변에 밑이 2인 로그를 취하면

$\log_2 x=\log_2 3^{\log_2 5}=\log_2 5\times$ ❶ ☐

$=\log_2 3\times\log_2 5=\log_2 5^{\log_2 3}$

즉 $x=5^{\log_2 3}$이므로 $3^{\log_2 5}=5^{\log_2 3}$

③ $x=2^{\log_2 7}$로 놓고 양변에 밑이 2인 로그를 취하면

$\log_2 x=\log_2 2^{\log_2 7}=\log_2 7\times\log_2 2=\log_2 7$

즉 $x=7$이므로 $2^{\log_2 7}=$ ❷ ☐

답 ❶ $\log_2 3$ ❷ 7

개념 14 상용로그의 뜻

10을 밑으로 하는 로그를 상용로그라 하고, 양수 N의 상용로그 $\log_{10}N$은 보통 밑을 생략하여 기호로 ❶ ☐ 과 같이 나타낸다.

주의 밑이 10인 상용로그는 보통 밑을 생략하여 나타내므로 로그에서 밑이 생략되어 있으면 상용로그이며 생략된 밑은 ❷ ☐ 임에 주의한다.

답 ❶ $\log N$ ❷ 10

확인 14

n이 실수일 때, 10^n 꼴로 나타내어지는 수의 상용로그의 값은 로그의 성질을 이용하면 쉽게 구할 수 있다.

① $\log\sqrt{10}=\log$ ❶ ☐ $=\dfrac{1}{2}\log 10=\dfrac{1}{2}$

② $\log\dfrac{1}{100}=\log 10^{-2}=$ ❷ ☐ $\log 10=-2$

답 ❶ $10^{\frac{1}{2}}$ ❷ -2

개념 15 상용로그표

0.01의 간격으로 1.00부터 9.99까지의 수에 대한 상용로그의 값을 반올림하여 소수점 아래 넷째 자리까지 나타낸 것을 ❶ ☐ 라 한다.

참고 상용로그표에 있는 상용로그의 값은 반올림하여 구한 것이지만 ❷ ☐ 를 사용하여 나타낸다.

답 ❶ 상용로그표 ❷ 등호

확인 15

	0	1	⋯	5	6
1.0	.0000	.0043	⋯	.0212	.0253
1.1	.0414	.0453	⋯	.0607	.0645
⋮	⋮	⋮	⋮	⋮	⋮
2.7	.4314	.4330	⋯	.4393	.4409
2.8	.4472	.4487	⋯	.4548	.4564

$\log 2.75$의 값은 상용로그표에서 2.7의 가로줄과 ❶ ☐ 의 세로줄이 만나는 곳에 있는 수 ❷ ☐ 이다.

$\therefore \log 2.75=0.4393$

답 ❶ 5 ❷ 0.4393

개념 16 상용로그의 값

임의의 양수 N에 대하여 상용로그의 값은

$\log N=n+\log a$ (n은 ❶ ☐, $0\leq\log a<1$)

와 같이 나타낼 수 있다. 이때 $\log a$의 값은 상용로그표에서 찾을 수 있으므로 ❷ ☐ 의 값을 구할 수 있다.

답 ❶ 정수 ❷ $\log N$

확인 16

$\log 7.25=0.8603$일 때, $\log 725$의 값을 구하면

$\log 725=\log($ ❶ ☐ $\times10^2)=\log 7.25+\log 10^2$

$=0.8603+$ ❷ ☐ $=2.8603$

답 ❶ 7.25 ❷ 2

개념 돌파 전략 ②

1 5의 세제곱근 중 실수인 것을 x라 할 때, x^3의 값은?

① 1　　② 2　　③ 3
④ 4　　⑤ 5

Tip

- n이 2 이상의 정수일 때, n제곱하여 실수 a가 되는 수, 즉 방정식 $x^n=a$를 만족시키는 수 x를 a의 ❶ ☐ 이라 한다.
- 실수 a에 대하여 n이 홀수일 때, 방정식 $x^n=a$의 실근은 $x=$ ❷ ☐

답 ❶ n제곱근 ❷ $\sqrt[n]{a}$

2 $2^3\times4^{-2}\div\frac{1}{8}$의 값은?

① $\frac{1}{2}$　　② 1　　③ 2
④ 4　　⑤ 8

4와 8을
2의 거듭제곱으로
고친 후 지수법칙을
이용하면 돼.

Tip

$a>0$, $b>0$이고 x, y가 실수일 때

(1) $a^xa^y=a^{x+y}$

(2) $a^x\div a^y=$ ❶ ☐

(3) $(a^x)^y=a^{xy}$

(4) $(ab)^x=$ ❷ ☐

답 ❶ a^{x-y} ❷ a^xb^x

3 $\sqrt[3]{16}\div2^{\frac{1}{3}}$의 값은?

① $\frac{1}{2}$　　② 1　　③ 2
④ 3　　⑤ 4

Tip

$a>0$, $b>0$이고 m, n $(n\geq2)$이 정수일 때

(1) $\sqrt[n]{a}\sqrt[n]{b}=\sqrt[n]{\text{❶ ☐}}$

(2) $\frac{\sqrt[n]{a}}{\sqrt[n]{b}}=\sqrt[n]{\frac{a}{b}}$

(3) $(\sqrt[n]{a})^m=\sqrt[n]{\text{❷ ☐}}$

(4) $\sqrt[m]{\sqrt[n]{a}}=\sqrt[mn]{a}=\sqrt[n]{\sqrt[m]{a}}$

답 ❶ ab ❷ a^m

4 $\log_2(5-x)$가 정의되도록 하는 정수 x의 최댓값을 M이라 할 때, $(\sqrt{2})^M$의 값은?

① 1 ② 2 ③ 4
④ 8 ⑤ 16

Tip

$\log_a N$이 정의되기 위한 조건은 다음과 같다.

- 밑의 조건 ⇨ $a>0$, $a\neq$ ❶
- 진수의 조건 ⇨ $N>$ ❷

답 ❶ 1 ❷ 0

5 $\log_3 \frac{9}{2}+\log_3 6$의 값은?

① 0 ② 1 ③ 2
④ 3 ⑤ 4

Tip

$a>0$, $a\neq1$이고 $M>0$, $N>0$일 때

(1) $\log_a 1=0$, $\log_a a=1$

(2) $\log_a$ ❶ $=\log_a M+\log_a N$

(3) $\log_a \frac{M}{N}=\log_a M-$ ❷

(4) $\log_a M^k=k\log_a M$ (k는 실수)

답 ❶ MN ❷ $\log_a N$

6 $\log 2=0.3010$, $\log 3=0.4771$일 때, $\log 12$의 값은?

① 0.7781 ② 0.9030 ③ 1.0781
④ 1.0791 ⑤ 1.1091

Tip

- 10을 밑으로 하는 로그를 상용로그라 하고, 양수 N의 상용로그 $\log_{10}N$은 보통 밑을 생략하여 기호로 ❶ 과 같이 나타낸다.
- $\log 12=\log(2^2\times$ ❷ $)$

답 ❶ $\log N$ ❷ 3

WEEK 1 DAY 2

필수 체크 전략 ①

핵심 예제 01

$(3^{\sqrt{3}-1})^{\sqrt{3}+1}$의 값은?

① 3　② $3^{\sqrt{3}}$　③ 9
④ $3^{2\sqrt{3}}$　⑤ 27

Tip

$a>0$이고 x, y가 실수일 때

$a^x a^y=$ ❶ [　　], $(a^x)^y=$ ❷ [　　]

답 ❶ a^{x+y} ❷ a^{xy}

풀이

$(3^{\sqrt{3}-1})^{\sqrt{3}+1}=3^{(\sqrt{3}-1)(\sqrt{3}+1)}$

$=3^{3-1}=3^2=9$

답 ③

핵심 예제 02

두 자연수 p, q에 대하여 $\dfrac{\sqrt[4]{3^6}}{\sqrt{3}\times\sqrt[3]{3}}=3^{\frac{q}{p}}$일 때, $p+q$의 값은? (단, p, q는 서로소인 자연수이다.)

① 3　② 4　③ 5
④ 6　⑤ 7

Tip

$a>0$이고 l은 정수, m, n은 2 이상의 정수일 때

$\sqrt[n]{a^l}=$ ❶ [　　], $\sqrt[m]{\sqrt[n]{a}}=$ ❷ [　　] $\sqrt{a}$

답 ❶ $a^{\frac{l}{n}}$ ❷ mn

풀이

$\dfrac{\sqrt[4]{3^6}}{\sqrt{3}\times\sqrt[3]{3}}=\dfrac{3^{\frac{6}{4}}}{3^{\frac{1}{2}}\times3^{\frac{1}{3}}}=3^{\frac{3}{2}-\frac{1}{2}-\frac{1}{3}}=3^{\frac{2}{3}}$

따라서 $p=3$, $q=2$이므로

$p+q=3+2=5$

답 ③

1-1

$\sqrt[3]{9}\times3^{\frac{1}{3}}$의 값은?

① 1　② 2　③ 3
④ $3\sqrt{3}$　⑤ 9

1-2

$2^{\sqrt{2}}\times2^{1-\sqrt{2}}$의 값은?

① 1　② 2　③ $2^{\sqrt{2}-1}$
④ $2^{\sqrt{2}}$　⑤ 4

2-1

$a=\sqrt{2}$, $b=\sqrt[3]{3}$일 때, $(ab)^6$의 값은?

① 24　② 36　③ 48
④ 60　⑤ 72

2-2

$n<100$인 자연수 n에 대하여 $\sqrt{\sqrt[3]{4^n}}$이 자연수가 되도록 하는 n의 개수는?

① 20　② 25　③ 33
④ 40　⑤ 50

핵심 예제 03

2 이상의 자연수 n에 대하여 $(\sqrt{5^n})^{\frac{1}{3}}$과 $\sqrt[n]{5^{36}}$이 모두 자연수가 되도록 하는 n의 개수는?

① 2　② 3　③ 4
④ 5　⑤ 6

Tip

$a>0$이고 m, n $(n\ge2)$은 정수,
p, q, r, s $(p\ne0,\ r\ne0)$는 실수일 때
$\sqrt[n]{a^m}=a^{❶}$, $(a^{\frac{q}{p}})^{\frac{s}{r}}=a^{❷}$

답 ❶ $\frac{m}{n}$ ❷ $\frac{qs}{pr}$

풀이

$(\sqrt{5^n})^{\frac{1}{3}}$과 $\sqrt[n]{5^{36}}$이 모두 자연수가 되려면
$(\sqrt{5^n})^{\frac{1}{3}}=(5^{\frac{n}{2}})^{\frac{1}{3}}=5^{\frac{n}{6}}$에서 n은 6의 배수이고,
$\sqrt[n]{5^{36}}=5^{\frac{36}{n}}$에서 n은 36의 약수이어야 한다.
따라서 36의 약수이면서 6의 배수인 자연수 n은 6, 12, 18, 36으로 그 개수는 4이다.

답 ③

핵심 예제 04

8의 제곱근 중 양수인 것을 a, 4의 세제곱근 중 실수인 것을 b라 할 때, $(ab)^n$이 자연수가 되도록 하는 자연수 n의 최솟값은?

① 3　② 6　③ 9
④ 12　⑤ 15

Tip

$a>0$이고 n이 2 이상의 홀수일 때, $x^n=a$를 만족시키는 실수 x는 $x=$ ❶ 이다.

답 ❶ $\sqrt[n]{a}$

풀이

$a=\sqrt{8}$, $b=\sqrt[3]{4}$이므로
$ab=\sqrt{8}\times\sqrt[3]{4}=2^{\frac{3}{2}}\times2^{\frac{2}{3}}=2^{\frac{3}{2}+\frac{2}{3}}=2^{\frac{13}{6}}$
이때 $(ab)^n=(2^{\frac{13}{6}})^n=2^{\frac{13n}{6}}$이 자연수가 되려면
n은 6의 배수이어야 한다.
따라서 구하는 자연수 n의 최솟값은 6이다.

답 ②

3-1

2 이상의 자연수 n에 대하여 $\sqrt[n]{4^{10}}$이 자연수가 되도록 하는 모든 n의 값의 합을 구하시오.

3-2

$1<a<1000$인 자연수 a에 대하여 $(\sqrt[3]{a^5})^{\frac{1}{5}}$이 자연수가 되도록 하는 a의 개수는?

① 5　② 6　③ 7
④ 8　⑤ 9

4-1

2 이상의 자연수 n에 대하여 256의 n제곱근이 자연수가 되도록 하는 모든 n의 값의 합은?

① 10　② 12　③ 14
④ 16　⑤ 18

4-2

2 이상의 자연수 n에 대하여 3^8의 n제곱근과 4^6의 n제곱근이 모두 자연수가 되도록 하는 모든 n의 값의 합은?

① 2　② 3　③ 4
④ 5　⑤ 6

필수 체크 전략 ①

핵심 예제 05

$10 \le a < 20$, $50 \le b < 100$인 두 자연수 a, b에 대하여 $N = \sqrt[4]{a} + \sqrt[3]{b^2}$이라 하자. 자연수 N의 값은?

① 12 ② 14 ③ 16
④ 18 ⑤ 20

Tip

자연수 a에 대하여 m, n이 양의 정수일 때 $a^{\frac{m}{n}}$이 자연수가 되려면 ❶ [ ] 은 ❷ [ ] 의 약수이어야 한다.

답 ❶ n ❷ m

풀이

$N = \sqrt[4]{a} + \sqrt[3]{b^2} = a^{\frac{1}{4}} + b^{\frac{2}{3}}$이 자연수이므로 a는 어떤 자연수의 네제곱수이고, b는 어떤 자연수의 세제곱수이다.

이때 $10 \le a < 20$, $50 \le b < 100$이므로

$a = 2^4 = 16$, $b = 4^3 = 64$

$\therefore N = \sqrt[4]{a} + \sqrt[3]{b^2} = \sqrt[4]{2^4} + \sqrt[3]{(4^3)^2}$

$= \sqrt[4]{2^4} + \sqrt[3]{(4^2)^3}$

$= 2 + 16 = 18$

답 ④

핵심 예제 06

$a > 0$이고 $a^{\frac{1}{2}} - a^{-\frac{1}{2}} = 3$일 때, $a + \frac{1}{a}$의 값은?

① 9 ② 10 ③ 11
④ 12 ⑤ 13

Tip

$a > 0$일 때

$a = ($❶ [ ]$)^2$, $\frac{1}{a} = a^{-1} = ($❷ [ ]$)^2$

답 ❶ $a^{\frac{1}{2}}$ ❷ $a^{-\frac{1}{2}}$

풀이

$a^{\frac{1}{2}} - a^{-\frac{1}{2}} = 3$의 양변을 제곱하면

$a - 2a^{\frac{1}{2}}a^{-\frac{1}{2}} + a^{-1} = 9$

$a - 2 + \frac{1}{a} = 9$

$\therefore a + \frac{1}{a} = 9 + 2 = 11$

답 ③

5-1

자연수 전체의 집합의 부분집합 A를

$A = \{x \mid x = \sqrt[3]{a}$, a는 $1 \le a \le 200$인 자연수$\}$

라 할 때, 집합 A의 모든 원소의 합은?

① 12 ② 13 ③ 14
④ 15 ⑤ 16

5-2

100 이하인 자연수의 집합 U의 두 부분집합 A, B를

$A = \{x \mid x = \sqrt{a}, a \in U\}$,

$B = \{x \mid x = \sqrt[3]{b^2}, b \in A\}$

라 할 때, 집합 B의 모든 원소의 합을 구하시오.

6-1

$a > 0$이고 $a + a^{-1} = 5$일 때, $a^2 + \frac{1}{a^2}$의 값은?

① 23 ② 24 ③ 25
④ 26 ⑤ 27

6-2

$a > 0$이고 $a^2 = 2$일 때, $\frac{a + a^{-1}}{a - a^{-1}}$의 값은?

① 1 ② 2 ③ 3
④ 4 ⑤ 5

핵심 예제 07

두 실수 x, y에 대하여 $162^x=3$, $6^y=27$일 때, $\frac{1}{x}-\frac{3}{y}$의 값은?

① 1 ② 2 ③ 3
④ 4 ⑤ 5

Tip

$a>$ ❶ ______, $b>0$이고 x가 실수일 때

$a^x=b$이면 $a=($❷ ______$)^{\frac{1}{x}}$

답 ❶ 0 ❷ b

풀이

$162^x=3$, $6^y=27$에서

$162=3^{\frac{1}{x}}$, $6=27^{\frac{1}{y}}=3^{\frac{3}{y}}$

이때 $\frac{162}{6}=\frac{3^{\frac{1}{x}}}{3^{\frac{3}{y}}}=3^{\frac{1}{x}-\frac{3}{y}}$이므로

$27=3^3=3^{\frac{1}{x}-\frac{3}{y}}$ $\quad\therefore \frac{1}{x}-\frac{3}{y}=3$

답 ③

핵심 예제 08

이차방정식 $x^2-4x+k=0$의 두 실근이 α, β일 때, $2^{\frac{1}{\alpha}}\times 2^{\frac{1}{\beta}}=4$를 만족시키는 상수 k의 값은?

① 1 ② 2 ③ 3
④ 4 ⑤ 5

Tip

이차방정식 $x^2+mx+n=0$의 두 실근이 α, β이면

$\alpha+\beta=$ ❶ ______, $\alpha\beta=$ ❷ ______

답 ❶ $-m$ ❷ n

풀이

이차방정식 $x^2-4x+k=0$의 두 실근이 α, β이므로 이차방정식의 근과 계수의 관계에 의하여 $\alpha+\beta=4$, $\alpha\beta=k$

이때 $2^{\frac{1}{\alpha}}\times 2^{\frac{1}{\beta}}=4$에서

$2^{\frac{1}{\alpha}+\frac{1}{\beta}}=2^{\frac{\alpha+\beta}{\alpha\beta}}=2^{\frac{4}{k}}=4=2^2$

따라서 $\frac{4}{k}=2$이므로

$k=2$

답 ②

7-1

두 실수 x, y에 대하여 $3^x=12^y=6$일 때, $\frac{1}{x}+\frac{1}{y}$의 값은?

① 1 ② 2 ③ 3
④ 4 ⑤ 5

7-2

두 실수 x, y에 대하여 $24^x=4$, $6^y=8$일 때, $\frac{2}{x}-\frac{3}{y}$의 값을 구하시오.

8-1

이차방정식 $2x^2-7x+2=0$의 두 근이 α, β일 때, $4^{\frac{1}{\alpha}}\times 4^{\frac{1}{\beta}}$의 값은?

① 16 ② 32 ③ 64
④ 128 ⑤ 256

8-2

이차방정식 $x^2-4x+1=0$의 두 근이 α, β일 때, $\sqrt{3^{\frac{1}{\alpha}}}\times\sqrt{3^{\frac{1}{\beta}}}$의 값을 구하시오.

WEEK 1 DAY 2

필수 체크 전략 ②

01 $\left(\frac{2^{\sqrt{3}}}{4}\right)^{\sqrt{3}+2}$의 값은?

① $\frac{1}{4}$ ② $\frac{1}{2}$ ③ $\sqrt{2}$
④ 2 ⑤ $2^{\sqrt{3}}$

Tip

$a>0$이고, p, q가 실수일 때

$a^p \div a^q=$ ❶ ______, $(a^p)^q=$ ❷ ______

답 ❶ a^{p-q} ❷ a^{pq}

02 $9^{\frac{1}{2}} \times \sqrt[3]{8}$의 값은?

① 3 ② 4 ③ 5
④ 6 ⑤ 7

Tip

$a>0$이고 r, s는 유리수, m, n $(m \geq 2)$은 정수일 때

$(a^r)^s=$ ❶ ______, $\sqrt[m]{a^n}=$ ❷ ______

답 ❶ a^{rs} ❷ $a^{\frac{n}{m}}$

03 $(5^{\sqrt{5}})^{2\sqrt{5}} \div 5^3 \times (\sqrt[3]{5})^{15}=5^k$일 때, 실수 k의 값은?

① 10 ② 11 ③ 12
④ 13 ⑤ 14

Tip

a가 실수이고 m, n이 양의 정수일 때

$$a^m \div a^n = \begin{cases} \text{❶ \_\_\_\_\_\_} & (m>n) \\ 1 & (m=n) \text{ (단, } a\neq 0) \\ \frac{1}{a^{n-m}} & (m \text{ ❷ \_\_\_\_\_\_ } n) \end{cases}$$

답 ❶ a^{m-n} ❷ $<$

04 $(\sqrt{3\sqrt{7}})^4$의 값은?

① 21 ② 36 ③ 49
④ 63 ⑤ 72

Tip

$a>0$이고 m은 정수, n은 2 이상의 정수,
p, q, r, s $(p\neq 0, r\neq 0)$는 실수일 때

$\sqrt[n]{a^m}=a^{❶}$, $(a^{\frac{q}{p}})^{\frac{s}{r}}=a^{❷}$

답 ❶ $\frac{m}{n}$ ❷ $\frac{qs}{pr}$

05 3의 네제곱근 중에서 양수인 것을 x라 할 때, x^n이 두 자리 자연수가 되도록 하는 모든 자연수 n의 값의 합은?

① 20 ② 24 ③ 28
④ 32 ⑤ 36

Tip

n이 짝수이고 $a>0$일 때

a의 n제곱근 중 양수는 ❶ ______이다.

답 ❶ $\sqrt[n]{a}$

06 두 양수 a, b에 대하여

$$a^7=\sqrt{2},\ 5\log b=3\log a$$

일 때, $(ab^3)^5$의 값은?

① 1　② $\sqrt{2}$　③ 2
④ 4　⑤ 8

Tip

• $a>0$, $b>0$이고 l, m, n이 실수일 때
$(a^m b^n)^l=a^{ml}$ ❶ [ ]
• $M>0$이고 k가 실수일 때
$\log M^k=$ ❷ [ ] $\log M$

답 ❶ b^{nl} ❷ k

07 $4^{x+1}=12$일 때, $\dfrac{2^x+2^{-x}}{2^x-2^{-x}}$의 값을 구하시오.

Tip

$2^x(2^x+2^{-x})=4^x+$ ❶ [ ]
$2^x(2^x-2^{-x})=$ ❷ [ ] -1

답 ❶ 1 ❷ 4^x

08 $2\le n<10$인 자연수 n에 대하여 $(\sqrt[3]{8^2})^{\frac{1}{6}}$이 어떤 자연수의 n제곱근이 되도록 하는 모든 n의 값의 합은?

① 12　② 14　③ 16
④ 18　⑤ 20

Tip

• x가 어떤 자연수의 n제곱근이려면
x^n이 ❶ [ ] 이어야 한다.
• $a>0$이고 m, n이 2 이상의 정수일 때
$(\sqrt[n]{a})^m=\sqrt[n]{❷\ [\ ]}$

답 ❶ 자연수 ❷ a^m

09 두 실수 a, b에 대하여

$$2^a+2^b=5,\ 2^{-a+1}+2^{-b+1}=\frac{15}{4}$$

일 때, $2^{a+b}=\dfrac{q}{p}$이다. $p+q$의 값을 구하시오.
(단, p와 q는 서로소인 자연수이다.)

Tip

$2^{-a}=\dfrac{1}{❶\ [\ ]}$
$2^{-a+1}+2^{-b+1}=$ ❷ [ ] $(2^{-a}+2^{-b})$

답 ❶ 2^a ❷ 2

10 $2\le n<10$인 자연수 n에 대하여 n^2-6n의 n제곱근 중에서 음의 실수가 존재할 때, 모든 n의 값의 합은?

① 14　② 15　③ 16
④ 17　⑤ 18

Tip

n^2-6n의 n제곱근 중에서 음의 실수가 존재하려면
(i) n이 ❶ [ ] 일 때, $n^2-6n<0$
(ii) n이 짝수일 때, n^2-6n ❷ [ ] 0
이어야 한다.

답 ❶ 홀수 ❷ $>$

WEEK 1 DAY 3

필수 체크 전략 ①

핵심 예제 01

$\log_3 \frac{15}{2}+\log_3 18-\log_3 5$의 값은?

① 1　② 2　③ 3　④ 4　⑤ 5

Tip

$a>0$, $b>0$일 때

(1) $\log_3 a+\log_3 b=\log_3$ [❶]

(2) $\log_3 a-\log_3 b=\log_3$ [❷]

답 ❶ ab ❷ $\frac{a}{b}$

풀이

$$\log_3 \frac{15}{2}+\log_3 18-\log_3 5=\log_3 \frac{\frac{15}{2}\times 18}{5}$$
$$=\log_3 27=\log_3 3^3$$
$$=3$$

답 ③

핵심 예제 02

1이 아닌 양수 a, b에 대하여 $a^3=4$, $b^5=8$일 때, $\log_a b+\log_b a$의 값은?

① $\frac{101}{90}$　② $\frac{121}{90}$　③ $\frac{47}{30}$　④ $\frac{161}{90}$　⑤ $\frac{181}{90}$

Tip

(1) $a^x=k$이면 $a=($ ❶ $)^{\frac{1}{x}}$ $(a>0,\ a\neq 1,\ x\neq 0)$

(2) $\log_{2^m} 2^n=$ [❷] (m, n은 실수, $m\neq 0$)

답 ❶ k ❷ $\frac{n}{m}$

풀이

$a^3=4$, $b^5=8$에서

$a=4^{\frac{1}{3}}=2^{\frac{2}{3}}$, $b=8^{\frac{1}{5}}=2^{\frac{3}{5}}$이므로

$$\log_a b+\log_b a=\log_{2^{\frac{2}{3}}} 2^{\frac{3}{5}}+\log_{2^{\frac{3}{5}}} 2^{\frac{2}{3}}$$
$$=\frac{\frac{3}{5}}{\frac{2}{3}}\log_2 2+\frac{\frac{2}{3}}{\frac{3}{5}}\log_2 2$$
$$=\frac{9}{10}+\frac{10}{9}=\frac{181}{90}$$

답 ⑤

1-1

$\log_2 \frac{4}{3}+\log_2 6$의 값을 구하시오.

1-2

$\log_5 6-2\log_5 5\sqrt{3}+\log_5 \frac{1}{2}$의 값은?

① -2　② -1　③ 0　④ 1　⑤ 2

2-1

$a=\sqrt[3]{5^2}$, $b=\sqrt[4]{5^3}$일 때, $\log_5 a^3b^4$의 값은?

① 1　② 2　③ 3　④ 4　⑤ 5

2-2

1이 아닌 두 양수 a, b에 대하여 $\log_a 2=3$, $\log_b 4=2$일 때, $\log_a b$의 값은?

① $\frac{1}{3}$　② $\frac{1}{2}$　③ 1　④ 2　⑤ 3

핵심 예제 03

모든 실수 x에 대하여 $\log_{a+1}(x^2-2ax+2a+8)$이 정의되도록 하는 모든 정수 a의 값의 합은?

① 0 ② 1 ③ 2
④ 3 ⑤ 6

Tip

$\log_a N$이 정의되기 위한 조건은 다음과 같다.

밑의 조건: $a>0$, a ❶ [ ] 1

진수의 조건: $N>$ ❷ [ ]

답 ❶ $\neq$ ❷ 0

풀이

밑의 조건에서 $a+1>0$, $a+1\neq1$

즉 $a>-1$, $a\neq0$이므로

$-1<a<0$ 또는 $a>0$ …… ㉠

또 진수의 조건에서 모든 실수 x에 대하여 $x^2-2ax+2a+8>0$이므로 이차방정식 $x^2-2ax+2a+8=0$의 판별식을 D라 하면

$\frac{D}{4}=a^2-2a-8<0$, $(a+2)(a-4)<0$

$\therefore -2<a<4$ …… ㉡

㉠, ㉡에서 $-1<a<0$ 또는 $0<a<4$

따라서 정수 a는 1, 2, 3이므로 그 합은

$1+2+3=6$

답 ⑤

3-1

$\log_{x-1}(6-x)$가 정의되도록 하는 정수 x의 개수는?

① 1 ② 2 ③ 3
④ 4 ⑤ 5

3-2

$\log_{|x|}(-x^2+x+6)$이 정의되도록 하는 정수 x의 개수는?

① 1 ② 2 ③ 3
④ 4 ⑤ 5

핵심 예제 04

양수 a에 대하여 $\log_3 \frac{a}{5}=b$일 때, $\frac{a}{3^b}$의 값은?

① 1 ② 2 ③ 3
④ 4 ⑤ 5

Tip

$a>0$, $a\neq$ ❶ [ ] 일 때, 양수 b에 대하여

$\log_a b=c$이면 ❷ [ ] $=a^c$

답 ❶ 1 ❷ b

풀이

$\log_3 \frac{a}{5}=b$에서 $\frac{a}{5}=3^b$

$\therefore \frac{a}{3^b}=5$

답 ⑤

4-1

양수 a에 대하여 $\log_2 \frac{a}{2}=3$, $\log_{\sqrt{2}} b=4$일 때, $\log_a b$의 값은?

① $\frac{1}{2}$ ② 1 ③ $\frac{3}{2}$
④ 2 ⑤ $\frac{5}{2}$

4-2

양수 a에 대하여 $\log_5 \frac{a}{2}=b$, $\log_{\sqrt{2}} a=4$일 때, $\log_2 5^b$의 값은?

① 1 ② 2 ③ 3
④ 4 ⑤ 5

필수 체크 전략 ①

핵심 예제 05

두 양수 a, b가 다음 조건을 만족시킬 때, $\log_5 a+\log_{\sqrt{5}} b$의 값을 구하시오.

(가) $ab=25$　　(나) $\dfrac{\log 2}{\log a}=\dfrac{\log 4}{\log b}$

Tip

$a>0$, $a\neq1$, $b>0$, $c>0$, $c\neq1$일 때

(1) $\log_a b=\dfrac{❶\square}{\log_c a}$

(2) $\log_{a^m} a^n=$ ❷ $\square$ (m, n은 실수, $m\neq0$)

답 ❶ $\log_c b$ ❷ $\dfrac{n}{m}$

풀이

조건 (나)에서 $\dfrac{\log 2}{\log a}=\dfrac{2\log 2}{\log b}$, $2\log a=\log b$

즉 $\log a^2=\log b$에서 $b=a^2$

조건 (가)에 $b=a^2$을 대입하면

$a^3=25$, $a=\sqrt[3]{25}=5^{\frac{2}{3}}$

즉 $b=(5^{\frac{2}{3}})^2=5^{\frac{4}{3}}$

$\therefore \log_5 a+\log_{\sqrt{5}} b=\log_5 5^{\frac{2}{3}}+2\log_5 5^{\frac{4}{3}}$

$=\dfrac{2}{3}+2\times\dfrac{4}{3}=\dfrac{10}{3}$

답 $\dfrac{10}{3}$

5-1

1이 아닌 두 양수 a, b가 $\dfrac{\log a}{2}=\dfrac{\log b}{3}$를 만족시킬 때, $\log_{\sqrt{a}} b^3$의 값은?

① 5　② 6　③ 7
④ 8　⑤ 9

5-2

1이 아닌 두 양수 a, b가 $3\log a=5\log b$를 만족시킬 때, $10\log_a b+9\log_b a$의 값을 구하시오.

핵심 예제 06

이차방정식 $x^2-3x+1=0$의 두 근을 $\log a$, $\log b$라 할 때, $\log_a b+\log_b a$의 값은?

① 3　② 4　③ 5
④ 6　⑤ 7

Tip

이차방정식 $x^2+mx+n=0$의 두 실근이 α, β이면

$\alpha+\beta=$ ❶ $\square$, $\alpha\beta=$ ❷ $\square$

답 ❶ $-m$ ❷ n

풀이

이차방정식 $x^2-3x+1=0$의 두 근이 $\log a$, $\log b$이므로

이차방정식의 근과 계수의 관계에 의하여

$\log a+\log b=3$, $\log a\times\log b=1$

$\therefore \log_a b+\log_b a=\dfrac{\log b}{\log a}+\dfrac{\log a}{\log b}$

$=\dfrac{(\log a)^2+(\log b)^2}{\log a\log b}$

$=\dfrac{(\log a+\log b)^2-2\log a\log b}{\log a\log b}$

$=\dfrac{3^2-2}{1}=7$

답 ⑤

6-1

이차방정식 $x^2-4x+1=0$의 두 근을 $\log_2 a$, $\log_2 b$라 할 때, ab의 값은?

① 13　② 14　③ 15
④ 16　⑤ 17

6-2

1이 아닌 두 양수 a, b에 대하여 이차방정식 $x^2-mx+1=0$의 두 근이 $\log a$, $\log b$이고 $\log_a b+\log_b a=10$을 만족시킬 때, m^2의 값을 구하시오. (단, m은 상수이다.)

핵심 예제 07

두 점 $(1, \log_3 2)$, $(2, \log_3 a)$를 지나는 직선의 기울기가 3일 때, 양수 a의 값은?

① 51 ② 52 ③ 53
④ 54 ⑤ 55

Tip

• 두 점 (a, b), (c, d)를 지나는 직선의 기울기는 ❶ 이다.

• $a>0$, $a\neq 1$이고 $M>0$, $N>0$일 때

$\log_a \frac{M}{N}=$ ❷ $-\log_a N$

답 ❶ $\frac{d-b}{c-a}$ ❷ $\log_a M$

풀이

두 점 $(1, \log_3 2)$, $(2, \log_3 a)$를 지나는 직선의 기울기가 3이므로

$\frac{\log_3 a-\log_3 2}{2-1}=3$

$\log_3 \frac{a}{2}=3$, $\frac{a}{2}=3^3$

$\therefore a=54$

답 ④

7-1

두 점 $(1, \log_5 2)$, $(3, \log_5 50)$을 지나는 직선의 기울기는?

① 1 ② 2 ③ 3
④ 4 ⑤ 5

7-2

세 점 $(1, \log_2 3)$, $(2, \log_2 12)$, $(3, \log_2 a)$가 한 직선 위에 존재할 때, 양수 a의 값을 구하시오.

핵심 예제 08

두 실수 a, b가 $3^{a+b}=5$, $5^{a-b}=27$을 만족시킬 때, a^2-b^2의 값은?

① $\frac{7}{3}$ ② $\frac{8}{3}$ ③ 3
④ $\frac{10}{3}$ ⑤ $\frac{11}{3}$

Tip

$a^x=b$ $(a>0, a\neq$ ❶ $, b>0)$이면

$x=$ ❷

답 ❶ 1 ❷ $\log_a b$

풀이

$3^{a+b}=5$에서 $a+b=\log_3 5=\frac{\log 5}{\log 3}$

$5^{a-b}=27$에서 $a-b=\log_5 27=\frac{\log 27}{\log 5}$

$\therefore a^2-b^2=(a+b)(a-b)$

$=\frac{\log 5}{\log 3}\times\frac{\log 27}{\log 5}$

$=\frac{3\log 3}{\log 3}=3$

답 ③

8-1

두 실수 a, b가 $2^{a+b}=3$, $9^{a-b}=16$을 만족시킬 때, a^2-b^2의 값은?

① 2 ② $\frac{5}{2}$ ③ 3
④ $\frac{7}{2}$ ⑤ 4

8-2

두 실수 x, y가 $5^{x+y}=3$, $3^{x-y}=7$을 만족시킬 때, $5^{x^2-y^2}$의 값은?

① 3 ② 4 ③ 5
④ 6 ⑤ 7

WEEK 1 DAY 3

필수 체크 전략 ②

01 $\log_{\sqrt{2}} 10 + \log_2 \frac{4}{25}$의 값은?

① 2 ② 3 ③ 4
④ 5 ⑤ 6

Tip

$a>0$, $a\neq1$이고 $x>0$, $y>0$일 때

(1) $\log_a x + \log_a y = \log_a$ ❶ [　　]

(2) $\log_a x = \log_{a^m}$ ❷ [　　] (m은 실수, $m\neq0$)

답 ❶ xy ❷ x^m

02 $\frac{1}{\log_3 5} + \frac{1}{\log_4 5} = \frac{1}{\log_k 5}$일 때, 상수 k의 값은?

① 3 ② 6 ③ 9
④ 12 ⑤ 15

Tip

$a>0$, $a\neq1$, $b>0$, $b\neq1$일 때

$\log_a b = \frac{1}{❶ [\quad]}$

답 ❶ $\log_b a$

03 $\log_{x-3}(-x^2+10x-16)$이 정의되도록 하는 정수 x의 최솟값을 a, 최댓값을 b라 할 때, $a+b$의 값은?

① 10 ② 11 ③ 12
④ 13 ⑤ 14

Tip

$\log_a N$이 정의되기 위한 조건은 다음과 같다.

• 밑의 조건: $a>0$, a ❶ [　　] 1

• 진수의 조건: $N>$ ❷ [　　]

답 ❶ $\neq$ ❷ 0

04 $0\leq\log_5 n<k$인 자연수 n에 대하여 $\log_2 n$이 정수가 되도록 하는 n의 개수를 $N(k)$라 할 때, $N(3)-N(1)$의 값은?

① 3 ② 4 ③ 5
④ 6 ⑤ 7

Tip

$\log_5 1=$ ❶ [　　], $\log_5 5^m=$ ❷ [　　] (m은 실수)

답 ❶ 0 ❷ m

05 $k=10^{0.4}$일 때, $\log k^3 - \log \frac{k}{\sqrt{10}}$의 값은?

① 0.4 ② 0.7 ③ 0.9
④ 1.1 ⑤ 1.3

Tip

• a는 실수, $b>0$일 때
$10^a=b$이면 $a=\log$ ❶ [　　]

• $a>0$, $a\neq1$이고 $x>0$, $y>0$일 때
$\log_a x - \log_a y = \log_a$ ❷ [　　]

답 ❶ b ❷ $\frac{x}{y}$

로그의 성질을
이용하여 주어진 식을
간단히 정리해 봐.

06 1보다 큰 두 실수 a, b에 대하여

$$\log_a \frac{a}{b^2} = -2$$

일 때, $6\log_b a$의 값은?

① 2 ② 3 ③ 4
④ 5 ⑤ 6

Tip

$a>0$, $a\neq1$, $M>0$, $N>0$일 때

(1) $\log_a N=$ ❶ [ ] 이면 $N=a^m$ (m은 실수)

(2) $\log_a M^k=$ ❷ [ ] $\log_a M$ (k는 실수)

답 ❶ m ❷ k

07 두 양수 a, b가

$$\log_3 a=3,\ \log b=8\log a$$

를 만족시킨다. $\log_3 b=m$일 때, 상수 m의 값을 구하시오.

Tip

$a>0$, $a\neq1$, $b>0$일 때

(1) $\log_a b=\dfrac{❶\ [\ \ ]}{\log a}$

(2) $\log b=k\log a=\log$ ❷ [ ] (k는 실수)

답 ❶ $\log b$ ❷ a^k

08 1보다 큰 두 자연수 a, b에 대하여

$$a+b=10,\ \frac{\log_b 5}{\log_a 5}=\frac{1}{3}$$

일 때, $\log_2 ab$의 값을 구하시오.

Tip

$a>0$, $a\neq1$, $b>0$, $b\neq1$, $c>0$일 때

$\log_a b=\dfrac{❶\ [\ \ ]}{\log_b a}$, $\dfrac{\log_b c}{\log_a c}=\log_b$ ❷ [ ]

답 ❶ 1 ❷ a

09 이차방정식 $x^2-36x+3=0$의 두 근을 α, β라 할 때, $\log_2(\alpha+\beta)-2\log_2\alpha\beta$의 값은?

① 1 ② 2 ③ 3
④ 4 ⑤ 5

Tip

이차방정식 $x^2+mx+n=0$의 두 실근이 α, β이면

$\alpha+\beta=-$ ❶ [ ], $\alpha\beta=$ ❷ [ ]

답 ❶ m ❷ n

10 1이 아닌 두 양수 a, b가 다음 조건을 만족시킨다.

(가) $ab=64$
(나) $\log_2 a\times\log_2 b=-2$

$\log_a 2+\log_b 2$의 값은?

① -5 ② -4 ③ -3
④ -2 ⑤ -1

Tip

- $\log_2 a\times\log_2 b$ ❶ [ ] $\log_2 a+\log_2 b$
- $a>0$, $a\neq1$, $b>0$일 때

$\log_a b=\dfrac{1}{❷\ [\ \ ]}$

답 ❶ $\neq$ ❷ $\log_b a$

WEEK 1

누구나 합격 전략

1 $\sqrt[3]{3}\times 9^{\frac{1}{3}}$의 값은?

① 1　② 2　③ 3　④ 4　⑤ 5

2 16의 세제곱근 중 실수인 것이 $2^{\frac{q}{p}}$일 때, $p+q$의 값은?
(단, p, q는 서로소인 자연수이다.)

① 4　② 5　③ 6　④ 7　⑤ 8

3 $\dfrac{\sqrt[3]{4}\times\sqrt[3]{2}}{\sqrt{2}}=2^k$일 때, 실수 k의 값은?

① $\dfrac{1}{3}$　② $\dfrac{1}{2}$　③ 1　④ $\dfrac{4}{3}$　⑤ $\dfrac{3}{2}$

4 $(\sqrt{3\sqrt{2}})^4$의 값을 바르게 구한 학생을 고르시오.

9
석진
18
예나
27
지연
36
지호
45
보윤

5 두 실수 x, y에 대하여 $2^x=5$, $16^y=25$일 때, $\dfrac{x}{y}$의 값은?

① 1　② 2　③ 3　④ 4　⑤ 5

두 실수 x, y의 값을 어떻게 구하지?
x, y의 값을 각각 구하지 않아도 돼. $(2^x)^2=16^y$임을 이용해 봐.

6 $\log_2 3+\log_2 \frac{8}{3}$의 값은?

① 2　② 3　③ 4　④ 5　⑤ 6

7 $\log_2 2+\log_2 4+\log_2 8$의 값은?

① 2　② 3　③ 4　④ 5　⑤ 6

8 $\log_2 a=3$, $\log_3 b=1$일 때, $a+b$의 값은?

① 11　② 12　③ 13　④ 14　⑤ 15

9 두 실수 x, y에 대하여 $3^x=5$, $3^y=\frac{27}{5}$일 때, $\log_3(x+y)$의 값은?

① 1　② 2　③ 3　④ 4　⑤ 5

$3^x\times3^y=3^{x+y}$임을 이용하여 $x+y$의 값을 먼저 구해 봐.

10 이차방정식 $x^2+ax+b=0$의 두 실근 α, β가 다음 조건을 만족시킨다.

> (가) $5^\alpha=5^{5-\beta}$
> (나) $\log_2\alpha+\log_2\beta=2$

상수 a, b에 대하여 a^2+b^2의 값을 구하시오.

a, b의 값을 어떻게 구하지?
이차방정식 $x^2+ax+b=0$의 두 근이 α, β이면 $\alpha+\beta=-a$, $\alpha\beta=b$야.

창의·융합·코딩 전략 ①

1 다음과 같은 두 연산 프로그램이 있다.

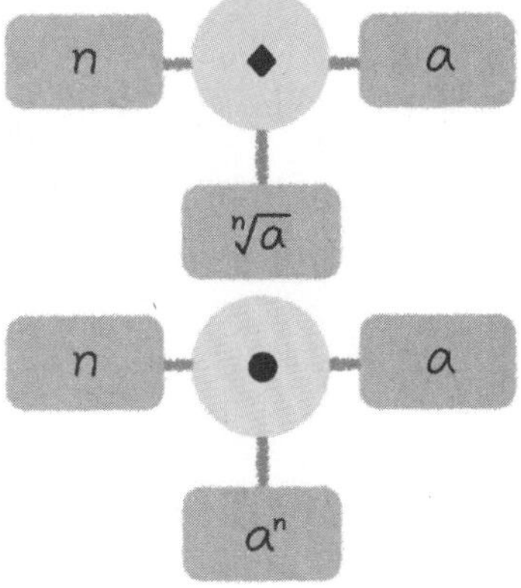

아래 연산에서 출력된 수가 9일 때, (가)에 알맞은 수를 구하시오.

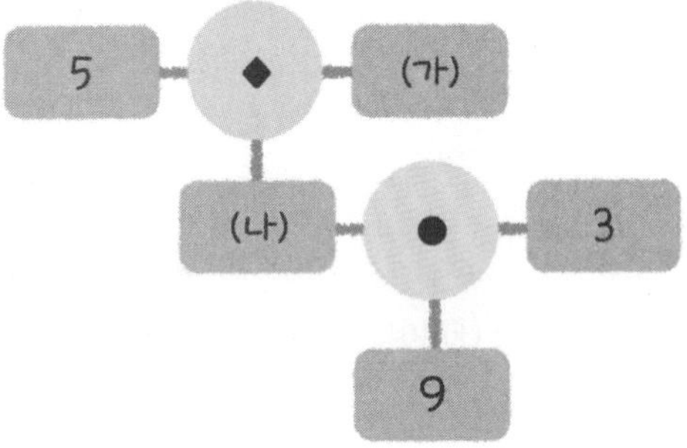

Tip

마지막에 출력된 수가 ❶ [ ] 이므로 (나)에 알맞은 수를 x로 놓고 식을 세운 후 ❷ [ ] 의 값을 먼저 구한다.

답 ❶ 9 ❷ x

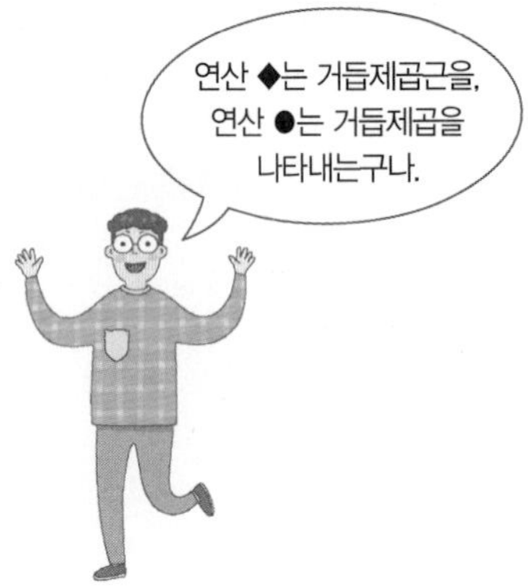

2 다음은 어느 인터넷 사이트의 지도 상단에 있는 버튼의 기능을 설명한 것이다.

> [⊕확대] 버튼을 한 번 클릭할 때마다 지도의 크기는 a배가 되고, [⊖축소] 버튼을 한 번 클릭할 때마다 지도의 크기는 b배가 된다.
> 예를 들어 [⊕확대] 버튼을 3번 클릭하면 처음 지도의 크기의 2배가 되고, [⊖축소] 버튼을 3번 클릭하면 처음 지도의 크기의 $\frac{1}{2}$배가 된다.

두 학생 A, B가 같은 크기의 지도를 다음과 같은 순서로 각각 클릭하였다.

A: [⊕확대] [⊖축소] [⊖축소] [⊖축소] [⊕확대] [⊕확대]

B: [⊖축소] [⊕확대] [⊕확대]

학생 B가 클릭하여 얻은 지도의 크기는 학생 A가 클릭하여 얻은 지도의 크기의 k배였다. 상수 k의 값은?

① $2^{\frac{1}{3}}$ ② $2^{\frac{2}{3}}$ ③ 2
④ $2^{\frac{4}{3}}$ ⑤ $2^{\frac{5}{3}}$

Tip

$a^3=$ ❶ [ ], $b^3=\frac{1}{2}$이므로

$a=\sqrt[3]{2}$, $b=\frac{1}{❷ [\ \ ]}$

답 ❶ 2 ❷ $\sqrt[3]{2}$

3 과거 n년 동안 매출액이 a억 원에서 b억 원으로 변했을 때 연평균 성장률은

$$(\text{연평균 성장률})=\left(\frac{b}{a}\right)^{\frac{1}{n}}-1$$

이라 한다. 다음은 A회사의 매출액을 나타낸 표이다.

(단위: 억 원)

회사명	2012년 말	2022년 말
A	100	200

2012년 말부터 2022년 말까지 10년 동안 A회사의 연평균 성장률이 k일 때, $100k$의 값은?

(단, $2^{\frac{11}{10}}=2.14$로 계산한다.)

① 3　② 5　③ 7　④ 9　⑤ 11

Tip

$(\text{연평균 성장률})=\left(\frac{b}{a}\right)^{\frac{1}{n}}-1$에

$a=$ ❶ ☐, $b=200$, $n=$ ❷ ☐을 대입한다.

답 ❶ 100 ❷ 10

4 어떤 고대 유물의 문을 열려면 다음 그림의 정육각형 안에 쓰여 있는 식의 값을 큰 수부터 차례로 나열하여 얻은 세 자리 자연수가 적힌 돌을 (가)에 올려놓아야 한다고 한다.

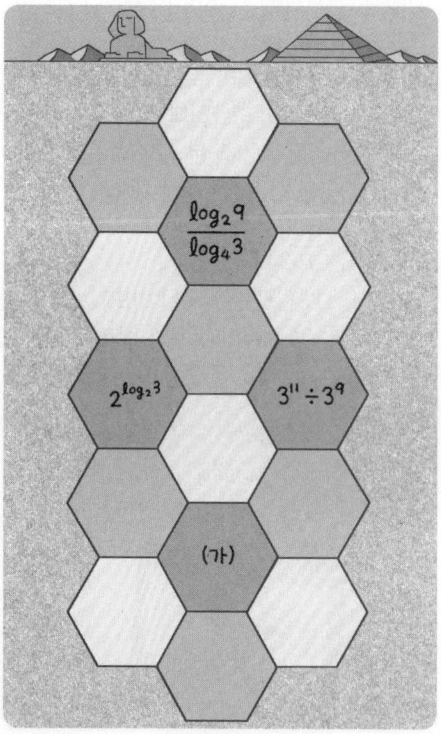

문을 열기 위해 (가)에 올려놓아야 하는 돌에 적힌 수를 구하시오.

Tip

$a>0$, $a\neq1$, $b>0$일 때

$\log_{a^m} b^n=$ ❶ ☐ $\log_a b$ (m, n은 실수, $m\neq0$)

$a^{\log_a b}=$ ❷ ☐

답 ❶ $\frac{n}{m}$ ❷ b

창의·융합·코딩 전략 ②

5 새로운 컴퓨터로 업그레이드하거나 비디오 게임처럼 고성능을 요구하는 프로그램을 다운로드하기 전에 컴퓨터의 RAM 용량, 처리 속도, 그리고 저장 공간 용량을 먼저 확인하는 것이 중요하다.
어떤 컴퓨터를 확인해 본 결과 하드디스크에 표시된 용량이 nGB이면 컴퓨터의 운영 체제가 인식하는 실제 용량은

$$n\times\left(\frac{1000}{1024}\right)^3\text{GB}$$

라 한다. 128GB로 표시된 하드디스크를 컴퓨터에 설치하였을 때, 이 컴퓨터의 운영 체제가 인식하는 실제 용량은 $2^p\times5^q$GB이다. 두 정수 p, q에 대하여 $p+q$의 값은?

① -7 ② -5 ③ -3
④ -1 ⑤ 3

Tip

$128=2^{❶\square}$, $\dfrac{1000}{1024}=\dfrac{2^3\times5^{❷\square}}{2^{10}}$

답 ❶ 7 ❷ 3

6 윤희와 수찬이는 봄 축제 기간에 수학 동아리에서 운영하는 퀴즈 대회에 참가하였다.

다음은 두 사람이 받은 문제이다.

다음 세 장의 카드가 나타내는 수를 모두 나열하여 만들 수 있는 가장 큰 세 자리 자연수보다 5 작은 수는 얼마일까요?

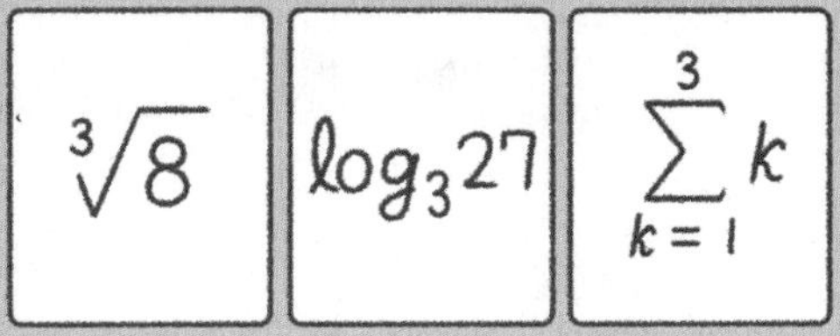

$\sqrt[3]{8}$ $\log_3 27$ $\displaystyle\sum_{k=1}^{3} k$

이 문제의 답을 구하시오.

Tip

$\sqrt[3]{8}=$ ❶ $\square$, $\log_3 27=$ ❷ $\square$

답 ❶ 2 ❷ 3

7 어느 기획사에서 콘서트 무대를 설치하면서 음량의 상태를 분석하였다. 분석 결과에 따르면 공연장 무대 위의 스피커로부터 떨어진 거리가 d_1m, d_2m인 두 방청석에서 들리는 소리의 크기를 S_1dB, S_2dB이라 하면

$$S_2-S_1=20\log\frac{d_1}{d_2}$$

이 성립한다고 한다. 무대 위의 스피커로부터 떨어진 거리가 3m인 방청석에서 들리는 소리의 크기가 100dB일 때, 같은 스피커로부터 떨어진 거리가 12m인 방청석에서 들리는 소리의 크기는 몇 dB인가?

(단, $\log 2=0.3$으로 계산한다.)

① 86 ② 87 ③ 88
④ 89 ⑤ 90

Tip

$\frac{1}{4}=2^{\text{❶}\square}$, $\log 2^{-2}=$ ❷ $\square$ $\log 2$

답 ❶ −2 ❷ −2

8 다음은 냉장고의 소비 전력을 줄이는 생활 속 지혜와 관련된 신문 기사 내용이다.

ㅇㅇ신문

문을 개폐하는 시간과 횟수를 줄이세요.

냉장고 문을 열면 냉기는 순식간에 밖으로 빠져나가고 냉장고는 전력을 소비하여 냉장고 안 공기를 다시 냉각시킵니다. 따라서 문을 열고 있는 시간이 길수록, 여는 횟수가 많을수록 아까운 전력 소비가 발생합니다.

냉장고 안의 식품을 효율적으로 출납할 수 있도록 내부는 가능한 한 정리하고 어디에 무엇이 있는지를 확실히 파악해 두는 것이 절전의 비결입니다.

어떤 냉장고의 소비 전력은 냉장고의 내부 온도에 따라 변한다. 냉장고의 내부 온도를 T°C, 그때의 소비 전력을 PW라 하면

$$\log P=\log 16+k\log\frac{T}{10} \text{ (단, } k\text{는 상수)}$$

가 성립한다고 한다. 이 냉장고의 내부 온도가 20°C일 때의 소비 전력이 64W라 할 때, 내부 온도가 15°C일 때의 소비 전력은 몇 W인가?

① 20 ② 24 ③ 28
④ 32 ⑤ 36

Tip

냉장고의 내부 온도가 20°C일 때의 소비 전력이 64W이므로

$\log$ ❶ $\square$ $=\log 16+k\log\frac{\text{❷}\square}{10}$

답 ❶ 64 ❷ 20

WEEK

2 지수함수와 로그함수

공부할 내용

1. 지수함수의 뜻과 그래프
2. 로그함수의 뜻과 그래프
3. 지수방정식과 지수부등식
4. 로그방정식과 로그부등식

개념 돌파 전략 ①

개념 01 지수함수의 뜻

$a>0$이고 $a\neq$ (❶)일 때, 실수 x에 대하여 a^x의 값은 하나로 정해지므로

$y=a^x\ (a>0,\ a\neq1)$

을 a를 밑으로 하는 지수함수라 한다.

참고 지수함수 $y=a^x$에서 $a=1$이면 모든 실수 x에 대하여 (❷)이므로 상수함수가 된다. 따라서 지수함수에서 밑 a는 $a\neq1\ (a>0)$인 경우만 생각한다.

답 ❶ 1 ❷ $y=1$

확인 01

함수 $y=3^x$은 (❶)을 밑으로 하는 지수함수이다.

함수 $y=\left(\frac{1}{4}\right)^x$은 $\frac{1}{4}$을 (❷)으로 하는 지수함수이다.

다항함수 $y=x^2$은 x가 밑에 있지만 지수함수 $y=2^x$은 x가 지수에 있음에 주의한다.

답 ❶ 3 ❷ 밑

개념 02 지수함수 $y=a^x\ (a>1)$의 성질

❶ 정의역은 (❶) 전체의 집합이고, 치역은 양의 실수 전체의 집합이다.

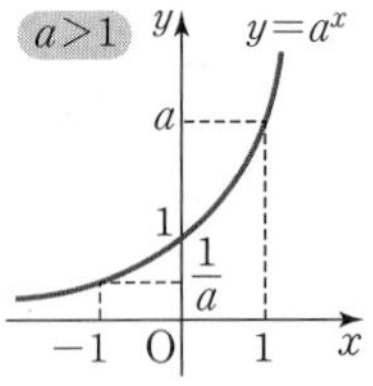

❷ $a>1$일 때, x의 값이 증가하면 y의 값도 (❷)한다.

❸ 그래프는 점 $(0,\ 1)$을 지나고, 점근선은 x축이다.

답 ❶ 실수 ❷ 증가

확인 02

지수함수 $y=2^x$의 성질은 다음과 같다.

① 정의역은 실수 전체의 집합이고, 치역은 (❶)의 실수 전체의 집합이다.

② 밑 2는 1보다 크므로 x의 값이 증가하면 y의 값도 증가한다.

③ 그래프는 점 (0, (❷))을 지나고, 점근선은 x축이다.

답 ❶ 양 ❷ 1

개념 03 지수함수 $y=a^x\ (0<a<1)$의 성질

❶ 정의역은 실수 전체의 집합이고, 치역은 양의 실수 전체의 집합이다.

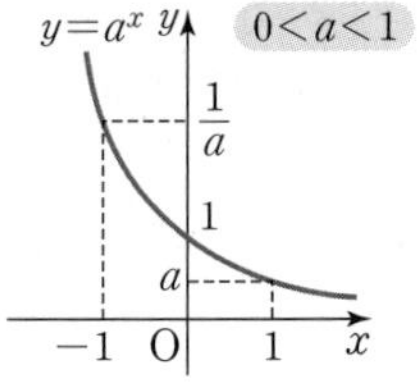

❷ $0<a<$ (❶)일 때, x의 값이 증가하면 y의 값은 감소한다.

❸ 그래프는 점 $(0,\ 1)$을 지나고, 점근선은 (❷)축이다.

답 ❶ 1 ❷ x

확인 03

지수함수 $y=\left(\frac{1}{2}\right)^x$의 성질은 다음과 같다.

① 정의역은 (❶) 전체의 집합이고, 치역은 양의 실수 전체의 집합이다.

② 밑 $\frac{1}{2}$은 0보다 크고 1보다 작으므로 x의 값이 증가하면 y의 값은 (❷)한다.

③ 그래프는 점 $(0,\ 1)$을 지나고, 점근선은 x축이다.

답 ❶ 실수 ❷ 감소

개념 04 제한된 범위에서 지수함수의 최대, 최소

정의역이 $\{x\,|\,m\le x\le n\}$인 지수함수 $y=a^x$은

❶ $a>1$이면 $x=m$일 때 (❶) a^m, $x=n$일 때 최댓값 a^n을 갖는다.

❷ $0<a<1$이면 $x=m$일 때 최댓값 (❷), $x=n$일 때 최솟값 a^n을 갖는다.

답 ❶ 최솟값 ❷ a^m

확인 04

① 정의역이 $\{x\,|\,1\le x\le3\}$인 함수 $y=5^x$은 $x=1$일 때 최솟값 $5^1=5$, $x=3$일 때 (❶) $5^3=125$를 갖는다.

② 정의역이 $\{x\,|\,-1\le x\le2\}$인 함수 $y=\left(\frac{1}{2}\right)^x$은 $x=-1$일 때 최댓값 $\left(\frac{1}{2}\right)^{-1}=$ (❷), $x=2$일 때 최솟값 $\left(\frac{1}{2}\right)^2=\frac{1}{4}$을 갖는다.

답 ❶ 최댓값 ❷ 2

개념 05 지수함수의 그래프의 평행이동과 대칭이동

❶ 지수함수의 그래프의 평행이동

지수함수 $y=a^x$ $(a>0,\ a\neq1)$의 그래프를 x축의 방향으로 [❶] 만큼, y축의 방향으로 n만큼 평행이동

⇨ $y=a^{x-m}+n$

❷ 지수함수의 그래프의 대칭이동

지수함수 $y=a^x$ $(a>0,\ a\neq1)$의 그래프를

① x축에 대하여 대칭이동 ⇨ $y=-a^x$

② y축에 대하여 대칭이동 ⇨ $y=($[❷]$)^x$

③ 원점에 대하여 대칭이동 ⇨ $y=-\left(\frac{1}{a}\right)^x$

답 ❶ m ❷ $\frac{1}{a}$

확인 05

지수함수 $y=3^x$의 그래프를

① x축의 방향으로 2만큼, y축의 방향으로 -1만큼 평행이동

⇨ $y=$[❶]-1

② [❷]축에 대하여 대칭이동 ⇨ $y=3^{-x}=\left(\frac{1}{3}\right)^x$

답 ❶ 3^{x-2} ❷ y

개념 06 로그함수의 뜻

지수함수 $y=a^x$ $(a>$[❶]$,\ a\neq1)$의 역함수

$y=\log_a x$ $(a>0,\ a\neq1)$

를 a를 밑으로 하는 [❷]라 한다.

답 ❶ 0 ❷ 로그함수

확인 06

함수 $y=\log_7 x$는 [❶]을 밑으로 하는 로그함수이다.

함수 $y=\log_{\frac{1}{3}} x$는 $\frac{1}{3}$을 [❷]으로 하는 로그함수이다.

답 ❶ 7 ❷ 밑

개념 07 로그함수 $y=\log_a x$ $(a>1)$의 성질

❶ 정의역은 양의 실수 전체의 집합이고, 치역은 실수 전체의 집합이다.

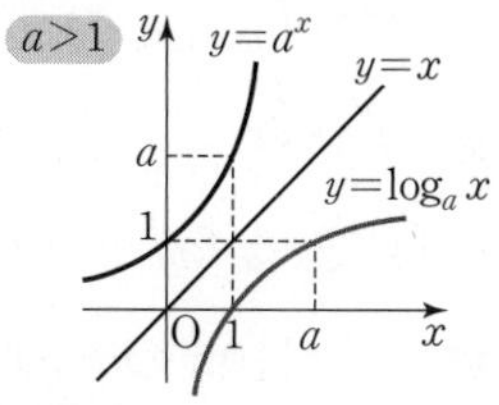

❷ $a>1$일 때, x의 값이 [❶]하면 y의 값도 증가한다.

❸ 그래프는 점 $(1,\ 0)$을 지나고, 점근선은 [❷]축이다.

답 ❶ 증가 ❷ y

확인 07

로그함수 $y=\log_2 x$의 성질은 다음과 같다.

① 정의역은 양의 실수 전체의 집합이고, [❶]은 실수 전체의 집합이다.

② 밑 2는 1보다 크므로 x의 값이 증가하면 y의 값도 증가한다.

③ 그래프는 점 $(1,$ [❷]$)$을 지나고, 점근선은 y축이다.

답 ❶ 치역 ❷ 0

개념 08 로그함수 $y=\log_a x$ $(0<a<1)$의 성질

❶ 정의역은 양의 실수 전체의 집합이고, 치역은 [❶] 전체의 집합이다.

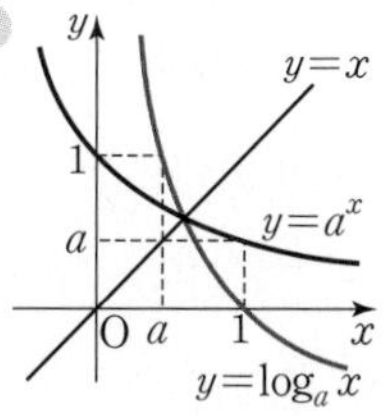

❷ [❷]일 때, x의 값이 증가하면 y의 값은 감소한다.

❸ 그래프는 점 $(1,\ 0)$을 지나고, 점근선은 y축이다.

답 ❶ 실수 ❷ $0<a<1$

확인 08

로그함수 $y=\log_{\frac{1}{2}} x$의 성질은 다음과 같다.

① 정의역은 양의 실수 전체의 집합이고, 치역은 실수 전체의 집합이다.

② 밑 $\frac{1}{2}$은 0보다 크고 1보다 작으므로 x의 값이 증가하면 y의 값은 [❶]한다.

③ 그래프는 점 $(1,\ 0)$을 지나고, 점근선은 [❷]축이다.

답 ❶ 감소 ❷ y

개념 돌파 전략 ①

개념 09 제한된 범위에서 로그함수의 최대, 최소

정의역이 $\{x|m \le x \le n\}$인 로그함수 $y=\log_a x$는

❶ $a>1$이면 $x=m$일 때 ❶ [　　] $\log_a m$, $x=n$일 때 최댓값 $\log_a n$을 갖는다.

❷ $0<a<1$이면 $x=m$일 때 ❷ [　　] $\log_a m$, $x=n$일 때 최솟값 $\log_a n$을 갖는다.

답 ❶ 최솟값 ❷ 최댓값

확인 09

① 정의역이 $\{x|2 \le x \le 5\}$인 함수 $y=\log_2 x$는 $x=2$일 때 최솟값 $\log_2 2=1$, $x=5$일 때 ❶ [　　] $\log_2 5$를 갖는다.

② 정의역이 $\left\{x \middle| \frac{1}{3} \le x \le 3\right\}$인 함수 $y=\log_{\frac{1}{3}} x$는 $x=\frac{1}{3}$일 때 최댓값 $\log_{\frac{1}{3}} \frac{1}{3}=1$, $x=3$일 때 최솟값 $\log_{\frac{1}{3}} 3=$ ❷ [　　]을 갖는다.

답 ❶ 최댓값 ❷ -1

개념 10 로그함수의 그래프의 평행이동과 대칭이동

❶ 로그함수의 그래프의 평행이동

로그함수 $y=\log_a x$ $(a>0,\ a\ne 1)$의 그래프를 x축의 방향으로 m만큼, y축의 방향으로 ❶ [　　]만큼 평행이동 ⇨ $y=\log_a(x-m)+n$

❷ 로그함수의 그래프의 대칭이동

로그함수 $y=\log_a x$ $(a>0,\ a\ne 1)$의 그래프를

① x축에 대하여 대칭이동 ⇨ $y=-\log_a x$

② y축에 대하여 대칭이동 ⇨ $y=\log_a($❷ [　　]$)$

③ 원점에 대하여 대칭이동 ⇨ $y=-\log_a(-x)$

답 ❶ n ❷ $-x$

확인 10

로그함수 $y=\log_3 x$의 그래프를

① x축의 방향으로 -4만큼, y축의 방향으로 -2만큼 평행이동 ⇨ $y=\log_3($❶ [　　]$)-2$

② x축에 대하여 대칭이동 ⇨ $y=$ ❷ [　　] $\log_3 x$

답 ❶ $x+4$ ❷ $-$

개념 11 밑을 같게 할 수 있는 지수방정식의 풀이

주어진 방정식을

$a^{f(x)}=a^{g(x)}$ $(a>$ ❶ [　　], $a\ne 1)$

꼴로 변형한 후

$a^{f(x)}=a^{g(x)} \Longleftrightarrow f(x)=$ ❷ [　　]

임을 이용하여 방정식 $f(x)=g(x)$를 푼다.

답 ❶ 0 ❷ $g(x)$

확인 11

방정식 $\left(\frac{1}{3}\right)^x-\sqrt{3}=0$의 해는 $3^{-x}=$ ❶ [　　]의 해와 같으므로

❷ [　　] $=\frac{1}{2}$ $\quad\therefore x=-\frac{1}{2}$

답 ❶ $3^{\frac{1}{2}}$ ❷ $-x$

개념 12 a^x 꼴이 반복되는 지수방정식의 풀이

$a^x=t$로 치환하여 t에 대한 방정식을 푼다.

이때 모든 실수 x에 대하여 ❶ [　　] >0이므로 $t>0$임에 주의한다.

주의 $a^x=t$ $(t>$ ❷ [　　]$)$로 치환하여 구한 t에 대한 방정식의 해가 $t=\alpha$이면 $a^x=\alpha$를 만족시키는 x의 값이 구하는 해임에 주의한다.

답 ❶ a^x ❷ 0

확인 12

방정식 $9^x-10\times 3^x+9=0$을 풀어 보자.

$9^x-10\times 3^x+9=0$에서 $($❶ [　　]$)^2-10\times 3^x+9=0$

$3^x=t$ $(t>0)$라 하면 $t^2-10t+9=0$

$(t-1)(t-9)=0$ $\quad\therefore t=1$ 또는 $t=9$

$t=1$일 때, $3^x=1$에서 $x=0$

$t=9$일 때, $3^x=9$에서 $x=$ ❷ [　　]

답 ❶ 3^x ❷ 2

개념 13 지수부등식의 풀이

❶ 밑을 같게 할 수 있는 경우

주어진 부등식을 $a^{f(x)}<a^{g(x)}$ $(a>0, a\neq1)$ 꼴로 변형한 후 다음을 이용한다.

① $a>1$이면 $f(x)<g(x)$

② $0<a<1$이면 $f(x)$ ❶ [ ] $g(x)$

❷ a^x 꼴이 반복되는 경우

$a^x=t$로 치환하여 t에 대한 부등식을 푼다. 이때 모든 실수 x에 대하여 $a^x>0$이므로 $t>0$임에 주의한다.

주의 $a^x=t$ $(t>$ ❷ [ ] $)$로 치환하여 구한 t에 대한 부등식의 해가 $\alpha<t<\beta$이면 $\alpha<a^x<\beta$를 만족시키는 x의 값의 범위가 구하는 해임에 주의한다.

답 ❶ > ❷ 0

확인 13

① 부등식 $2^{x^2+1}\leq4$를 풀어 보자.

$2^{x^2+1}\leq4$에서 $2^{x^2+1}\leq2^2$

이때 밑 2는 1보다 크므로 $x^2+1\leq$ ❶ [ ]

$x^2-1\leq0$, $(x+1)(x-1)\leq0$ $\therefore -1\leq x\leq1$

② 부등식 $9^x-10\times3^x+9<0$을 풀어 보자.

$9^x-10\times3^x+9<0$에서 $(3^x)^2-10\times3^x+9<0$

$3^x=t$ $(t>0)$라 하면 ❷ [ ] $-10t+9<0$

$(t-1)(t-9)<0$ $\therefore 1<t<9$

즉 $1<3^x<9$에서 $3^0<3^x<3^2$이므로 $0<x<2$

답 ❶ 2 ❷ t^2

개념 14 밑을 같게 할 수 있는 로그방정식의 풀이

주어진 방정식을

$$\log_a f(x)=\log_a g(x)\ (a>\text{❶ [ ]},\ a\neq1)$$

꼴로 변형한 후

$$\log_a f(x)=\log_a g(x)$$

$$\iff \text{❷ [ ]}=g(x)\ (f(x)>0,\ g(x)>0)$$

임을 이용하여 방정식 $f(x)=g(x)$를 푼다.

답 ❶ 0 ❷ $f(x)$

확인 14

방정식 $\log_9(3x+2)=\frac{1}{2}$의 해는 $\log_9(3x+2)=\log_9$ ❶ [ ]

의 해와 같으므로 ❷ [ ] $=3$ $\therefore x=\frac{1}{3}$

답 ❶ 3 ❷ $3x+2$

개념 15 $\log_a x$ 꼴이 반복되는 로그방정식의 풀이

$\log_a x=t$로 치환하여 t에 대한 방정식을 푼다.

참고 로그함수 $y=\log_a x$ $(a>0, a\neq$ ❶ [ ] $)$의 치역은 ❷ [ ] 전체의 집합이므로 t의 값의 범위를 고려하지 않아도 된다.

답 ❶ 1 ❷ 실수

확인 15

방정식 $(\log_3 x)^2-4\log_3 x+3=0$을 풀어 보자.

진수의 조건에서 $x>$ ❶ [ ] …… ㉠

$\log_3 x=t$라 하면 $t^2-4t+3=0$

$(t-1)(t-3)=0$ $\therefore t=1$ 또는 $t=3$

$t=1$일 때, $\log_3 x=1$에서 $x=$ ❷ [ ]

$t=3$일 때, $\log_3 x=3$에서 $x=3^3=27$

따라서 ㉠에 의하여 구하는 해는 $x=3$ 또는 $x=27$

답 ❶ 0 ❷ 3

개념 16 로그부등식의 풀이

❶ 밑을 같게 할 수 있는 경우

주어진 부등식을 $\log_a f(x)<\log_a g(x)$ $(a>0, a\neq1)$ 꼴로 변형한 후 다음을 이용한다.

① $a>$ ❶ [ ] 이면 $0<f(x)<g(x)$

② $0<a<1$이면 $f(x)>g(x)>0$

❷ $\log_a x$ 꼴이 반복되는 경우

$\log_a x=t$로 치환하여 t에 대한 부등식을 푼다.

주의 로그부등식의 해를 구할 때, 구한 해가 밑과 진수의 조건을 만족시키는지 반드시 확인한다.

- 밑의 조건 ⇨ (밑)>0, (밑) ❷ [ ] 1
- 진수의 조건 ⇨ (진수)>0

답 ❶ 1 ❷ ≠

확인 16

부등식 $(\log_3 x)^2-4\log_3 x+3<0$을 풀어 보자.

진수의 조건에서 $x>0$ …… ㉠

$\log_3 x=t$라 하면 $t^2-4t+3<0$

$(t-1)(t-3)<0$ $\therefore 1<$ ❶ [ ] <3

즉 $1<\log_3 x<3$에서 $\log_3 3<\log_3 x<\log_3 27$이므로

$3<x<$ ❷ [ ] …… ㉡

㉠, ㉡의 공통 범위를 구하면 $3<x<27$

답 ❶ t ❷ 27

WEEK 2 DAY 1

개념 돌파 전략 ②

1 함수 $f(x)=2^{x+1}$에 대하여 $f(0)$의 값은?

① 0　② 1　③ 2　④ 4　⑤ 8

Tip

$f(a)$의 값은 함수 $f(x)$에 $x=$ ❶ [　　] 를 대입하여 얻은 값이다.

답 ❶ a

2 함수 $f(x)=\log_2 x$에 대하여 $(f\circ f)(16)$의 값은?

① 0　② 1　③ 2　④ 3　⑤ 4

Tip

- $f(x)=\log_2 x$이면 $(f\circ f)(x)=f(f(x))$ $=\log_2($ ❶ [　　] $)$
- $f(f(a))$의 값은 함수 $f(x)$에 $x=$ ❷ [　　] 를 대입하여 얻은 값이다.

답 ❶ $\log_2 x$ ❷ $f(a)$

3 함수 $f(x)=2^{x-1}+a$의 그래프의 점근선의 방정식이 $y=1$일 때, $a+f(1)$의 값은? (단, a는 상수이다.)

① 1　② 3　③ 5　④ 7　⑤ 9

Tip

함수 $f(x)=2^{x-1}+a$의 그래프의 점근선의 방정식은 ❶ [　　]

답 ❶ $y=a$

4 함수 $y=\log_3 x$의 그래프를 x축의 방향으로 1만큼, y축의 방향으로 2만큼 평행이동하면 함수 $g(x)=\log_3 a(x+b)$의 그래프와 일치한다. 상수 a, b에 대하여 $a-b$의 값은?

① -10　　② -8　　③ 0
④ 8　　⑤ 10

Tip

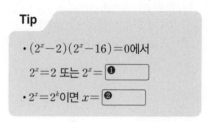

함수 $y=\log_3 x$의 그래프를 x축의 방향으로 ❶ [　　] 만큼, y축의 방향으로 ❷ [　　] 만큼 평행이동하면 함수 $y=\log_3(x-m)+n$의 그래프와 일치한다.

답 ❶ m ❷ n

5 방정식 $(2^x-2)(2^x-16)=0$의 모든 해의 합은?

① 2　　② 3　　③ 4
④ 5　　⑤ 6

Tip

- $(2^x-2)(2^x-16)=0$에서 $2^x=2$ 또는 $2^x=$ ❶ [　　]
- $2^x=2^k$이면 $x=$ ❷ [　　]

답 ❶ 16 ❷ k

6 부등식 $(\log_3 x+1)(\log_3 x-2)<0$을 만족시키는 정수 x의 최솟값과 최댓값의 합은?

① 6　　② 7　　③ 8
④ 9　　⑤ 10

Tip

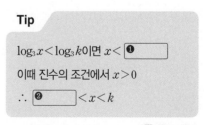

$\log_3 x<\log_3 k$이면 $x<$ ❶ [　　]
이때 진수의 조건에서 $x>0$
$\therefore$ ❷ [　　] $<x<k$

답 ❶ k ❷ 0

WEEK 2 DAY 2

필수 체크 전략 ①

핵심 예제 01

함수 $f(x)=a\times3^x$에 대하여 $f(0)=3$, $(f\circ f)(-1)=b$일 때, $a+b$의 값은? (단, a는 상수이다.)

① 3 ② 6 ③ 9
④ 12 ⑤ 15

Tip

- 함수 $f(x)$에 $x=0$, $x=-1$을 각각 대입하면 $f($ ❶ $)$, $f(-1)$의 값을 구할 수 있다.
- $(f\circ f)(-1)=f($ ❷ $)$

답 ❶ 0 ❷ $f(-1)$

풀이

$f(x)=a\times3^x$에 $x=0$을 대입하면

$f(0)=a\times3^0=a=3$

즉 $f(x)=3\times3^x=3^{x+1}$

$f(-1)=3^{-1+1}=3^0=1$에서

$(f\circ f)(-1)=f(f(-1))=f(1)=3^{1+1}=3^2=9=b$

$\therefore a+b=3+9=12$

답 ④

핵심 예제 02

함수 $y=5^x$의 그래프를 x축의 방향으로 m만큼, y축의 방향으로 n만큼 평행이동하였더니 함수 $y=25\times5^x+1$의 그래프와 일치하였다. 이때 $m+n$의 값은? (단, m, n은 상수이다.)

① 2 ② 1 ③ 0
④ -1 ⑤ -2

Tip

함수 $y=f(x)$의 그래프를 ❶ 의 방향으로 m만큼, ❷ 의 방향으로 n만큼 평행이동하면 함수 $y=f(x-m)+n$의 그래프와 일치한다.

답 ❶ x축 ❷ y축

풀이

함수 $y=5^x$의 그래프를 x축의 방향으로 m만큼, y축의 방향으로 n만큼 평행이동한 그래프의 식은

$y-n=5^{x-m}$ $\therefore y=5^{x-m}+n$

이때 $y=25\times5^x+1=5^{x+2}+1$이므로

$m=-2$, $n=1$

$\therefore m+n=-2+1=-1$

답 ④

1-1

함수 $f(x)=2^{2x-1}$에 대하여 $f(0)=a$, $f(b)=8$일 때, ab의 값은?

① 0 ② 1 ③ 2
④ 3 ⑤ 4

1-2

함수 $f(x)=2^{ax+b}$에 대하여 $f(0)=2$, $(f\circ f)(0)=32$일 때, $f(1)$의 값을 구하시오. (단, a, b는 상수이다.)

2-1

함수 $y=2^x$의 그래프를 x축의 방향으로 -1만큼, y축의 방향으로 2만큼 평행이동하였더니 점 $(1, k)$를 지났다. 이때 k의 값은?

① 2 ② 3 ③ 4
④ 5 ⑤ 6

2-2

함수 $y=3^{2x}$의 그래프를 x축의 방향으로 -1만큼, y축의 방향으로 n만큼 평행이동하였더니 함수 $y=a\times9^x+5$의 그래프와 일치하였다. 이때 $a+n$의 값을 구하시오. (단, a, n는 상수이다.)

핵심 예제 03

정의역이 $\{x\mid -1\le x\le a\}$인 함수 $y=\left(\frac{1}{2}\right)^{x-3}$의 최솟값이 2, 최댓값이 M일 때, aM의 값은?

① 16 ② 20 ③ 24
④ 28 ⑤ 32

Tip

밑 $\frac{1}{2}$이 ❶ [ ]보다 작으므로
$x=-1$일 때 ❷ [ ], $x=a$일 때 최솟값을 갖는다.

답 ❶ 1 ❷ 최댓값

풀이

함수 $y=\left(\frac{1}{2}\right)^{x-3}$은 밑 $\frac{1}{2}$이 1보다 작으므로 x의 값이 증가하면 y의 값은 감소한다.

즉 $x=a$일 때 최솟값 $\left(\frac{1}{2}\right)^{a-3}=2$를 가지므로

$a-3=-1$ $\therefore a=2$

$x=-1$일 때 최댓값 $\left(\frac{1}{2}\right)^{-1-3}=2^4=16$을 가지므로

$M=16$

$\therefore aM=2\times 16=32$

답 ⑤

3-1

정의역이 $\{x\mid 1\le x\le 5\}$인 함수 $y=5^{x-2}$의 최댓값이 M, 최솟값이 m일 때, Mm의 값을 구하시오.

3-2

정의역이 $\{x\mid 0\le x\le 2\}$인 두 함수

$$f(x)=9^{x-1},\ g(x)=\left(\frac{1}{3}\right)^{2x+1}$$

의 최댓값을 각각 M, m이라 할 때, Mm의 값을 구하시오.

핵심 예제 04

함수 $f(x)=\left(\frac{1}{2}\right)^{x-3}-n$에 대하여 함수 $y=|f(x)|$의 그래프가 오른쪽 그림과 같다. 함수 $y=|f(x)|$의 그래프와 $x\ge 0$에서의 점근선이 만나는 점을 $\mathrm{P}(a,\ b)$라 할 때, $a+b$의 값을 구하시오.

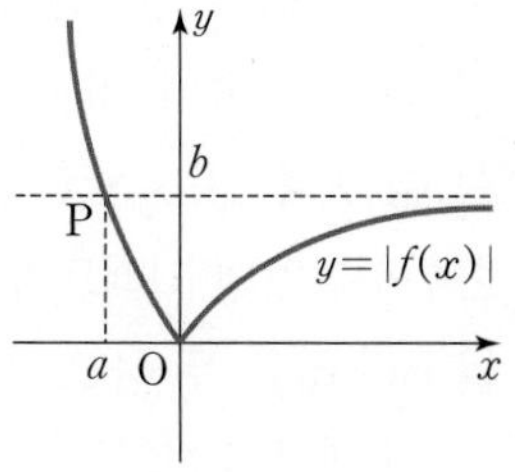

Tip

함수 $f(x)=\left(\frac{1}{2}\right)^{x-3}-n$의 그래프의 점근선의 방정식은
❶ [ ]

답 ❶ $y=-n$

풀이

함수 $f(x)=\left(\frac{1}{2}\right)^{x-3}-n$의 그래프가 원점을 지나므로

$0=\left(\frac{1}{2}\right)^{0-3}-n=8-n$ $\therefore n=8$

$$\therefore y=|f(x)|=\begin{cases}\left(\frac{1}{2}\right)^{x-3}-8 & (x<0)\\ -\left(\frac{1}{2}\right)^{x-3}+8 & (x\ge 0)\end{cases}$$

즉 $x\ge 0$에서 함수 $y=|f(x)|$의 그래프의 점근선의 방정식은 $y=8$이므로 $b=8$

이때 점 $\mathrm{P}(a,\ 8)$이 함수 $f(x)=\left(\frac{1}{2}\right)^{x-3}-8$의 그래프 위에 있으므로

$8=\left(\frac{1}{2}\right)^{a-3}-8$, $\left(\frac{1}{2}\right)^{a-3}=16$

$a-3=-4$ $\therefore a=-1$

$\therefore a+b=-1+8=7$

답 7

4-1

함수 $y=2^{3-x}+a$의 그래프의 점근선의 방정식이 $y=-4$이고, 함수 $y=2^{3-x}+a$의 그래프와 x축의 교점이 $\mathrm{P}(b,\ 0)$일 때, a^2+b^2의 값은? (단, a는 상수이다.)

① 15 ② 16 ③ 17
④ 18 ⑤ 19

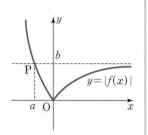

필수 체크 전략 ①

핵심 예제 05

오른쪽 그림과 같이 원점 O에서 함수 $y=4^x$의 그래프 위의 한 점 A를 잇는 선분 OA와 함수 $y=2^x$의 그래프의 교점을 B라 하고, 두 점 A, B에서 y축에 내린 수선의 발을 각각 L, M이라 하자. $\overline{AB}=\overline{BO}$일 때, 사각형 LMBA의 넓이가 $\left(\frac{1}{2}\right)^{\frac{q}{p}}$이다. 이때 $p+q$의 값을 구하시오. (단, 점 A는 제1사분면 위의 점이고, p, q는 서로소인 자연수이다.)

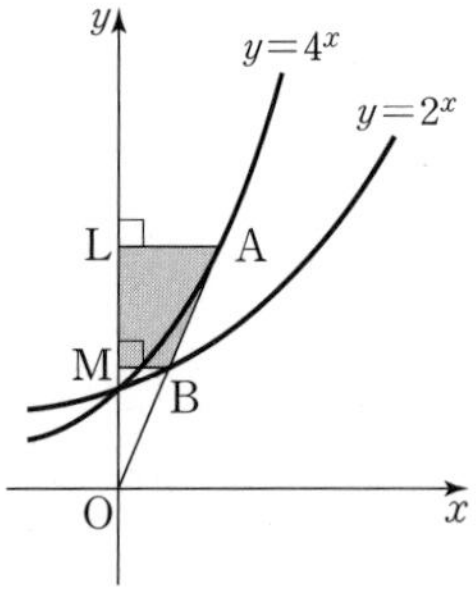

Tip

점 B는 선분 OA의 ❶ ______ 이다.

답 ❶ 중점

풀이

$A(t, 4^t)$이라 하면 점 B는 선분 OA의 중점이므로

$B\left(\frac{t}{2}, \frac{4^t}{2}\right)$

이때 점 B는 함수 $y=2^x$의 그래프 위의 점이므로

$\frac{4^t}{2}=2^{\frac{t}{2}}$, $2^{2t-1}=2^{\frac{t}{2}}$

$2t-1=\frac{t}{2}$, $\frac{3}{2}t=1$ $\quad\therefore t=\frac{2}{3}$

즉 $A\left(\frac{2}{3}, 4^{\frac{2}{3}}\right)$, $B\left(\frac{1}{3}, 2^{\frac{1}{3}}\right)$이므로 $L\left(0, 4^{\frac{2}{3}}\right)$, $M\left(0, 2^{\frac{1}{3}}\right)$

따라서 사각형 LMBA의 넓이는

$$\frac{1}{2}\times(\overline{AL}+\overline{BM})\times\overline{LM}=\frac{1}{2}\times\left(\frac{2}{3}+\frac{1}{3}\right)\times2^{\frac{1}{3}}$$
$$=2^{-\frac{2}{3}}=\left(\frac{1}{2}\right)^{\frac{2}{3}}$$

이므로 $p=3$, $q=2$

$\therefore p+q=3+2=5$

답 5

5-1

자연수 n에 대하여 두 곡선 $y=2^x$, $y=2^{-x+2}$과 직선 $y=2^n$이 만나는 두 점을 각각 A_n, B_n이라 할 때, $\overline{A_nB_n}\le20$을 만족시키는 모든 자연수 n의 값의 합은?

① 65 ② 66 ③ 67 ④ 68 ⑤ 69

핵심 예제 06

방정식 $4^x+2^{x+3}-128=0$을 만족시키는 실수 x의 값은?

① 1 ② 2 ③ 3 ④ 4 ⑤ 5

Tip

❶ ______ $=t$로 놓고, t에 대한 방정식의 해를 먼저 구한다.

이때 모든 실수 x에 대하여 t ❷ ______ 0이다.

답 ❶ 2^x ❷ $>$

풀이

$2^x=t$ $(t>0)$라 하면 $t^2+8t-128=0$

$(t-8)(t+16)=0$ $\quad\therefore t=8$ $(\because t>0)$

따라서 $2^x=8$이므로 $x=3$

답 ③

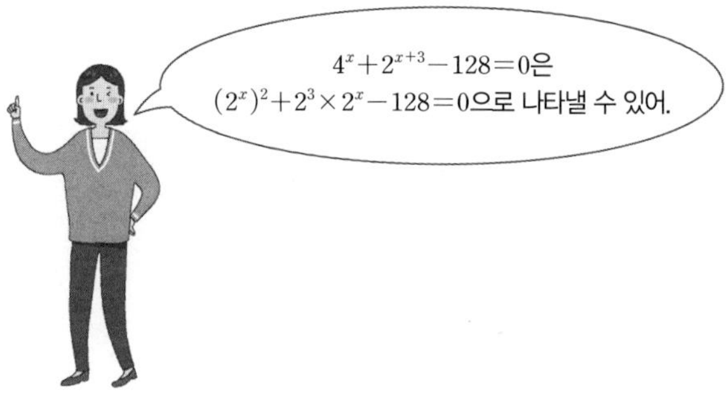

6-1

방정식 $2^{3x-1}=16$을 만족시키는 실수 x의 값을 a라 할 때, $3(a+2)$의 값은?

① 11 ② 12 ③ 13 ④ 14 ⑤ 15

6-2

방정식 $4^x-7\times2^x+12=0$의 두 근을 α, β라 할 때, $2^{2\alpha}+2^{2\beta}$의 값을 구하시오.

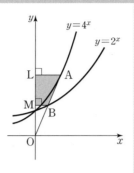

핵심 예제 07

부등식 $\left(\frac{1}{5}\right)^{3x-1} \geq \left(\frac{1}{25}\right)^{x+1}$을 만족시키는 모든 자연수 x의 값의 합을 구하시오.

Tip

- $0<a<1$일 때, $a^M \geq a^N$이면 ❶ [ ]
- $\frac{1}{25}=\left(\frac{1}{5}\right)^{❷}$

답 ❶ $M \leq N$ ❷ 2

풀이

$\left(\frac{1}{5}\right)^{3x-1} \geq \left(\frac{1}{25}\right)^{x+1}$에서 $\left(\frac{1}{5}\right)^{3x-1} \geq \left(\frac{1}{5}\right)^{2x+2}$

이때 밑 $\frac{1}{5}$이 1보다 작으므로

$3x-1 \leq 2x+2$ $\quad \therefore x \leq 3$

따라서 구하는 모든 자연수 x의 값의 합은

$1+2+3=6$

답 6

7-1

부등식 $3^{x^2} < 9 \times 3^x$의 해가 $\alpha < x < \beta$일 때, $\alpha+\beta$의 값은?

① 1 ② 2 ③ 3 ④ 4 ⑤ 5

7-2

부등식 $\left(\frac{1}{2}\right)^{x^2+1} > 4^{-x-2}$의 해가 $\alpha < x < \beta$일 때, $\beta-\alpha$의 값은?

① 2 ② 3 ③ 4 ④ 5 ⑤ 6

핵심 예제 08

부등식 $(2^x-6)(2^x-100)<0$을 만족시키는 모든 자연수 x의 값의 합은?

① 15 ② 16 ③ 17 ④ 18 ⑤ 19

Tip

❶ [ ]에 대한 부등식 $(2^x-6)(2^x-100)<0$을 풀면

$6<2^x<$ ❷ [ ]

답 ❶ 2^x ❷ 100

풀이

$(2^x-6)(2^x-100)<0$에서 $6<2^x<100$

이때 $2^2<6<2^x<100<2^7$이고, 밑 2가 1보다 크므로

주어진 부등식을 만족시키는 자연수 x는 3, 4, 5, 6이다.

따라서 구하는 합은

$3+4+5+6=18$

답 ④

$2^x=t\ (t>0)$라 하면
$(t-6)(t-100)<0$이므로
$6<t<100$, 즉 $6<2^x<100$이야.

8-1

부등식 $4^x-17 \times 2^x+16 \leq 0$을 만족시키는 정수 x의 개수는?

① 4 ② 5 ③ 6 ④ 7 ⑤ 8

8-2

부등식 $4^x-(n+1)2^x+n \leq 0$을 만족시키는 정수 x의 개수가 5일 때, 자연수 n의 최댓값을 구하시오.

필수 체크 전략 ②

01 함수 $y=2^{x+a}-3$의 그래프가 점 $(-1,\ -1)$을 지날 때, 상수 a의 값은?

① 1　② 2　③ 3
④ 4　⑤ 5

Tip
함수 $y=f(x)$의 그래프가 점 $(a,\ b)$를 지나면
$b=$ ❶ [　　]

답 ❶ $f(a)$

02 함수 $y=a^x$의 그래프를 y축에 대하여 대칭이동한 후, x축의 방향으로 2만큼, y축의 방향으로 3만큼 평행이동한 그래프가 점 $(1,\ 5)$를 지날 때, 상수 a의 값은?

① $\sqrt{2}$　② 2　③ $2\sqrt{2}$
④ 4　⑤ $4\sqrt{2}$

Tip
함수 $y=f(x)$의 그래프를 y축에 대하여 대칭이동한 그래프의 식은 $y=f($❶ [　　]$)$

답 ❶ $-x$

03 $-1\le x\le 3$에서 두 함수

$$f(x)=2^x,\ g(x)=\left(\frac{1}{2}\right)^{2x}$$

의 최댓값을 각각 $a,\ b$라 할 때, ab의 값을 구하시오.

Tip
• 함수 $f(x)=2^x$은 밑 2가 ❶ [　　] 보다 크므로 $x=3$일 때 최댓값을 갖는다.
• 함수 $g(x)=\left(\frac{1}{2}\right)^{2x}$은 밑 $\frac{1}{2}$이 1보다 작으므로 $x=-1$일 때 ❷ [　　] 을 갖는다.

답 ❶ 1 ❷ 최댓값

04 두 함수

$$f(x)=x^2-6x+6,\ g(x)=\left(\frac{1}{3}\right)^x$$

에 대하여 $1\le x\le 4$에서 함수 $(g\circ f)(x)$의 최댓값을 M, 최솟값을 m이라 하자. 이때 Mm의 값을 구하시오.

Tip
$(g\circ f)(x)=g(f(x))=\left(\frac{1}{3}\right)^{f(x)}$이므로
$\alpha\le f(x)\le\beta$일 때, $M=$ ❶ [　　], $m=$ ❷ [　　]

답 ❶ $\left(\frac{1}{3}\right)^{\alpha}$ ❷ $\left(\frac{1}{3}\right)^{\beta}$

05 함수 $f(x)=-3^{x+k}+9$의 그래프가 제3사분면을 지나지 않도록 하는 정수 k의 최댓값은?

① -2　② -1　③ 0
④ 1　⑤ 2

Tip
• 함수 $f(x)=-3^{x+k}+9$의 그래프와 y축의 교점의 좌표는 ❶ [　　]
• 함수 $y=f(x)$의 그래프가 제3사분면을 지나지 않으려면 y절편이 ❷ [　　] 이상이어야 한다.

답 ❶ $(0,\ -3^k+9)$ ❷ 0

06 방정식 $2^{2x}-a\times2^x+b=0$의 두 근이 -1, 3일 때, $2a+b$의 값은? (단, a, b는 상수이다.)

① 19 ② 20 ③ 21
④ 22 ⑤ 23

Tip

❶ [ ] $=t\ (t>0)$라 하면
t에 대한 이차방정식 $t^2-at+b=0$의 두 근은 2^{-1}, ❷ [ ]이다.

답 ❶ 2^x ❷ 2^3

07 부등식 $4^x-2^{x+3}+12<0$의 해가 $\alpha<x<\beta$일 때, $2^{\alpha+\beta}$의 값은?

① 6 ② 8 ③ 10
④ 12 ⑤ 14

Tip

$2^x=t$로 놓고, ❶ [ ]에 대한 부등식의 해를 먼저 구한다. 이때 $t>$ ❷ [ ]임에 주의한다.

답 ❶ t ❷ 0

08 최고차항의 계수가 양수인 이차함수 $f(x)$가 다음 조건을 만족시킨다.

> (가) $f(-1)=1$
> (나) 모든 실수 x에 대하여 $f(3-x)=f(3+x)$

부등식 $2^{f(x)+1}-4\le0$의 해가 $\alpha\le x\le\beta$일 때, $\alpha+\beta$의 값은?

① 4 ② 5 ③ 6
④ 7 ⑤ 8

Tip

- $2^{f(x)}\le2^k$이면 ❶ [ ]
- 모든 실수 x에 대하여 $f(3-x)=f(3+x)$이므로
  $f(-1)=f(3-4)=f(3+4)=$ ❷ [ ]

답 ❶ $f(x)\le k$ ❷ $f(7)$

09 함수 $f(x)$가 다음 조건을 만족시킨다.

> (가) $0\le x<4$일 때,
> $$f(x)=\begin{cases}2^x & (0\le x<2)\\ 2^{-(x-4)} & (2\le x<4)\end{cases}$$
> (나) 모든 실수 x에 대하여 $f(x+4)=f(x)$

$0\le x\le20$에서 방정식 $f(x)-3=0$의 모든 실근의 합을 구하시오.

Tip

함수 $f(x)$는 주기가 4인 ❶ [ ]임을 이용하여 함수 $y=f(x)$의 그래프를 그린 후, 그래프와 직선 $y=3$의 교점의 x좌표의 합을 구한다.

답 ❶ 주기함수

10 두 함수 $y=2^x$, $y=-\left(\frac{1}{2}\right)^{x-4}+10$의 그래프가 서로 다른 두 점 A, B에서 만난다. 원점 O를 지나는 직선 l이 삼각형 OAB의 넓이를 이등분할 때, 직선 l의 기울기는?

① $\frac{3}{2}$ ② 2 ③ $\frac{5}{2}$
④ 3 ⑤ $\frac{7}{2}$

Tip

꼭짓점 O를 지나는 직선이 삼각형 OAB의 넓이를 이등분하면 이 직선은 선분 AB의 ❶ [ ]을 지난다.

답 ❶ 중점

WEEK 2 DAY 3

필수 체크 전략 ①

핵심 예제 01

세 함수 $f(x)=2^x$, $g(x)=x^2$, $h(x)=\log_2 x$에 대하여 $(f\circ g)(-2)+(g\circ h)(4)$의 값은?

① 18 ② 19 ③ 20
④ 21 ⑤ 22

Tip

• $(f\circ g)(a)=$ ❶ ☐, $(g\circ h)(b)=g(h(b))$

• $g(-2)=(-2)^2=4$, $h(4)=\log_2 4=$ ❷ ☐

답 ❶ $f(g(a))$ ❷ 2

풀이

$f(x)=2^x$, $g(x)=x^2$, $h(x)=\log_2 x$에서

$(f\circ g)(-2)=f(g(-2))=f(4)=2^4=16$

$(g\circ h)(4)=g(h(4))=g(\log_2 4)=g(2)=2^2=4$

$\therefore (f\circ g)(-2)+(g\circ h)(4)=16+4=20$

답 ③

1-1

두 함수 $f(x)=3^{2x}$, $g(x)=\frac{1}{3}\log_3 x$에 대하여 $(f\circ g)(27)$의 값은?

① 1 ② 3 ③ 6
④ 9 ⑤ 18

1-2

함수 $f(x)=\begin{cases}\log_{\frac{1}{2}} x & (0<x<1)\\ \log_3 x & (x\geq 1)\end{cases}$ 에 대하여 $f(k)=4$를 만족시키는 모든 실수 k의 값의 곱이 $\left(\frac{q}{p}\right)^4$일 때, $q-p$의 값은?

(단, p, q는 서로소인 자연수이다.)

① -2 ② -1 ③ 1
④ 2 ⑤ 3

핵심 예제 02

함수 $y=\log_3\left(\frac{x}{3}-2\right)$의 그래프는 함수 $y=\log_3 x$의 그래프를 x축의 방향으로 m만큼, y축의 방향으로 n만큼 평행이동한 그래프이다. 상수 m, n에 대하여 $m+n$의 값은?

① 5 ② 6 ③ 7
④ 8 ⑤ 9

Tip

$y=\log_3\left(\frac{x}{3}-2\right)=\log_3\frac{x-6}{❶ ☐}=\log_3($❷ ☐$)-1$

답 ❶ 3 ❷ $x-6$

풀이

$y=\log_3\left(\frac{x}{3}-2\right)=\log_3\frac{x-6}{3}=\log_3(x-6)-1$

이므로 함수 $y=\log_3\left(\frac{x}{3}-2\right)$의 그래프는 함수 $y=\log_3 x$의 그래프를 x축의 방향으로 6만큼, y축의 방향으로 -1만큼 평행이동한 그래프이다.

따라서 $m=6$, $n=-1$이므로 $m+n=6+(-1)=5$

답 ①

2-1

함수 $y=\log_2 x$의 그래프를 x축의 방향으로 3만큼, y축의 방향으로 1만큼 평행이동한 그래프가 함수 $y=\log_2 a(x+b)$의 그래프와 일치할 때, 상수 a, b에 대하여 $a-b$의 값을 구하시오.

2-2

함수 $y=\log_3 9x$의 그래프를 x축의 방향으로 a만큼 평행이동한 그래프가 함수 $y=\log_b(x+1)$의 그래프와 점 $(3, 2)$에서 만날 때, 상수 a, b에 대하여 $a+b$의 값은? (단, $b>0$, $b\neq 1$)

① 2 ② 3 ③ 4
④ 5 ⑤ 6

핵심 예제 03

함수 $y=\log_2(x+3)$의 그래프의 점근선의 방정식이 $x=a$이다. 이 그래프가 점 $(b, 3)$을 지날 때, $a+b$의 값을 구하시오.

Tip

함수 $y=\log_2(x-m)$의 그래프에서 점근선의 방정식은 ❶ [ ]

답 ❶ $x=m$

풀이

함수 $y=\log_2(x+3)$의 그래프의 점근선의 방정식이 $x=-3$이므로 $a=-3$

또 이 그래프가 점 $(b, 3)$을 지나므로

$3=\log_2(b+3)$, $b+3=8$ $\quad\therefore b=5$

$\therefore a+b=-3+5=2$

답 2

핵심 예제 04

정의역이 $\{x|5\le x\le 8\}$인 함수 $y=\log_{\frac{1}{2}}(x-a)$의 최솟값이 -2일 때, 상수 a의 값은?

① 1 ② 2 ③ 3 ④ 4 ⑤ 5

Tip

함수 $y=\log_{\frac{1}{2}}(x-a)$는 밑 $\frac{1}{2}$이 ❶ [ ]보다 작으므로 x의 값이 증가하면 y의 값은 ❷ [ ]한다.

답 ❶ 1 ❷ 감소

풀이

함수 $y=\log_{\frac{1}{2}}(x-a)$는 밑 $\frac{1}{2}$이 1보다 작으므로 x의 값이 증가하면 y의 값은 감소한다.

즉 $x=8$일 때 최솟값을 가지므로

$\log_{\frac{1}{2}}(8-a)=-2$, $8-a=\left(\frac{1}{2}\right)^{-2}=4$

$\therefore a=4$

답 ④

3-1

곡선 $y=\log_2(x+k)$의 점근선이 직선 $x=-5$일 때, 상수 k의 값을 구하시오.

3-2

함수 $y=3-\log_2(x+a)$의 그래프의 점근선의 방정식이 $x=-3$이다. 이 그래프가 점 $(-1, k)$를 지날 때, $a+k$의 값은? (단, a는 상수이다.)

① 1 ② 3 ③ 5 ④ 7 ⑤ 9

4-1

정의역이 $\{x|1\le x\le 5\}$인 함수 $y=\log_{\frac{1}{2}}(5x-1)+7$의 최댓값은?

① 1 ② 2 ③ 3 ④ 4 ⑤ 5

4-2

정의역이 $\{x|1\le x\le 16\}$인 함수

$$y=(\log_2 x)(\log_{\frac{1}{2}} x)+2\log_2 x+6$$

의 최댓값을 M, 최솟값을 m이라 할 때, $M+m$의 값을 구하시오.

필수 체크 전략 ①

핵심 예제 05

함수 $y=\log_3 x$의 그래프를 x축의 방향으로 a만큼, y축의 방향으로 1만큼 평행이동한 그래프를 나타내는 함수를 $y=f(x)$라 하자. 함수 $f(x)$의 역함수가 $f^{-1}(x)=3^{x-1}+3$일 때, 상수 a의 값은?

① 1 ② 2 ③ 3
④ 4 ⑤ 5

Tip

함수 $y=\log_a x$의 역함수는 ❶ ____

답 ❶ $y=a^x$

풀이

함수 $y=\log_3 x$의 그래프를 x축의 방향으로 a만큼, y축의 방향으로 1만큼 평행이동한 그래프의 식은

$y=\log_3(x-a)+1$

이때 함수 $f(x)=\log_3(x-a)+1$의 역함수를 구하면

$x=\log_3(y-a)+1$, $x-1=\log_3(y-a)$

$y-a=3^{x-1}$ $\quad\therefore y=3^{x-1}+a$

따라서 $f^{-1}(x)=3^{x-1}+a$이므로 $a=3$

답 ③

핵심 예제 06

방정식 $(\log_2 x-2)\log_2 x=2$의 두 근을 α, β라 할 때, $\alpha\beta$의 값은?

① 1 ② 2 ③ 4
④ 8 ⑤ 16

Tip

$\log_2 x=t$라 하면 주어진 방정식의 두 근이 α, β이므로 t에 대한 이차방정식의 두 근은 $\log_2\alpha$, ❶ ____ 이다.

답 ❶ $\log_2\beta$

풀이

$(\log_2 x-2)\log_2 x=2$에서

$(\log_2 x)^2-2\log_2 x-2=0$

$\log_2 x=t$라 하면 $t^2-2t-2=0$

주어진 방정식의 두 근이 α, β이므로 t에 대한 이차방정식 $t^2-2t-2=0$의 두 근은 $\log_2\alpha$, $\log_2\beta$이다.

이때 이차방정식의 근과 계수의 관계에 의하여

$\log_2\alpha+\log_2\beta=2$

따라서 $\log_2\alpha\beta=2$이므로 $\alpha\beta=2^2=4$

답 ③

5-1

함수 $y=3^{x+1}$의 역함수의 그래프가 점 $(9, a)$를 지날 때, 상수 a의 값은?

① $\log_3 2$ ② $\log_2 3$ ③ 1
④ 2 ⑤ 3

5-2

함수 $y=3^x+1$의 그래프를 x축의 방향으로 m만큼 평행이동한 그래프와 함수 $y=\log_3 3x$의 그래프를 x축의 방향으로 1만큼 평행이동한 그래프가 직선 $y=x$에 대하여 대칭일 때, 상수 m의 값은?

① 1 ② 2 ③ 3
④ 4 ⑤ 5

6-1

방정식 $(\log_3 x)^2-2\log_3 x=0$의 모든 근의 합은?

① 6 ② 7 ③ 8
④ 9 ⑤ 10

6-2

방정식 $\log_3(x-4)=\log_9(5x+4)$를 만족시키는 x의 값을 구하시오.

핵심 예제 07

연립부등식

$$\begin{cases} 2^{2x+1}>8 \\ 2\log_3(x+2)<\log_3(6x+12) \end{cases}$$

를 만족시키는 정수 x의 개수는?

① 2　② 4　③ 6　④ 8　⑤ 10

Tip

$a>1$일 때,

- $a^{f(x)}<a^{g(x)}$이면 $f(x)<$ ❶ ☐
- $\log_a f(x)<\log_a g(x)$이면 $0<$ ❷ ☐ $<g(x)$

답 ❶ $g(x)$ ❷ $f(x)$

풀이

(i) $2^{2x+1}>2^3$에서 밑 2가 1보다 크므로

$2x+1>3$　$\therefore x>1$

(ii) $\log_3(x+2)^2<\log_3(6x+12)$에서 밑 3이 1보다 크므로

$(x+2)^2<6x+12$, $x^2-2x-8<0$

$(x+2)(x-4)<0$　$\therefore -2<x<4$　…… ㉠

이때 진수의 조건에서 $x+2>0$, $6x+12>0$이므로

$x>-2$　…… ㉡

㉠, ㉡의 공통 범위는 $-2<x<4$

(i), (ii)에서 $1<x<4$

따라서 정수 x는 2, 3으로 그 개수는 2이다.

답 ①

7-1

부등식 $2\log_{\frac{1}{3}}(x-4)>\log_{\frac{1}{3}}(x-2)$의 해가 $a<x<b$일 때, ab의 값은?

① 8　② 12　③ 18　④ 24　⑤ 30

7-2

부등식 $(\log_2 x)(\log_2 4x)\le 8$을 만족시키는 모든 자연수 x의 값의 합을 구하시오.

핵심 예제 08

두 함수 $y=\log_2(4x+a)$, $y=\log_{\frac{1}{2}}(x+1)$의 그래프와 직선 $x=3$의 교점을 각각 A, B라 하자. 선분 AB의 중점이 x축 위에 있을 때, 상수 a의 값은?

① -10　② -8　③ -6　④ -4　⑤ -2

Tip

선분 AB의 중점이 x축 위에 있으면 중점의 y좌표는 ❶ ☐ 이다.

답 ❶ 0

풀이

두 함수 $y=\log_2(4x+a)$, $y=\log_{\frac{1}{2}}(x+1)$의 그래프와 직선 $x=3$의 교점을 각각 구하면

A$(3, \log_2(12+a))$, B$(3, -2)$

이때 선분 AB의 중점이 x축 위에 있으므로

$\log_2(12+a)-2=0$, $\log_2(12+a)=2$

$12+a=4$　$\therefore a=-8$

답 ②

8-1

두 곡선 $y=\log_2 x$, $y=\log_4 x$와 직선 $y=2$가 만나는 점을 각각 P, Q라 할 때, 두 점 P, Q 사이의 거리는?

① 11　② 12　③ 13　④ 14　⑤ 15

8-2

1보다 큰 양수 a에 대하여 두 곡선 $y=a^{-x-1}$, $y=\log_a(x+2)$와 직선 $y=1$이 만나는 점을 각각 A, B라 하자. $\overline{AB}=6$일 때, a의 값은?

① 4　② 5　③ 6　④ 7　⑤ 8

WEEK 2 DAY 3

필수 체크 전략 ②

01 함수 $f(x)=3\log_3 x$에 대하여 $f(3)+(f\circ f)(3)$의 값은?

① 3　② 6　③ 9　④ 12　⑤ 15

Tip

- 함수 $f(x)$에 $x=$ ❶ ______ 을 대입하면 $f(3)$의 값을 구할 수 있다.
- $(f\circ f)(3)=f($❷ ______$)$

답 ❶ 3 ❷ $f(3)$

02 함수 $f(x)=3\log_2 x+a$의 역함수를 $g(x)$라 할 때, $g(13)=16$이다. 상수 a의 값은?

① -2　② -1　③ 0　④ 1　⑤ 2

Tip

- $f^{-1}(a)=b$이면 $f(b)=$ ❶ ______
- 함수 $y=f(x)$의 역함수를 $y=g(x)$라 하면 두 함수의 그래프는 직선 ❷ ______ 에 대하여 대칭이다.

답 ❶ a ❷ $y=x$

03 함수 $f(x)=\log_3(x-a)+b$의 그래프의 점근선의 방정식이 $x=5$이고, $f(8)=7$이다. 상수 a, b에 대하여 $a+b$의 값은?

① 10　② 11　③ 12　④ 13　⑤ 14

Tip

함수 $y=\log_a(x-m)+n$의 그래프에서 점근선의 방정식은 ❶ ______

답 ❶ $x=m$

04 정의역이 $\{x\,|\,4\le x\le 9\}$인 함수 $y=\log_{\frac{1}{3}}(x+a)$의 최댓값이 -4일 때, 상수 a의 값을 구하시오.

Tip

함수 $y=\log_{\frac{1}{3}}(x+a)$는 밑 ❶ ______ 이 1보다 작으므로 x의 값이 증가하면 y의 값은 ❷ ______ 한다.

답 ❶ $\frac{1}{3}$ ❷ 감소

05 방정식 $\log_2 x=\log_4(12x+28)$의 해는?

① $x=12$　② $x=14$　③ $x=16$　④ $x=18$　⑤ $x=20$

Tip

- $\log_2 x=\log_{❶\ \_\_\_}x^2$
- 진수의 조건에서 $x>0$, $12x+28$ ❷ ______ 0

답 ❶ 4 ❷ $>$

06 부등식 $(\log_2 x)^2-\log_2 x^5+4<0$의 해가 $\alpha<x<\beta$일 때, $\beta-\alpha$의 값은?

① 6　② 8　③ 10
④ 12　⑤ 14

Tip

• $\log_2 x^5=$ ❶ [　　] $\log_2 x$

• ❷ [　　] $=t$로 놓고, t의 값의 범위를 먼저 구한다.

답 ❶ 5 ❷ $\log_2 x$

07 함수 $f(x)=\log_2 x$에 대하여 $(f\circ f)(x)\le 2$를 만족시키는 자연수 x의 개수는?

① 11　② 13　③ 15
④ 17　⑤ 19

Tip

$(f\circ f)(x)=f($❶ [　　]$)$이므로
부등식 $\log_2(\log_2 x)\le$ ❷ [　　]를 푼다.

답 ❶ $f(x)$ ❷ 2

08 두 곡선 $y=3\log_2 x$, $y=2^{3-x}$과 직선 $x=2$의 교점을 각각 A, B라 할 때, 삼각형 OAB의 넓이는?
(단, O는 원점이다.)

① $\frac{1}{2}$　② 1　③ $\frac{3}{2}$
④ 2　⑤ 3

Tip

• $y=3\log_2 x$, $y=2^{3-x}$에 $x=$ ❶ [　　]를 각각 대입한다.

• 두 점 $(2, y_1)$, $(2, y_2)$ 사이의 거리는
$|y_2-$ ❷ [　　]$|$

답 ❶ 2 ❷ y_1

09 두 곡선 $y=\log_3 x$, $y=\log_9 x$와 직선 $y=k$가 만나는 점을 각각 P, Q라 하자. $\overline{PQ}=6$일 때, 양수 k의 값은?

① 1　② 2　③ 3
④ 4　⑤ 5

Tip

• 곡선 $y=\log_3 x$와 직선 $y=k$가 만나는 점의 x좌표는 방정식 $\log_3 x=$ ❶ [　　]의 해이다.

• 두 점 (x_1, k), (x_2, k) 사이의 거리는
$|x_2$ ❷ [　　] $x_1|$

답 ❶ k ❷ $-$

10 함수 $f(x)=2^{x+k}+1$의 역함수의 그래프를 x축의 방향으로 k만큼 평행이동한 곡선을 $y=g(x)$라 하자.
두 곡선 $y=f(x)$, $y=g(x)$의 점근선의 교점이 직선 $y=2x-5$ 위에 있을 때, 상수 k의 값은?

① 1　② $\frac{3}{2}$　③ 2
④ $\frac{5}{2}$　⑤ 3

Tip

두 함수 $f(x)=a^{x-m}+n$, $f(x)=\log_a(x-m)+n$의 그래프의 점근선의 방정식은 각각 ❶ [　　], ❷ [　　]

답 ❶ $y=n$ ❷ $x=m$

누구나 합격 전략

01 함수 $f(x)=3^{x+1}+a$의 그래프가 원점을 지날 때, 상수 a의 값은?

① -1 ② -2 ③ -3
④ -4 ⑤ -5

02 정의역이 $\{x\mid 0\le x\le 3\}$인 함수 $f(x)=\left(\frac{1}{2}\right)^{x-2}$의 최댓값은?

① 1 ② 2 ③ 3
④ 4 ⑤ 5

03 함수 $f(x)=-3^{x+1}+a$의 그래프의 점근선의 방정식이 $y=5$일 때, $a+f(1)$의 값은? (단, a는 상수이다.)

① -2 ② -1 ③ 0
④ 1 ⑤ 2

04 방정식 $(2^x-4)(3^{x-1}-27)=0$의 모든 근의 합은?

① 2 ② 3 ③ 4
④ 5 ⑤ 6

05 부등식 $1\le 2^{x-1}\le 16$의 해가 $\alpha\le x\le\beta$일 때, $\alpha+\beta$의 값은?

① 6 ② 7 ③ 8
④ 9 ⑤ 10

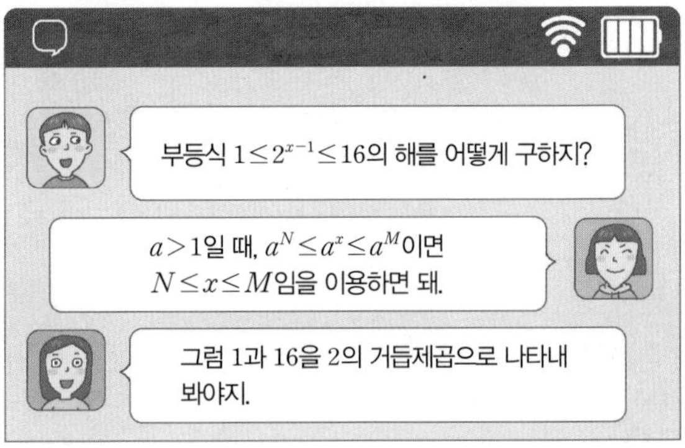
부등식 $1\le 2^{x-1}\le 16$의 해를 어떻게 구하지?
$a>1$일 때, $a^N\le a^x\le a^M$이면 $N\le x\le M$임을 이용하면 돼.
그럼 1과 16을 2의 거듭제곱으로 나타내 봐야지.

06 두 함수 $f(x)=\log_3(2x+1)$, $g(x)=2^{x-1}$에 대하여 $(g\circ f)(4)$의 값은?

① 1 ② 2 ③ 4
④ 8 ⑤ 16

07 함수 $f(x)=2^x$의 역함수를 $g(x)$라 할 때, $g(3)+g\left(\frac{16}{3}\right)$의 값은?

① 1 ② 2 ③ 3
④ 4 ⑤ 5

08 함수 $f(x)=\log_3(x-2)+5$의 그래프의 점근선과 곡선 $g(x)=2^{x+1}-5$의 교점이 $\mathrm{P}(a, b)$일 때, $a+b$의 값은?

① 3 ② 4 ③ 5
④ 6 ⑤ 7

09 부등식 $(\log_2 x)^2-3\log_2 x<0$의 해가 $\alpha<x<\beta$일 때, $\alpha+\beta$의 값은?

① 9 ② 10 ③ 11
④ 12 ⑤ 13

10 두 곡선 $y=2^{x+1}$, $y=\log_{\frac{1}{3}}(2x+1)$과 직선 $x=1$의 교점을 각각 A, B라 할 때, 선분 AB의 길이는?

① 1 ② 2 ③ 3
④ 4 ⑤ 5

창의·융합·코딩 전략 ①

1 최대 충전 용량이 M_0 ($M_0>0$)인 어떤 전기차 배터리를 완전히 방전시킨 후 t시간 동안 충전한 배터리의 충전 용량을 $M(t)$라 하면

$$M(t)=M_0(1-5^{-t})$$

이 성립한다고 한다. 완전히 방전된 전기차 배터리를 최대 충전 용량의 $80\,\%$ 이상 충전시킨 후 운행하려고 할 때, 배터리의 최소 충전 시간은 몇 시간인가?

(단, 배터리의 충전 용량의 단위는 mAh이다.)

① $\frac{1}{2}$　② $\frac{2}{3}$　③ $\frac{3}{4}$

④ 1　⑤ $\frac{3}{2}$

Tip

최대 충전 용량의 $80\,\%$이므로 ❶ [　　] M_0이다. 즉

❷ [　　] $(1-5^{-t})\ge\frac{4}{5}M_0$일 때의 t의 값을 구한다.

답 ❶ $\frac{4}{5}$ ❷ M_0

2 공기 정화기를 틀고 t분 후 어떤 오염 물질의 농도 수치를 $Q(t)$라 하면

$$Q(t)=ar^t+8\ (a, r\text{는 양수})$$

이 성립한다고 한다. 다음 표는 공기 정화기를 튼 후 이 오염 물질의 농도 수치를 1분 간격으로 측정한 것이다.

t(분)	0	1	2	⋯
$Q(t)$	208	108	58	⋯

이 오염 물질의 농도 수치가 10이 되는 때가 공기 정화기를 튼 후 n분과 $(n+1)$분 사이일 때, 자연수 n의 값은?

① 4　② 5　③ 6

④ 7　⑤ 8

Tip

$Q(0)=208$, $Q(1)=108$을 이용하여 a, r의 값을 구하고, ❶ [　　]을 만족시키는 자연수 n의 값을 구한다.

답 ❶ $Q(n+1)<10<Q(n)$

3 해저에서 발생한 지진이 지진 해일을 일으킬 때, 지진 해일의 높이를 h m, 지진 해일의 규모를 $M(h)$라 하면

$$M(h)=\log_8 h$$

가 성립한다고 한다. 다음 뉴스 기사에 나타난 지진 해일의 규모는 지진 해일의 높이가 a m일 때의 지진 해일의 규모의 $\frac{2}{3}$배이다. 상수 a의 값은?

ㅇㅇ 뉴스

남태평양 지진 해일 발생

지난 29일 남태평양 연안의 해저에서 발생한 지진으로 높이가 2m인 지진 해일이 발생할 것으로 예보하면서 남태평양 연안의 섬에 해일 경보가 내려졌다.

① 3 ② $2\sqrt{2}$ ③ $4\sqrt{2}$
④ 6 ⑤ 8

Tip

지진 해일의 높이가 a m일 때의 지진 해일의 규모의 $\frac{2}{3}$배이므로 ❶ [ ] $M(a)$이다. 즉

$M($❷ [ ]$)=\frac{2}{3}M(a)$를 만족시키는 a의 값을 구한다.

답 ❶ $\frac{2}{3}$ ❷ 2

4 A 심리학 연구소에서는 아무 의미가 없는 n자리 음절을 학생에게 들려 주고 시간이 흐른 후 그 음절을 다시 기억하게 하는 실험을 하였다. 이 실험에 참가한 학생 200명 중 t분 후에 정확하게 음절을 기억한 학생의 비율을 p%라 하면

$$p=100-2^n-28\log_5 t \ (t\geq 1)$$

가 성립한다고 한다. 이 실험에 참가한 학생 200명에게 5자리 음절 "강낭등녕성"을 들려 주었을 때, 5분 후에 정확하게 음절을 기억하는 학생의 수는 몇 명인가?

① 40 ② 50 ③ 60
④ 70 ⑤ 80

Tip

$p=100-2^n-28\log_5 t$에

$n=$❶ [ ], $t=$❷ [ ]를 대입한다.

답 ❶ 5 ❷ 5

창의·융합·코딩 전략 ②

5 어느 금융 상품에 초기 자산 W_0 ($W_0>0$)원을 투자하고 t년이 지난 시점에서의 기대 자산을 W원이라 하면

$$W=\frac{W_0}{3}10^{at}(1+10^{at})\ (a\text{는 상수})$$

이 성립한다고 한다. 이 금융 상품에 초기 자산 W_0원을 투자하고 10년이 지난 시점에서의 기대 자산이 초기 자산의 2배일 때, $100a$의 값은? (단, $\log 2=0.3$으로 계산한다.)

① 1 ② 2 ③ 3
④ 4 ⑤ 5

Tip

초기 자산 W_0원을 투자하고 10년이 지난 시점에서의 기대 자산은 $\frac{W_0}{3}10^{10a}$(❶)원이고, 기대 자산이 초기 자산의 2배이므로

$\frac{W_0}{3}10^{10a}(1+10^{10a})=$ ❷ W_0이다.

답 ❶ $1+10^{10a}$ ❷ 2

6 자동차 선팅 필름의 선팅 농도를 P, 입사하는 빛의 세기를 Q, 투과하는 빛의 세기를 R라 하면

$$P=\log Q-\log R$$

가 성립한다고 한다. 두 선팅 필름 A, B의 선팅 농도가 각각 1, 3이고, 두 선팅 필름 A, B에 입사하는 빛의 세기가 같을 때, 투과하는 빛의 세기를 각각 R_A, R_B라 하자. $\frac{R_A}{R_B}$의 값은?

① $\frac{1}{100}$ ② $\frac{1}{10}$ ③ 10
④ 100 ⑤ 1000

Tip

❶ $=\log Q-\log R_A$

❷ $=\log Q-\log R_B$

답 ❶ 1 ❷ 3

7

다음은 경제학 용어인 실질 소득에 대한 설명이다.

실질 소득

명목 소득을 소비자 물가 지수로 나눈 뒤 100을 곱하여 얻는 값

예를 들어 물가가 전년도에 비해 10 % 올라 소비자 물가 지수는 110인데 올해 명목 소득이 지난해와 같은 2백만 원일 경우 실질 소득은 $\frac{2\times10^6}{110}\times100$(원)으로 약 1818000원이다.

K씨의 명목 소득은 매년 10 %씩 인상되고, 소비자 물가 지수는 매년 3 %씩 상승한다고 한다. 올해의 소비자 물가 지수를 100이라 할 때, K씨의 실질 소득이 처음으로 올해 실질 소득의 2배 이상이 되는 해는 올해로부터 몇 년 후인가? (단, $\log 1.1=0.0414$, $\log 1.03=0.0128$, $\log 2=0.3010$으로 계산한다.)

① 11　　② 13　　③ 15
④ 17　　⑤ 19

K씨의 올해 명목 소득을 a원이라 하면
n년 후 K씨의 명목 소득은
$a(1+0.1)^n$원이야.
n년 후 소비자 물가 지수는
$100(1+0.03)^n$이야.

Tip

처음 a원이 매년 r %씩 n년 동안 늘어나면

n년 후의 금액은 $a\left(1+\frac{❶\boxed{}}{100}\right)^{❷\boxed{}}$원이다.

답 ❶ r ❷ n

8

도로 용량이 C인 어느 도로 구간의 교통량을 V, 통행 시간을 t라 하면

$$\log\left(\frac{t}{t_0}-1\right)=k+4\log\frac{V}{C}\ (t>t_0)$$

가 성립한다고 한다. 이 도로 구간의 교통량이 도로 용량의 2배일 때, 통행 시간은 기준 통행 시간 t_0의 $\frac{7}{2}$배이다. 10^k의 값은? (단, t_0은 도로 특성 등에 따른 기준 통행 시간이고, k는 상수이다.)

① $\frac{5}{64}$　　② $\frac{5}{32}$　　③ $\frac{5}{16}$
④ $\frac{5}{8}$　　⑤ $\frac{5}{6}$

Tip

이 도로 구간의 교통량이 도로 용량의 2배일 때, 통행 시간은 기준 통행 시간 t_0의 $\frac{7}{2}$배이므로

$V=$ ❶ $\boxed{}$ C, $t=$ ❷ $\boxed{}$ t_0

답 ❶ 2 ❷ $\frac{7}{2}$

전편 마무리 전략

핵심 한눈에 보기

지수법칙

근호 안으로

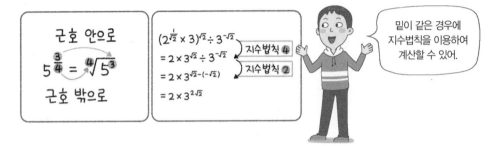

$5^{\frac{3}{4}} = \sqrt[4]{5^3}$

근호 밖으로

$(2^{\frac{1}{\sqrt{2}}} \times 3)^{\sqrt{2}} \div 3^{-\sqrt{2}}$

$= 2 \times 3^{\sqrt{2}} \div 3^{-\sqrt{2}}$ ← 지수법칙 ④

$= 2 \times 3^{\sqrt{2}-(-\sqrt{2})}$ ← 지수법칙 ②

$= 2 \times 3^{2\sqrt{2}}$

밑이 같은 경우에
지수법칙을 이용하여
계산할 수 있어.

정의역이 $\{x \mid 2 \le x \le 6\}$인 함수 $y=2^{x-4}$의 최댓값과 최솟값

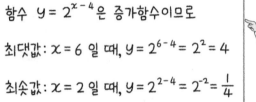

함수 $y=2^{x-4}$은 증가함수이므로

최댓값: $x=6$일 때, $y=2^{6-4}=2^2=4$

최솟값: $x=2$일 때, $y=2^{2-4}=2^{-2}=\frac{1}{4}$

지수함수 $y=a^x$에서
$a>1$이면 증가함수,
$0<a<1$이면
감소함수임을 이용해.

지수방정식과 부등식

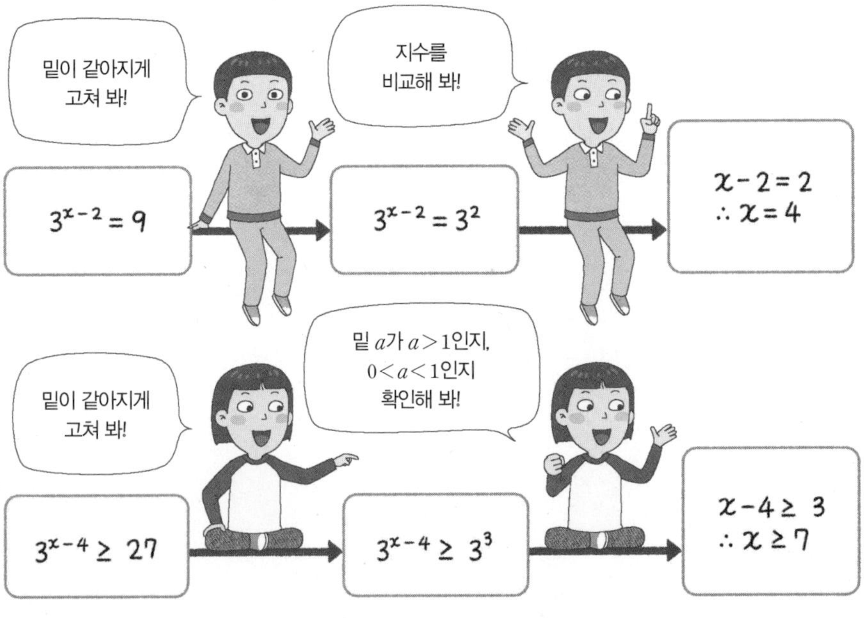
밑이 같아지게 고쳐 봐!
지수를 비교해 봐!
$3^{x-2}=9$
$3^{x-2}=3^2$
$x-2=2$
$\therefore x=4$
밑이 같아지게 고쳐 봐!
밑 a가 $a>1$인지, $0<a<1$인지 확인해 봐!
$3^{x-4} \ge 27$
$3^{x-4} \ge 3^3$
$x-4 \ge 3$
$\therefore x \ge 7$

로그의 성질

$\log_2 24$
$=\log_2 8+\log_2 3$ ← 로그의 성질 ②
$=3\log_2 2+\log_2 3$ ← 로그의 성질 ④
$=3+\log_2 3$ ← 로그의 성질 ①

$\log_2 \frac{1}{7}$
$=\log_2 1-\log_2 7$ ← 로그의 성질 ③
$=-\log_2 7$ ← 로그의 성질 ①

진수의 곱셈은 로그의 덧셈으로,
진수의 나눗셈은 로그의 뺄셈으로
계산하면 돼.

정의역이 $\{x|5\le x\le 9\}$인 함수 $y=\log_{\frac{1}{2}}(x-1)$의 최댓값과 최솟값

함수 $y=\log_{\frac{1}{2}}(x-1)$은 감소함수이므로

최댓값: $x=5$일 때, $y=\log_{\frac{1}{2}}4=-\log_2 2^2=-2$

최솟값: $x=9$일 때, $y=\log_{\frac{1}{2}}8=-\log_2 2^3=-3$

$a>1$이면 증가함수,
$0<a<1$이면 감소함수
임을 이용해.

로그방정식과 부등식

방정식의 해 구하기
$\log_2(x-2)=\log_2 5$
→
$x-2>0$
$\therefore x>2$
→
$x-2=5$
$\therefore x=7$

밑, 진수의
조건 확인!

밑이 같으면
진수끼리 비교!

마지막에는 구한 해가

맞는지 확인하는
것을 잊지 마!

부등식의 해 구하기
$\log_2(x-2)>\log_2 3$
→
진수의 조건에서
$x-2>0$
$\therefore x>2$ ⋯ ㉠
→
밑 2는 1보다 크므로
$x-2>3$
$\therefore x>5$ ⋯ ㉡

밑, 진수의
조건 확인!

밑 2가 1보다 큰지 작은지 확인 후
밑이 같으면 진수끼리 비교!

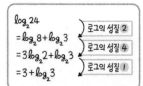

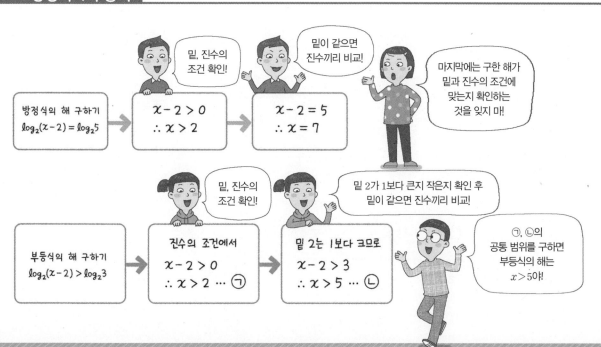

신유형·신경향 전략

01 $1 \le n \le 1000$인 자연수 n에 대하여 두 집합 A, B가

$A = \{n \mid \log_n 2^{10}$은 자연수$\}$, $B = \{x \mid x = \log_3 n$은 정수$\}$

일 때, 집합 $A-B$의 모든 원소의 합을 다음 순서에 따라 구하시오.

(1) 집합 A를 구하시오.

(2) 집합 B를 구하시오.

(3) 집합 $A-B$의 모든 원소의 합을 구하시오.

Tip

$a>0$, $a \ne 1$, $b>0$, $b \ne 1$일 때

$\log_a a^n =$ ❶ ☐ (n은 실수)

$\log_a b = \dfrac{❷ ☐}{\log_b a}$

답 ❶ n ❷ 1

02 다음은 수학 카페에서 거래하고 있는 중고 도서의 가격표이다.

도서명	가격(원)
눈으로 푸는 수학	$3000 \times \sqrt[3]{\dfrac{27}{8}}$
손으로 그리는 기하	$2000 \times \log_4 32$
꿈에서 만난 가우스	$\left(\log_2 \dfrac{3}{2} + \log_2 \dfrac{16}{3}\right) \times 1000$

위의 세 도서의 가격의 총합을 구하시오.

Tip

• $a>0$, $b>0$이고 n은 2 이상의 정수, m은 정수일 때

$\sqrt[n]{a^n} = a$, $\sqrt[n]{a^m} = a^{❶ ☐}$

• $a>0$, $a \ne 1$이고 $x>0$, $y>0$일 때

$\log_a x + \log_a y = \log_a$ ❷ ☐

$\log_a a^n = n$ (n은 실수)

답 ❶ $\dfrac{m}{n}$ ❷ xy

03 2의 세제곱근 중 실수인 것을 a, 9의 네제곱근 중 양수인 것을 b라 하자. $\sqrt[5]{(ab^2)^n}$이 자연수가 되도록 하는 자연수 n의 최솟값을 다음 순서에 따라 구하시오.

(1) $a=2^{\frac{1}{p}}$, $b=3^{\frac{1}{q}}$일 때, 자연수 p, q의 값을 구하시오.

(2) $\sqrt[5]{(ab^2)^n}=2^{\frac{n}{\alpha}}3^{\frac{n}{\beta}}$일 때, $\alpha+\beta$의 값을 구하시오.

(단, α, β는 0이 아닌 유리수이다.)

(3) $\sqrt[5]{(ab^2)^n}$이 자연수가 되도록 하는 자연수 n의 최솟값을 구하시오.

Tip

- $a^3=$ ❶ ☐ 에서 $a=\sqrt[3]{2}$
  $b^4=9$에서 $b=\sqrt[4]{9}$
- $a>0$이고 m, n $(n\ge2)$은 정수, p, q, r, s $(p\ne0, r\ne0)$는 실수일 때
  $\sqrt[n]{a^m}=a^{\frac{m}{n}}$, $(a^{\frac{q}{p}})^{\frac{s}{r}}=a^{❷ ☐}$

답 ❶ 2 ❷ $\frac{qs}{pr}$

04 액체의 끓는 온도를 T(℃), 증기 압력을 P(mmHg)라 하면

$$\log P=a+\frac{b}{c+T}\ (a, b, c\text{는 상수, } T>-c)$$

가 성립한다고 한다. 어떤 액체가 끓는 온도 0(℃)에 대한 증기 압력이 4.8(mmHg)일 때, $1000\left(a+\frac{b}{c}\right)$의 값을 구하시오.

(단, $\log 2=0.301$, $\log 3=0.477$로 계산한다.)

Tip

$\log P=a+\frac{b}{c+T}$에 $T=$ ❶ ☐, $P=$ ❷ ☐ 을 대입하여 계산한다.

답 ❶ 0 ❷ 4.8

05 어느 산악인이 등산하면서 고도가 $100\,\text{m}$ 높아질 때마다 공기 중 산소 농도를 측정한 결과 직전에 측정한 농도의 $1\,\%$가 감소하는 것으로 나타났다. 이 산악인이 출발 지점인 고도 $150\,\text{m}$에서 처음으로 측정한 공기 중 산소 농도가 $20\,\%$일 때, 이 산악인이 측정한 공기 중 산소 농도가 처음으로 $18\,\%$ 이하가 되는 지점의 고도를 구하시오. (단, $\log 3=0.4771$, $\log 9.9=0.9956$으로 계산한다.)

Tip

- 고도 $150\,\text{m}$에서 $n\times100\,(\text{m})$ 높아진 고도에서의 공기 중 산소 농도는 $20(1-$ ❶ $)^n\,\%$
- 출발 지점인 고도 $150\,\text{m}$보다 $x\,\text{m}$ 높은 지점의 고도는 (❷ $+x$) m

답 ❶ 0.01 ❷ 150

06 다음 그림은 두 함수 $y=2^x$과 $y=\log_2 x$의 그래프이다.
$\log_2\{\log_2(\log_2 k)\}$의 값을 바르게 구한 학생을 고르시오. (단, $k>16$)

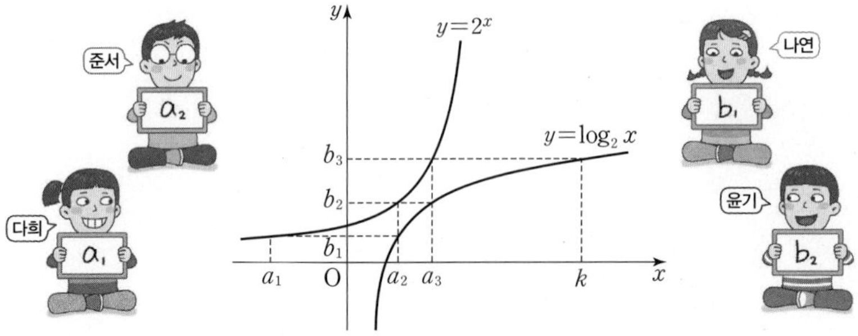

Tip

- 점 $(k,\ b_3)$은 함수 $y=\log_2 x$의 그래프 위의 점이므로 $\log_2 k=$ ❶
- 점 $(a_3,\ b_3)$은 함수 $y=2^x$의 그래프 위의 점이므로 $b_3=$ ❷

답 ❶ b_3 ❷ 2^{a_3}

07

다음은 어느 신문 기사의 일부이다. A 국가에서 시행하는 정책이 계획대로 추진된다고 할 때, 이산화탄소 배출량이 처음으로 3억 톤 이하가 되는 해를 구하시오. (단, 측정 주기는 1년이고, $\log 2=0.301$, $\log 3=0.477$, $\log 9.5=0.978$로 계산한다.)

ㅇ ㅇ 신 문

지구 온난화로 인해 지구 곳곳이 심한 가뭄과 홍수, 산불 등으로 몸살을 앓고 있다. 지구 온나화의 가장 큰 원인은 화석 연료를 사용할 때 배출되는 이산화탄소의 증가로 알려져 있다.
2020년 이산화탄소 배출량이 6억 톤이었던 A 국가는 이산화탄소 배출로 인해 발생하는 지구 온난화 현상을 개선하기 위해 매년 전년도보다 5 %씩 이산화탄소 배출량을 감소시키는 정책을 2020년부터 추진하고 있다.

Tip

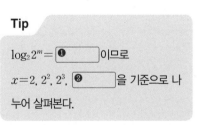

이산화탄소 배출량을 감소시키는 정책을 추진하기 시작하여 ❶ [　　] 년 후의 이산화탄소 배출량은 $6(1-$ ❷ [　　] $)^n$억 톤이다.

답 ❶ n ❷ 0.05

08

다음 그림과 같이 곡선 $y=\log_2 x$와 두 직선 $x=20$, $y=0$으로 둘러싸인 영역에 한 변의 길이가 1인 정사각형을 서로 겹치지 않게 그리려고 한다. 그릴 수 있는 한 변의 길이가 1인 정사각형의 최대 개수를 구하시오.

(단, 정사각형의 각 변은 x축, y축에 평행하다.)

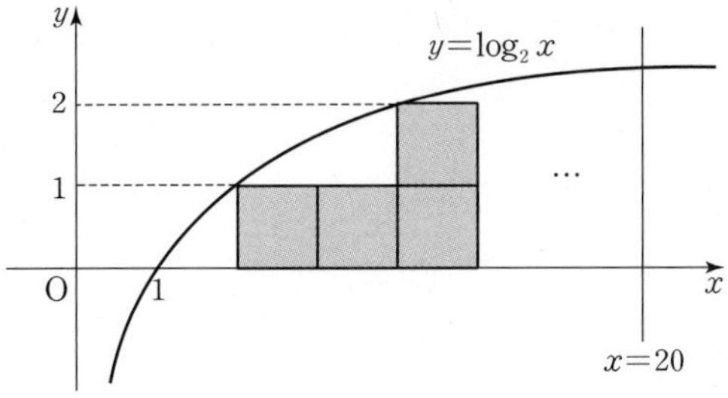

Tip

$\log_2 2^m=$ ❶ [　　] 이므로
$x=2, 2^2, 2^3,$ ❷ [　　] 을 기준으로 나누어 살펴본다.

답 ❶ m ❷ 2^4

1·2등급 확보 전략 1회

01

$\frac{\sqrt[4]{(\sqrt{3})^{12}}}{\sqrt{3}\times\sqrt[3]{9}}=3^a$을 만족시키는 실수 a의 값은?

① $\frac{1}{5}$　② $\frac{1}{4}$　③ $\frac{1}{3}$

④ $\frac{1}{2}$　⑤ $\frac{2}{3}$

02

0이 아닌 세 실수 a, b, c에 대하여 $\frac{a+b}{3}=\frac{b+c}{5}=\frac{c+a}{6}$일 때, $(2^a\times 2^b)^{\frac{1}{c}}$의 값은?

① $\sqrt[4]{2}$　② $\sqrt[3]{2}$　③ $\sqrt[3]{4}$

④ $\sqrt[4]{8}$　⑤ $2\sqrt{2}$

03

16의 세제곱근 중 실수를 a라 할 때, $\log_4 a^9$의 값은?

① 4　② 6　③ 8

④ 10　⑤ 12

04

실수 a에 대하여 $\frac{3^a+3^{-a}}{3^a-3^{-a}}=\frac{13}{5}$일 때, 9^a의 값은?

① $\frac{7}{4}$　② 2　③ $\frac{9}{4}$

④ $\frac{5}{2}$　⑤ $\frac{11}{4}$

식이 너무 복잡해.
$\frac{3^a+3^{-a}}{3^a-3^{-a}}$의 분모, 분자에 3^a을 곱하면 간단해져.

05

2 이상의 자연수 n에 대하여 $(\sqrt[6]{4^5})^{\frac{1}{4}}$이 어떤 자연수의 n제곱근이 되도록 하는 n의 최솟값은?

① 10　② 11　③ 12
④ 13　⑤ 14

06

0이 아닌 두 실수 x, y가 다음 조건을 만족시킨다.

> (가) $6^x=2$, $a^y=4$ (단, $a>0$, $a\neq1$)
> (나) $y-2x=3xy$

a의 값은?

① $\frac{1}{4}$　② $\frac{1}{2}$　③ $\frac{3}{4}$
④ $\frac{4}{3}$　⑤ $\frac{5}{3}$

07

2의 네제곱근 중 양수인 것을 x라 할 때, x^n이 세 자리 자연수가 되도록 하는 모든 자연수 n의 값의 합은?

① 96　② 97　③ 98
④ 99　⑤ 100

08

2 이상의 두 자연수 a, n에 대하여 $(\sqrt[n]{a})^3$의 값이 자연수가 되도록 하는 n의 최댓값을 $f(a)$라 하자. $f(4)+f(27)$의 값은?

① 13　② 14　③ 15
④ 16　⑤ 17

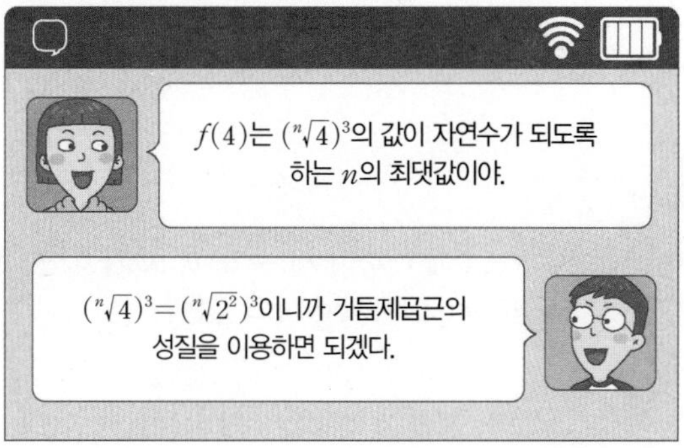

09

1보다 큰 두 실수 a, b에 대하여

$$\log_a \frac{b^2}{a} = 2$$

일 때, $2\log_a b + 3\log_b a$의 값은?

① $\frac{9}{2}$　② 5　③ $\frac{11}{2}$　④ 6　⑤ $\frac{13}{2}$

a, b의 값을 구하지 않아도 돼.
로그의 성질을 이용하면 쉽지.

10

1이 아닌 두 양수 a, b에 대하여 세 수 a, b, ab가 이 순서대로 등비수열을 이룰 때, $\log_{\sqrt{a}} b + \log_{\sqrt{b}} a$의 값은?

① 1　② 2　③ 3　④ 4　⑤ 5

11

세 점 $(1, 0)$, $(2, \log_4 a)$, $(3, \log_2 b)$가 한 직선 위에 있을 때, 두 양수 a, b에 대하여 $\log_a b$의 값은? (단, $a \neq 1$)

① $\frac{1}{4}$　② $\frac{1}{2}$　③ $\frac{3}{4}$　④ 1　⑤ $\frac{5}{4}$

12

두 실수 a, b에 대하여

$$ab = \log_{27} 5,\ a + b = \log_3 5$$

일 때, $\frac{1}{a} + \frac{1}{b}$의 값은?

① $\frac{1}{5}$　② $\frac{1}{3}$　③ 1　④ 3　⑤ 5

13

1이 아닌 두 양수 a, b가 다음 조건을 만족시킨다.

> (가) $\log_a 10b=4$
> (나) $\dfrac{\log b}{2\log\sqrt{a}+\log b}=\dfrac{2}{3}$

$\log ab$의 값은?

① $\frac{1}{3}$　② $\frac{2}{3}$　③ 1　④ $\frac{4}{3}$　⑤ $\frac{3}{2}$

$\log_a 10b$를 밑이
10인 로그로 고친 다음
$\log a=x$, $\log b=y$라 하고
풀어 봐.

14

1보다 큰 세 실수 a, b, c에 대하여

$9\log_a b=3\log_b c=\log_c a$

일 때, $\log_a b+\log_b c+\log_c a$의 값은?

① $\frac{7}{3}$　② 3　③ $\frac{11}{3}$　④ $\frac{13}{3}$　⑤ 5

15

모든 실수 x에 대하여 $\log_a(x^2+2ax+5a)$가 정의되도록 하는 모든 정수 a의 값의 합은?

① 9　② 11　③ 13　④ 15　⑤ 17

16

네 양수 a, b, c, k가 다음 조건을 만족시킨다.

> (가) $3^a=5^b=k^c$
> (나) $\log c=\log 2ab-\log(2a+b)$

k^2의 값은?

① 55　② 65　③ 70　④ 75　⑤ 80

1·2등급 확보 전략 2회

01

정의역이 $\{x \mid 1 \leq x \leq 3\}$인 함수 $f(x)=5^{a-2x}$의 최댓값이 25, 최솟값이 m일 때, $\frac{a}{m}$의 값은? (단, a는 상수이다.)

① 99　② 100　③ 101　④ 102　⑤ 103

02

방정식 $2^x-10+2^{4-x}=0$의 두 근을 α, β라 할 때, $\alpha+2\beta$의 값은? (단, $\alpha<\beta$)

① 5　② 7　③ 9　④ 11　⑤ 13

03

두 함수 $y=2^x$, $y=-k\left(\frac{1}{2}\right)^x+\frac{5}{2}$의 그래프가 서로 다른 두 점 A, B에서 만난다. 선분 AB의 중점이 y축 위에 있을 때, 상수 k의 값은?

① 1　② $\frac{5}{4}$　③ $\frac{3}{2}$　④ 2　⑤ $\frac{5}{2}$

04

함수 $f(x)=3^{ax+b}$이 다음 조건을 만족시킨다.

> (가) $f\left(\frac{1}{2}\right)=27$
>
> (나) 임의의 실수 x, y에 대하여 $f(x+y)=9f(x)f(y)$

상수 a, b에 대하여 $3a+b$의 값은?

① 25　② 26　③ 27　④ 28　⑤ 29

조건 (나)의 식에 $x=0$, $y=0$을 대입하면 $f(0)$의 값을 구할 수 있어.

05

함수 $f(x)=-2^{4-3x}+k$의 그래프가 제2사분면을 지나지 않도록 하는 자연수 k의 최댓값은?

① 10 ② 12 ③ 14 ④ 16 ⑤ 18

06

함수 $y=2^x$의 그래프를 x축의 방향으로 m만큼 평행이동한 그래프를 나타내는 함수를 $y=f(x)$라 하자. 함수 $y=f(x)$의 그래프와 그 역함수의 그래프의 교점 중 한 점의 x좌표가 4일 때, 실수 m의 값은?

① 2 ② 3 ③ 4 ④ 5 ⑤ 6

07

두 곡선 $y=\log_2 x$, $y=-\log_2(5-x)$와 직선 $x=1$이 만나는 점을 각각 A, B라 하고, 직선 $x=4$가 만나는 점을 각각 C, D라 하자. 사각형 ABDC의 넓이는?

① 1 ② $\frac{5}{2}$ ③ 4 ④ $\frac{9}{2}$ ⑤ 6

08

함수 $f(x)$가 다음 조건을 만족시킨다.

> (가) $x\le 2$일 때, $f(x)=|x|-1$
> (나) 모든 실수 x에 대하여 $f(2-x)=f(2+x)$

함수 $y=f(x)$의 그래프와 함수 $y=\left(\frac{1}{2}\right)^x-n$의 그래프의 교점의 개수를 $g(n)$이라 할 때, $g(1)+g(3)$의 값은?

① 4 ② 5 ③ 6 ④ 7 ⑤ 8

함수 $y=f(x)$의 그래프를 그려 보자.
함수 $y=f(x)$의 그래프는 직선 $x=2$에 대하여 대칭이야.

09

함수

$$f(x)=\log_a(5-x)+\log_a(x+3)$$

의 최댓값이 8일 때, 1보다 큰 실수 a에 대하여 a^8의 값은?

① 2 ② 4 ③ 8
④ 16 ⑤ 32

10

부등식

$$\log_{\sqrt{2}}x<\log_2(12x+28)$$

을 만족시키는 자연수 x의 개수는?

① 10 ② 11 ③ 12
④ 13 ⑤ 14

11

연립부등식

$$\begin{cases}\log_3|x-3|<2\\ \log_2 x+\log_2(x-2)>3\end{cases}$$

을 만족시키는 정수 x의 최솟값을 a, 최댓값을 b라 할 때, $a+b$의 값은?

① 12 ② 13 ③ 14
④ 15 ⑤ 16

$\log_2 x+\log_2(x-2)>3$
에서 진수의 조건도
생각해야 해.

12

함수

$$f(x)=\begin{cases}3-x & (x<4)\\ 1-2\log_3(x-1) & (x\geq4)\end{cases}$$

의 역함수를 $g(x)$라 할 때, $(g\circ g)(k)=82$를 만족시키는 k의 값은?

① 8 ② 9 ③ 10
④ 11 ⑤ 12

13

함수 $f(x)$가 다음 조건을 만족시킨다.

> (가) $-1 \le x < 1$에서 $f(x)=|2x|$
> (나) 모든 실수 x에 대하여 $f(x+2)=f(x)$

자연수 n에 대하여 두 함수 $y=f(x)$, $y=\log_{2n}x$의 그래프가 만나는 점의 개수를 a_n이라 할 때, a_1+a_5의 값은?

① 98　② 99　③ 100
④ 101　⑤ 102

14

함수 $y=5-\log_2(x+a)$의 그래프의 점근선의 방정식이 $x=-3$이다. 이 그래프가 점 $(-1, k)$를 지날 때, a^k의 값은?
(단, a는 상수이다.)

① 81　② 83　③ 85
④ 87　⑤ 89

15

함수 $y=2^x+2$의 그래프를 x축의 방향으로 m만큼 평행이동한 그래프가 함수 $y=\log_2 8x$의 그래프를 x축의 방향으로 2만큼 평행이동한 그래프와 직선 $y=x$에 대하여 대칭일 때, 상수 m의 값은?

① 1　② 2　③ 3
④ 4　⑤ 5

16

고속철도의 최고 소음도 $L(\text{dB})$을 예측하는 모형에 따르면 한 지점에서 가까운 선로 중앙 지점까지의 거리를 $d(\text{m})$, 열차가 가까운 선로 중앙 지점을 통과할 때의 속력을 $v(\text{km/h})$라 하면

$$L=80+28\log\frac{v}{100}-14\log\frac{d}{25}$$

가 성립한다고 한다. 가까운 선로 중앙 지점 P까지의 거리가 75 m인 한 지점에서 속력이 서로 다른 두 열차 A, B의 최고 소음도를 예측하고자 한다. 열차 A가 지점 P를 통과할 때의 속력이 열차 B가 지점 P를 통과할 때의 속력의 0.9배일 때, 두 열차 A, B의 예측 최고 소음도를 각각 L_A, L_B라 하자. L_B-L_A의 값은?

① $14-28\log 3$　② $28-56\log 3$
③ $28-28\log 3$　④ $56-84\log 3$
⑤ $56-56\log 3$

memo

book.chunjae.co.kr

교재 내용 문의 ………………………… 교재 홈페이지 ▸ 고등 ▸ 교재상담
교재 내용 외 문의 …………………… 교재 홈페이지 ▸ 고객센터 ▸ 1:1문의
발간 후 발견되는 오류 ……………… 교재 홈페이지 ▸ 고등 ▸ 학습지원 ▸ 학습자료실

수능공략 필승학습!
단기간에 끝장내자!

실전에 강한

수능전략

BOOK 2

수학 영역 수학Ⅰ

천재교육

실 전 에 강 한

수능전략

수학 영역 **수학 I**

수능전략

수·학·영·역

수학 I

BOOK 2

이 책의 구성과 활용

본책인 BOOK 1과 BOOK2의 구성은 아래와 같습니다.

BOOK 1
1주, 2주

BOOK 2
1주, 2주

BOOK 3
정답과 해설

주 도입

본격적인 학습에 앞서, 재미있는 만화를 살펴보며 이번 주에 학습할 내용을 확인해 봅니다.

1일

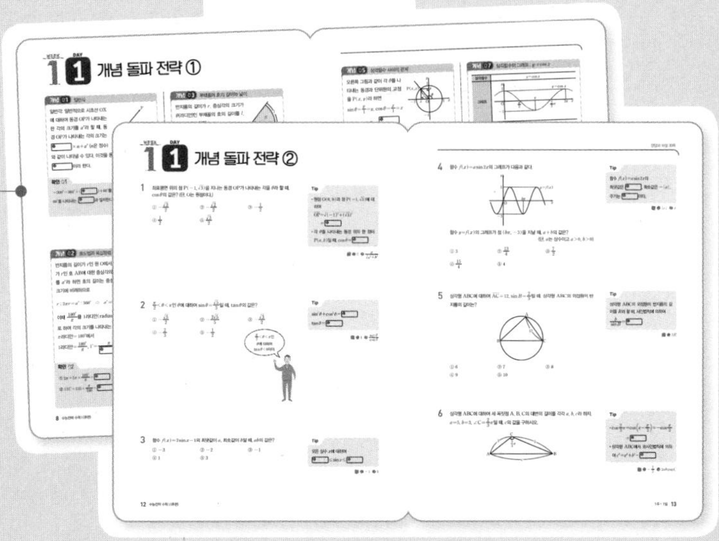

개념 돌파 전략
수능을 대비하기 위해 꼭 알아야 할 핵심 개념을 익힌 뒤, 간단한 문제를 풀며 개념을 잘 이해했는지 확인해 봅니다.

2일, 3일

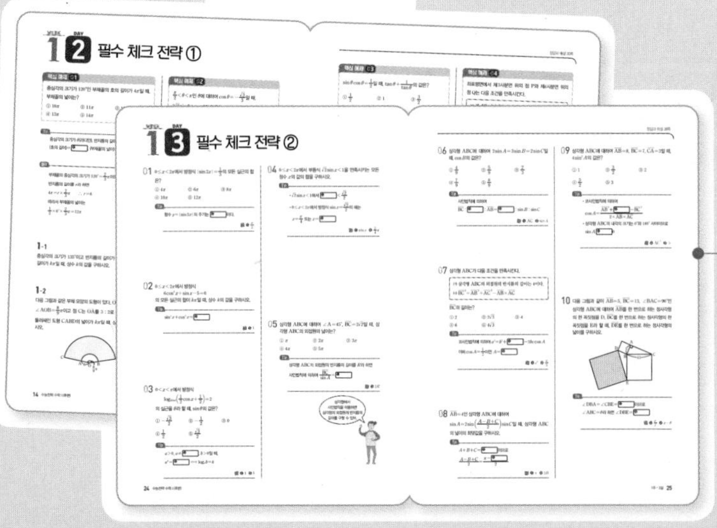

필수 체크 전략
기출문제에서 선별한 대표 유형 문제와 쌍둥이 문제를 함께 풀며 문제에 접근하는 과정과 해결 전략을 체계적으로 익혀 봅니다.

부록 수능에 꼭 나오는 필수 유형 ZIP

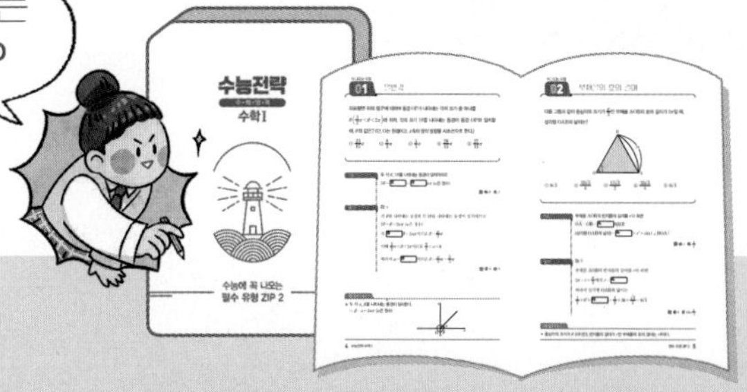

본 책에서 다룬 대표 유형과 그 해결 전략을 집중적으로 연습할 수 있도록 권두 부록을 구성했습니다. 부록을 뜯으면 미니북으로 활용할 수 있습니다.

주 마무리 코너

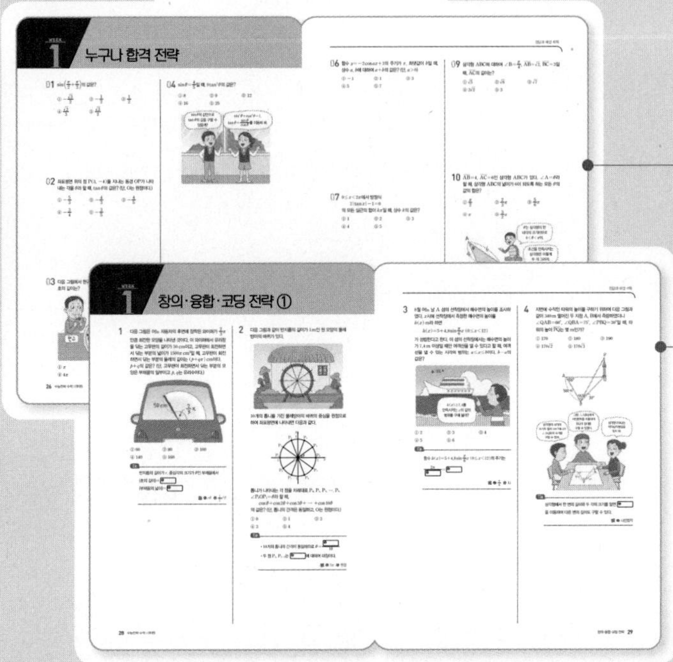

누구나 합격 전략
수능 유형에 맞춘 기초 연습 문제를 풀며 학습 자신감을 높일 수 있습니다.

창의 · 융합 · 코딩 전략
수능에서 요구하는 융복합적 사고력과 문제 해결력을 기를 수 있습니다.

권 마무리 코너

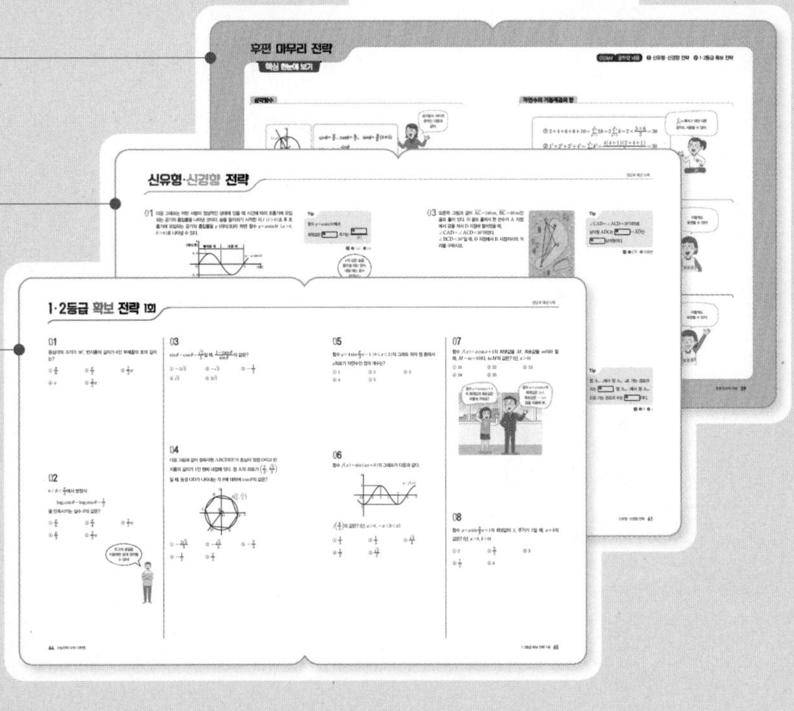

수능 마무리 전략
학습 내용을 도식으로 정리하여 앞에서 공부한 내용을 한눈에 파악할 수 있습니다.

신유형 · 신경향 전략
신유형·신경향 문제를 집중적으로 풀며 문제 적응력을 높일 수 있습니다.

1 · 2등급 확보 전략
실제 수능과 같이 구성한 모의고사를 풀며 고난도 문제에 대비할 수 있습니다.

이 책의 차례

BOOK 2

WEEK 1

WEEK 2

BOOK 1

WEEK 1

WEEK 2

WEEK

1 삼각함수

으, 시끄러워. 이게 무슨 소리야?
저 아파트 10층에 이사 오나 봐. 짐 나르는 소리였네!

만약 사다리차와 아파트 사이의 거리가 50 m, 사다리차와 지면이 이루는 각의 크기가 60°라면 10층의 높이는 얼마일까?
정말이네?

삼각비를 이용해 볼까?
$\tan 60^\circ = \frac{(10층의 높이)}{(사다리차와 아파트 사이의 거리)}$ 네.
60°
50m
그러면 10층의 높이는 $50\tan 60^\circ = 50\sqrt{3}\,(\mathrm{m})$야.

공부할 내용 1. 일반각과 호도법 2. 삼각함수 3. 삼각함수의 그래프 4. 사인법칙과 코사인법칙

WEEK 1 DAY 1

개념 돌파 전략 ①

개념 01 일반각

일반각: 일반적으로 시초선 OX에 대하여 동경 OP가 나타내는 한 각의 크기를 $\alpha°$라 할 때, 동경 OP가 나타내는 각의 크기는

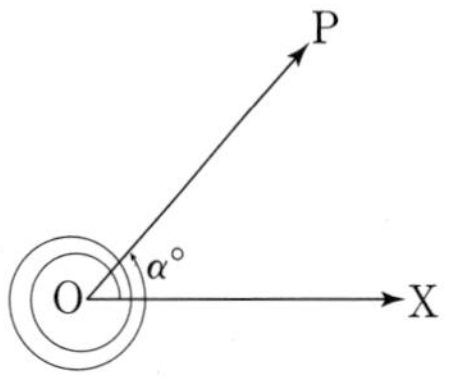

❶ ______ $\times n+\alpha°$ (n은 정수)

와 같이 나타낼 수 있다. 이것을 동경 OP가 나타내는

❷ ______ 이라 한다.

답 ❶ 360° ❷ 일반각

확인 01

$-300°=360°\times($❶ ______$)+60°$를 나타내는 동경은 60°를 나타내는 ❷ ______ 과 일치한다.

답 ❶ −1 ❷ 동경

개념 02 호도법과 육십분법 사이의 관계

반지름의 길이가 r인 원 O에서 길이가 r인 호 AB에 대한 중심각의 크기를 $\alpha°$라 하면 호의 길이는 중심각의 크기에 비례하므로

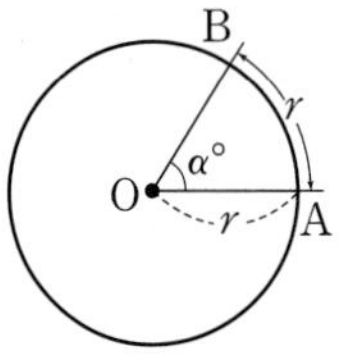

$r:2\pi r=\alpha°:360°$ ⇨ $\alpha°=\dfrac{❶\ \_\_\_\_\_\_}{\pi}$

이때 $\dfrac{180°}{\pi}$를 1라디안(radian)이라 하고, 이것을 단위로 하여 각의 크기를 나타내는 방법을 호도법이라 한다.

π라디안$=180°$에서

1라디안$=\dfrac{180°}{\pi}$, $1°=\dfrac{\pi}{❷\ ______}$라디안

답 ❶ 180° ❷ 180

확인 02

① $2\pi=2\pi\times\dfrac{180°}{\pi}=$ ❶ ______

② $135°=135\times\dfrac{\pi}{180}=$ ❷ ______

답 ❶ 360° ❷ $\dfrac{3}{4}\pi$

개념 03 부채꼴의 호의 길이와 넓이

반지름의 길이가 r, 중심각의 크기가 θ(라디안)인 부채꼴의 호의 길이를 l, 넓이를 S라 하면

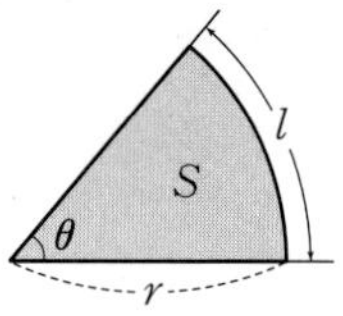

$l=r$ ❶ ______

$S=\dfrac{1}{2}r^2\theta=\dfrac{1}{2}r$ ❷ ______

답 ❶ θ ❷ l

확인 03

반지름의 길이가 3, 중심각의 크기가 $\dfrac{\pi}{6}$인 부채꼴의 호의 길이는

$3\times\dfrac{\pi}{6}=$ ❶ ______, 넓이는 $\dfrac{1}{2}\times3^2\times\dfrac{\pi}{6}=$ ❷ ______ 이다.

답 ❶ $\dfrac{\pi}{2}$ ❷ $\dfrac{3}{4}\pi$

개념 04 삼각함수의 정의

오른쪽 그림과 같이 일반각 θ를 나타내는 동경과 원점 O를 중심으로 하고 반지름의 길이가 r인 원의 교점을 $\mathrm{P}(x, y)$라 하면

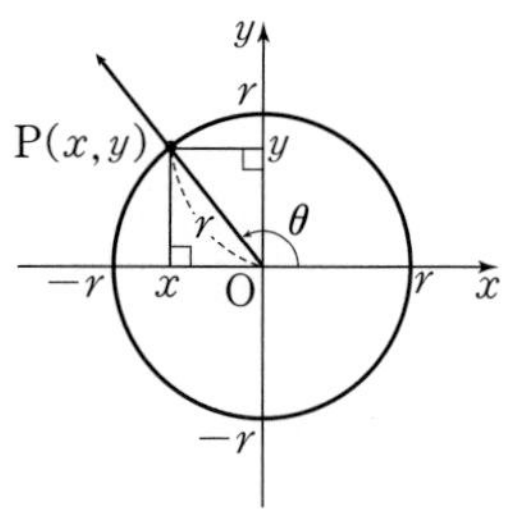

$\sin\theta=\dfrac{❶\ \_\_\_\_\_\_}{r}$, $\cos\theta=\dfrac{x}{❷\ \_\_\_\_\_\_}$, $\tan\theta=\dfrac{y}{x}$ $(x\neq0)$

이때 이 함수를 차례로 θ에 대한 사인함수, 코사인함수, 탄젠트함수라 한다.

답 ❶ y ❷ r

확인 04

원점 O와 점 P(1, −1)을 지나는 동경 OP가 나타내는 각을 θ라 할 때,

$\sin\theta=\dfrac{-1}{\sqrt{2}}=-\dfrac{\sqrt{2}}{2}$, $\cos\theta=\dfrac{1}{\sqrt{2}}=$ ❶ ______, $\tan\theta=\dfrac{-1}{1}=$ ❷ ______

답 ❶ $\dfrac{\sqrt{2}}{2}$ ❷ −1

개념 05 삼각함수 사이의 관계

오른쪽 그림과 같이 각 θ를 나타내는 동경과 단위원의 교점을 $\mathrm{P}(x, y)$라 하면

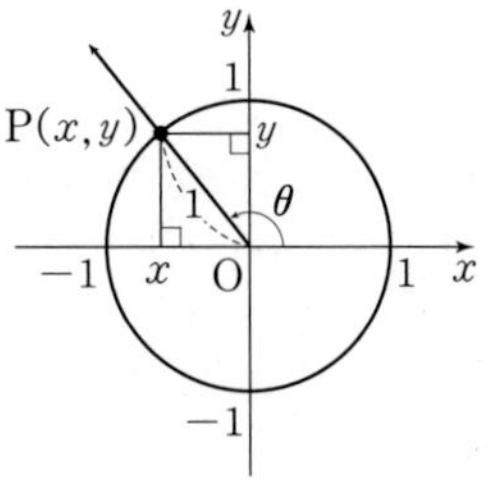

$\sin\theta=\frac{y}{1}=y$, $\cos\theta=\frac{x}{1}=x$

즉 $\tan\theta=\frac{y}{x}=\frac{\boxed{❶\quad}}{\cos\theta}$

또 점 $\mathrm{P}(x, y)$는 원 $x^2+y^2=1$ 위의 점이므로

$\cos^2\theta+\sin^2\theta=$ ❷ ☐

답 ❶ $\sin\theta$ ❷ 1

확인 05

각 θ가 제3사분면의 각이고 $\cos\theta=-\frac{1}{2}$일 때

$\cos^2\theta+\sin^2\theta=$ ❶ ☐ 이므로 $\sin^2\theta=1-\left(-\frac{1}{2}\right)^2=\frac{3}{4}$

$\therefore \sin\theta=$ ❷ ☐ $\left(\because \pi<\theta<\frac{3}{2}\pi\right)$

답 ❶ 1 ❷ $-\frac{\sqrt{3}}{2}$

개념 06 삼각함수의 그래프: $y=\sin x$

삼각함수	$y=\sin x$
그래프	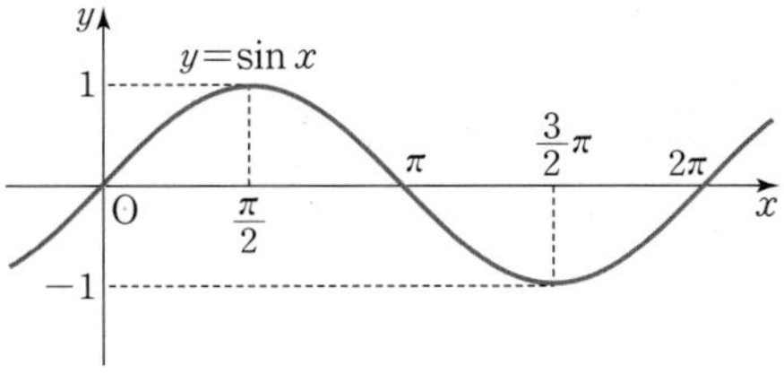
정의역	❶ ☐ 전체의 집합
치역	$\{y \mid -1\le y\le 1\}$
주기	2π
대칭성	❷ ☐ 에 대하여 대칭 $\sin(-x)=-\sin x$

답 ❶ 실수 ❷ 원점

확인 06

함수 $y=\sin 3x$는 주기가 $\frac{2\pi}{\boxed{❶\quad}}$, 치역이 $\{y \mid -1\le y\le 1\}$이다.

이때 $y=\sin(-3x)=$ ❷ ☐ 이므로 함수 $y=\sin 3x$의 그래프는 원점에 대하여 대칭이다.

답 ❶ 3 ❷ $-\sin 3x$

개념 07 삼각함수의 그래프: $y=\cos x$

삼각함수	$y=\cos x$
그래프	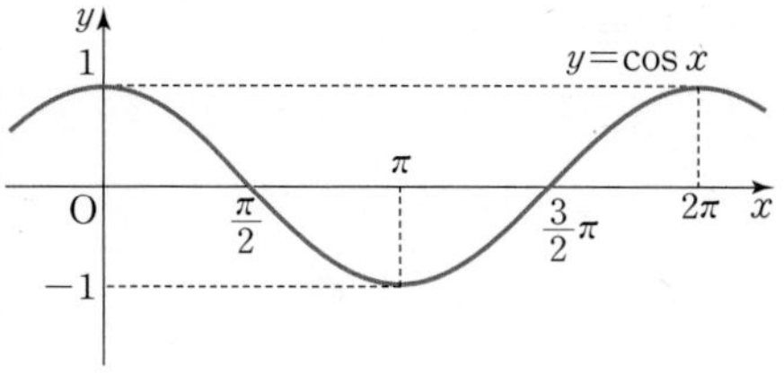
정의역	실수 전체의 집합
치역	$\{y \mid -1\le y\le 1\}$
주기	❶ ☐
대칭성	y축에 대하여 대칭 $\cos(-x)=$ ❷ ☐

답 ❶ 2π ❷ $\cos x$

확인 07

함수 $y=-3\cos x$는 주기가 2π, 치역이 ❶ ☐ 이다.

이때 $y=-3\cos(-x)=$ ❷ ☐ 이므로 함수 $y=-3\cos x$의 그래프는 y축에 대하여 대칭이다.

답 ❶ $\{y \mid -3\le y\le 3\}$ ❷ $-3\cos x$

개념 08 삼각함수의 그래프: $y=\tan x$

삼각함수	$y=\tan x$
그래프	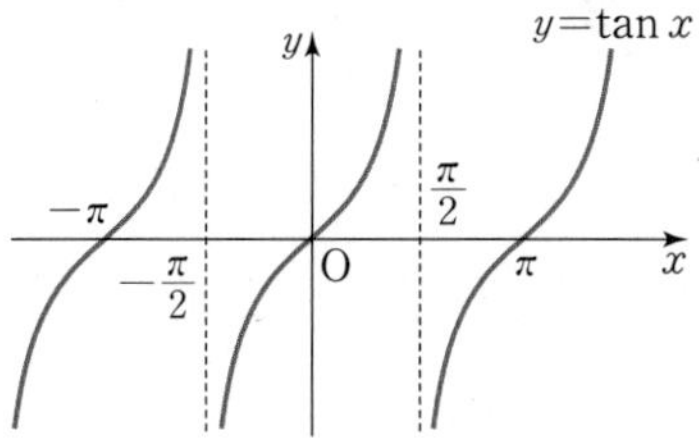
정의역	$n\pi+\frac{\pi}{2}$ (n은 정수)를 제외한 실수 전체의 집합
치역	실수 전체의 집합
점근선	직선 $x=n\pi+$ ❶ ☐ (n은 정수)
주기	π
대칭성	원점에 대하여 대칭 $\tan(-x)=$ ❷ ☐

답 ❶ $\frac{\pi}{2}$ ❷ $-\tan x$

확인 08

함수 $y=4\tan x$는 주기가 π, 치역이 ❶ ☐ 전체의 집합이다.

이때 점근선의 방정식은 $x=n\pi+$ ❷ ☐ (n은 정수)이다.

답 ❶ 실수 ❷ $\frac{\pi}{2}$

개념 09 삼각함수의 최대, 최소와 주기

사인함수, 코사인함수, 탄젠트함수의 최댓값, 최솟값 및 주기는 다음과 같다.

삼각함수	최댓값	최솟값	주기
$y=a\sin(bx+c)+d$	$\|a\|+d$	$-\|a\|+d$	$\frac{2\pi}{\|b\|}$
$y=a\cos(bx+c)+d$	❶	$-\|a\|+d$	$\frac{2\pi}{\|b\|}$
$y=a\tan(bx+c)+d$	없다.	없다.	❷

답 ❶ $|a|+d$ ❷ $\frac{\pi}{|b|}$

확인 09

① 함수 $y=2\sin 5x+3$의 최댓값은 $2+3=5$, 최솟값은 $-2+3=1$, 주기는 $\frac{2\pi}{❶}$이다.

② 함수 $y=-\cos(2x-3)+4$의 최댓값은 $1+4=5$, 최솟값은 ❷ $+4=3$, 주기는 $\frac{2\pi}{|2|}=\pi$이다.

답 ❶ 5 ❷ -1

개념 10 삼각함수가 포함된 방정식의 풀이

$\sin x=\frac{\sqrt{3}}{2}$, $\sqrt{3}\tan x=1$과 같이 각의 크기가 미지수인 삼각함수가 포함된 방정식의 해는 다음과 같은 방법으로 구할 수 있다.

❶ 주어진 방정식을 $\sin x=k$ (또는 $\cos x=k$ 또는 $\tan x=k$) 꼴로 나타낸다.

❷ 주어진 x의 범위에서 함수 $y=\sin x$ (또는 $y=\cos x$ 또는 $y=\tan x$)의 그래프와 직선 $y=$ ❶ 의 교점의 ❷ 좌표를 찾아 방정식의 해를 구한다.

답 ❶ k ❷ x

확인 10

$\sin x=\frac{\sqrt{3}}{2}$ $(0\le x<2\pi)$에서 함수 $y=\sin x$의 그래프와 직선 $y=$ ❶ 의 교점의 x좌표는 ❷, $\frac{2}{3}\pi$이다.

답 ❶ $\frac{\sqrt{3}}{2}$ ❷ $\frac{\pi}{3}$

개념 11 삼각함수가 포함된 부등식의 풀이

$\sin x>\frac{\sqrt{3}}{2}$, $\sqrt{3}\tan x<1$과 같이 각의 크기가 미지수인 삼각함수가 포함된 부등식의 해는 다음과 같은 방법으로 구할 수 있다.

❶ $\sin x>k$ (또는 $\cos x>k$ 또는 $\tan x>k$) 꼴의 부등식
함수 $y=\sin x$ (또는 $y=\cos x$ 또는 $y=\tan x$)의 그래프가 직선 $y=k$보다 ❶ 쪽에 있는 부분의 x의 값의 범위를 구한다.

❷ $\sin x<k$ (또는 $\cos x<k$ 또는 $\tan x<k$) 꼴의 부등식
함수 $y=\sin x$ (또는 $y=\cos x$ 또는 $y=\tan x$)의 그래프가 직선 $y=$ ❷ 보다 아래쪽에 있는 부분의 x의 값의 범위를 구한다.

답 ❶ 위 ❷ k

확인 11

$\sqrt{3}\tan x<1$ $\left(0\le x<\frac{\pi}{2}\right)$, 즉 $\tan x<$ ❶ 의 해는 함수 $y=\tan x$의 그래프가 직선 $y=\frac{\sqrt{3}}{3}$보다 아래쪽에 있는 부분의 x의 값의 범위이므로 $0\le x<$ ❷ 이다.

답 ❶ $\frac{\sqrt{3}}{3}$ ❷ $\frac{\pi}{6}$

개념 12 삼각함수의 성질 (1)

❶ $2n\pi+\theta$ (n은 정수)의 삼각함수

① $\sin(2n\pi+\theta)=$ ❶

② $\cos(2n\pi+\theta)=\cos\theta$

③ $\tan(2n\pi+\theta)=\tan\theta$

❷ $-\theta$의 삼각함수

① $\sin(-\theta)=-\sin\theta$ ② $\cos(-\theta)=\cos\theta$

③ $\tan(-\theta)=$ ❷

답 ❶ $\sin\theta$ ❷ $-\tan\theta$

확인 12

① $\sin\frac{13}{6}\pi=\sin\left(2\pi+\frac{\pi}{6}\right)=\sin$ ❶

② $\cos\left(-\frac{\pi}{3}\right)=$ ❷

답 ❶ $\frac{\pi}{6}$ ❷ $\cos\frac{\pi}{3}$

개념 13 삼각함수의 성질 (2)

❶ $\pi\pm\theta$의 삼각함수

① $\sin(\pi+\theta)=-\sin\theta$, $\sin(\pi-\theta)=\sin\theta$

② $\cos(\pi+\theta)=-\cos\theta$, $\cos(\pi-\theta)=$ [❶]

③ $\tan(\pi+\theta)=\tan\theta$, $\tan(\pi-\theta)=-\tan\theta$

❷ $\frac{\pi}{2}\pm\theta$의 삼각함수

① $\sin\left(\frac{\pi}{2}+\theta\right)=\cos\theta$, $\sin\left(\frac{\pi}{2}-\theta\right)=\cos\theta$

② $\cos\left(\frac{\pi}{2}+\theta\right)=-\sin\theta$, $\cos\left(\frac{\pi}{2}-\theta\right)=\sin\theta$

③ $\tan\left(\frac{\pi}{2}+\theta\right)=-\frac{1}{[❷\ ]}$, $\tan\left(\frac{\pi}{2}-\theta\right)=\frac{1}{\tan\theta}$

답 ❶ $-\cos\theta$ ❷ $\tan\theta$

확인 13

① $\sin\frac{4}{3}\pi=\sin\left(\pi+\frac{\pi}{3}\right)=-\sin$ [❶]

② $\tan\left(\frac{\pi}{2}-\frac{\pi}{6}\right)=\frac{1}{[❷\ ]}$

답 ❶ $\frac{\pi}{3}$ ❷ $\tan\frac{\pi}{6}$

개념 14 사인법칙

삼각형 ABC에서 외접원의 반지름의 길이를 R라 하면

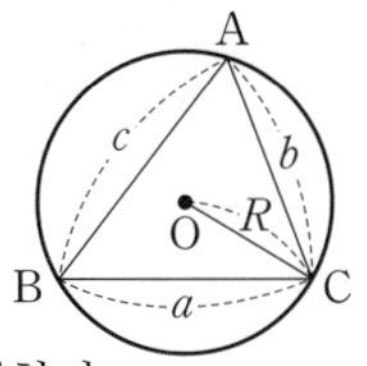

$\frac{a}{\sin A}=\frac{b}{\sin B}=\frac{c}{\sin C}=$ [❶]

참고 사인법칙에 의하여 다음이 성립한다.

① $\sin A=\frac{a}{2R}$, $\sin B=\frac{b}{2R}$, $\sin C=\frac{[❷\ ]}{2R}$

② $a:b:c=\sin A:\sin B:\sin C$

답 ❶ $2R$ ❷ c

확인 14

$b=4$, $B=60°$인 삼각형 ABC의 외접원의 반지름의 길이를 R라 하면 사인법칙에 의하여

$2R=\frac{4}{[❶\ ]}=\frac{8}{\sqrt{3}}$ $\therefore R=$ [❷]

답 ❶ $\sin 60°$ ❷ $\frac{4\sqrt{3}}{3}$

개념 15 코사인법칙

삼각형 ABC에서 삼각형의 세 변의 길이와 세 각의 크기에 대한 코사인함숫값 사이에는 다음과 같은 관계가 성립한다.

$a^2=b^2+c^2-2bc$ [❶]

$b^2=c^2+a^2-2ca\cos B$

$c^2=a^2+b^2-2ab\cos C$

이것을 [❷]이라 한다.

답 ❶ $\cos A$ ❷ 코사인법칙

확인 15

$a=13$, $b=8$, $c=7$인 삼각형 ABC에서 코사인법칙에 의하여

$\cos A=\frac{8^2+7^2-13^2}{2\times8\times7}=$ [❶]

이때 $0<A<$ [❷]이므로 $A=\frac{2}{3}\pi$

답 ❶ $-\frac{1}{2}$ ❷ π

개념 16 삼각형의 넓이

❶ 삼각형 ABC의 넓이를 S라 하면

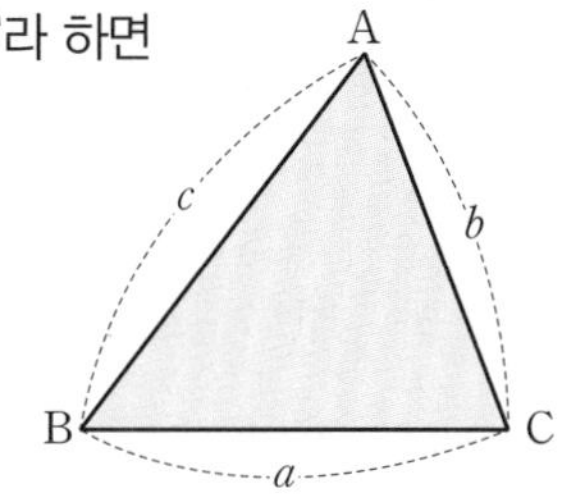

$S=\frac{1}{2}bc\sin A$

$=\frac{1}{2}ca$ [❶]

$=\frac{1}{2}ab\sin C$

❷ 삼각형 ABC의 넓이를 S, 외접원의 반지름의 길이를 R라 하면

$S=\frac{abc}{[❷\ ]}=2R^2\sin A\sin B\sin C$

답 ❶ $\sin B$ ❷ $4R$

확인 16

두 변의 길이가 각각 3, 6이고 그 끼인각의 크기가 $\frac{\pi}{6}$인 삼각형의 넓이는

$\frac{1}{2}\times3\times$ [❶] $\times\sin\frac{\pi}{6}=$ [❷]

답 ❶ 6 ❷ $\frac{9}{2}$

WEEK 1 DAY 1

개념 돌파 전략 ②

1 좌표평면 위의 점 $P(-1, \sqrt{3})$을 지나는 동경 OP가 나타내는 각을 θ라 할 때, $\cos\theta$의 값은? (단, O는 원점이다.)

① $-\frac{\sqrt{3}}{2}$　② $-\frac{\sqrt{2}}{2}$　③ $-\frac{1}{2}$
④ $\frac{1}{2}$　⑤ $\frac{\sqrt{3}}{2}$

Tip

- 원점 $O(0, 0)$과 점 $P(-1, \sqrt{3})$에 대하여
  $\overline{OP}=\sqrt{(-1)^2+(\sqrt{3})^2}$
  $=$ ❶ [　　]
- 각 θ를 나타내는 동경 위의 한 점이 $P(a, b)$일 때, $\cos\theta=$ ❷ [　　]

답 ❶ 2 ❷ $\frac{a}{\sqrt{a^2+b^2}}$

2 $\frac{\pi}{2}<\theta<\pi$인 θ에 대하여 $\sin\theta=\frac{\sqrt{5}}{3}$일 때, $\tan\theta$의 값은?

① $-\frac{\sqrt{5}}{2}$　② $-\frac{2\sqrt{5}}{5}$　③ $-\frac{\sqrt{3}}{2}$
④ $-\frac{2}{3}$　⑤ $-\frac{1}{2}$

$\frac{\pi}{2}<\theta<\pi$인
θ에 대하여
$\tan\theta<0$이야.

Tip

$\sin^2\theta+\cos^2\theta=$ ❶ [　　]
$\tan\theta=$ ❷ [　　]

답 ❶ 1 ❷ $\frac{\sin\theta}{\cos\theta}$

3 함수 $f(x)=2\sin x-1$의 최댓값이 a, 최솟값이 b일 때, ab의 값은?

① -3　② -2　③ -1
④ 1　⑤ 3

Tip

모든 실수 x에 대하여
❶ [　　] $\le\sin x\le$ ❷ [　　]

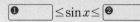

답 ❶ -1 ❷ 1

4 함수 $f(x)=a\sin 2x$의 그래프가 다음과 같다.

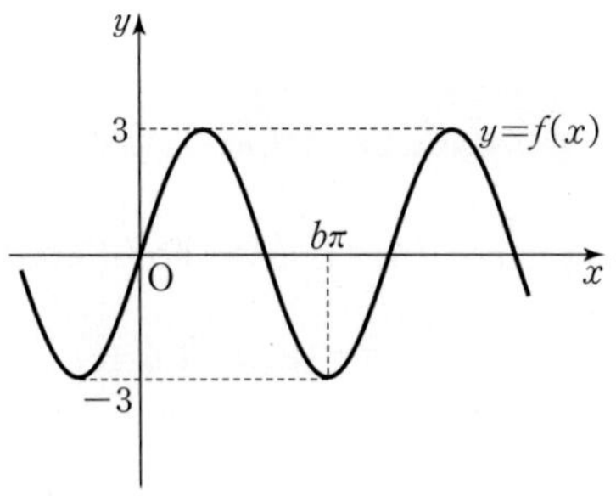

함수 $y=f(x)$의 그래프가 점 $(b\pi,\ -3)$을 지날 때, $a+b$의 값은?

(단, a는 상수이고 $a>0$, $b>0$)

① 3　② $\frac{13}{4}$　③ $\frac{7}{2}$

④ $\frac{15}{4}$　⑤ 4

Tip

함수 $f(x)=a\sin 2x$의

최댓값은 ❶ , 최솟값은 $-|a|$,

주기는 ❷ 이다.

답 ❶ $|a|$ ❷ π

5 삼각형 ABC에 대하여 $\overline{\mathrm{AC}}=12$, $\sin B=\frac{2}{3}$일 때, 삼각형 ABC의 외접원의 반지름의 길이는?

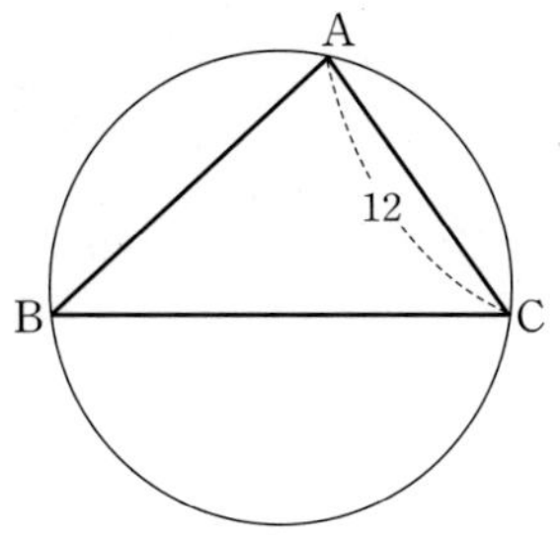

① 6　② 7　③ 8

④ 9　⑤ 10

Tip

삼각형 ABC의 외접원의 반지름의 길이를 R라 할 때, 사인법칙에 의하여

$\frac{b}{\sin B}=$ ❶

답 ❶ $2R$

6 삼각형 ABC에 대하여 세 꼭짓점 A, B, C의 대변의 길이를 각각 a, b, c라 하자. $a=5$, $b=3$, $\angle \mathrm{C}=\frac{2}{3}\pi$일 때, c의 값을 구하시오.

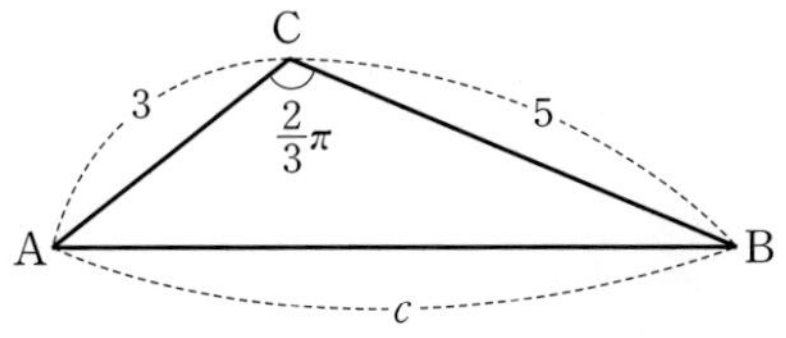

Tip

• $\cos\frac{2}{3}\pi=\cos\left(\pi-\frac{\pi}{3}\right)=-\cos\frac{\pi}{3}$

$=$ ❶

• 삼각형 ABC에서 코사인법칙에 의하여 $c^2=a^2+b^2-$ ❷

답 ❶ $-\frac{1}{2}$ ❷ $2ab\cos C$

필수 체크 전략 ①

핵심 예제 01

중심각의 크기가 $120°$인 부채꼴의 호의 길이가 4π일 때, 부채꼴의 넓이는?

① 10π ② 11π ③ 12π
④ 13π ⑤ 14π

Tip

중심각의 크기가 θ(라디안), 반지름의 길이가 r인 부채꼴에서
(호의 길이)= ❶ ☐, (부채꼴의 넓이)= ❷ ☐

답 ❶ $r\theta$ ❷ $\frac{1}{2}r^2\theta$

풀이

부채꼴의 중심각의 크기가 $120° = \frac{2}{3}\pi$이므로
반지름의 길이를 r라 하면
$4\pi = r \times \frac{2}{3}\pi$ $\therefore r = 6$
따라서 부채꼴의 넓이는
$\frac{1}{2} \times 6^2 \times \frac{2}{3}\pi = 12\pi$

답 ③

1-1

중심각의 크기가 $135°$이고 반지름의 길이가 4인 부채꼴의 호의 길이가 $k\pi$일 때, 상수 k의 값을 구하시오.

1-2

다음 그림과 같은 부채 모양의 도형이 있다. $\overline{\mathrm{OA}}=6$, $\angle\mathrm{AOB}=\frac{8}{9}\pi$이고 점 C는 $\overline{\mathrm{OA}}$를 $3:2$로 외분한다. 두 호로 둘러싸인 도형 CABD의 넓이가 $k\pi$일 때, 상수 k의 값을 구하시오.

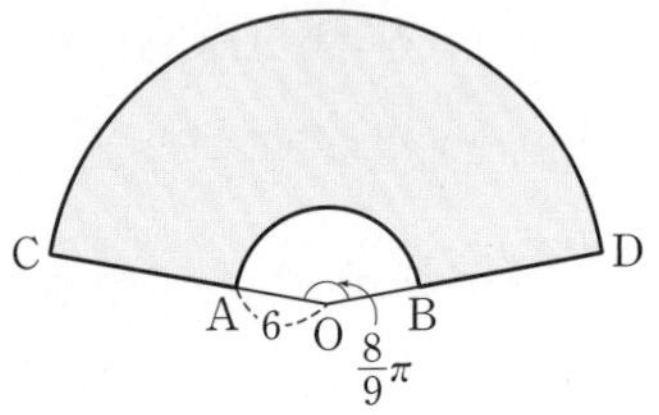

핵심 예제 02

$\frac{\pi}{2} < \theta < \pi$인 θ에 대하여 $\cos\theta = -\frac{\sqrt{3}}{3}$일 때, $3\sqrt{3}\sin\theta + \tan\theta$의 값은?

① $\sqrt{2}$ ② $\sqrt{6}$ ③ $2\sqrt{2}$
④ $3\sqrt{2}$ ⑤ $2\sqrt{6}$

Tip

• $\frac{\pi}{2} < \theta < \pi$에서 $\sin\theta$ ❶ ☐ 0, $\cos\theta < 0$, $\tan\theta < 0$
• $\tan\theta =$ ❷ ☐

답 ❶ $>$ ❷ $\frac{\sin\theta}{\cos\theta}$

풀이

$\sin^2\theta + \cos^2\theta = 1$이므로
$\sin^2\theta = 1 - \cos^2\theta$
$= 1 - \left(-\frac{\sqrt{3}}{3}\right)^2 = \frac{2}{3}$
이때 $\frac{\pi}{2} < \theta < \pi$에서 $\sin\theta > 0$이므로
$\sin\theta = \frac{\sqrt{6}}{3}$
즉 $\tan\theta = \frac{\sin\theta}{\cos\theta} = \frac{\frac{\sqrt{6}}{3}}{-\frac{\sqrt{3}}{3}} = -\sqrt{2}$
$\therefore 3\sqrt{3}\sin\theta + \tan\theta = 3\sqrt{3} \times \frac{\sqrt{6}}{3} + (-\sqrt{2}) = 2\sqrt{2}$

답 ③

2-1

제2사분면의 각 θ에 대하여 $\sin\theta = \frac{4}{5}$일 때, $\tan\theta$의 값을 구하시오.

2-2

제4사분면의 각 θ에 대하여 $\cos\theta = \frac{4}{5}$일 때, $5\sin(\pi+\theta) - 4\tan(\pi-\theta)$의 값을 구하시오.

핵심 예제 03

$\sin\theta\cos\theta=\frac{1}{2}$일 때, $\tan\theta+\frac{1}{\tan\theta}$의 값은?

① $\frac{1}{2}$ ② 1 ③ $\frac{3}{2}$

④ 2 ⑤ $\frac{5}{2}$

Tip

$\sin^2\theta+\cos^2\theta=$ ❶ ☐, $\tan\theta=$ ❷ ☐

답 ❶ 1 ❷ $\frac{\sin\theta}{\cos\theta}$

풀이

$$\tan\theta+\frac{1}{\tan\theta}=\frac{\sin\theta}{\cos\theta}+\frac{\cos\theta}{\sin\theta}$$
$$=\frac{\sin^2\theta+\cos^2\theta}{\cos\theta\sin\theta}=\frac{1}{\frac{1}{2}}=2$$

답 ④

3-1

$\sin\theta+\cos\theta=\frac{1}{3}$일 때, $-9\sin\theta\cos\theta$의 값은?

① -6 ② -4 ③ 1

④ 4 ⑤ 6

3-2

$\cos\theta>0$, $\tan\theta<0$이고, $\sin\theta+\cos\theta=\frac{1}{2}$일 때, $\sin^2\theta-\cos^2\theta$의 값은?

① $-\frac{\sqrt{7}}{2}$ ② $-\frac{\sqrt{7}}{4}$ ③ $\frac{\sqrt{7}}{8}$

④ $\frac{\sqrt{7}}{4}$ ⑤ 1

핵심 예제 04

좌표평면에서 제3사분면 위의 점 P와 제4사분면 위의 점 Q는 다음 조건을 만족시킨다.

> (가) 각 θ를 나타내는 동경과 각 4θ를 나타내는 동경은 각각 OP, OQ이다.
> (나) y축은 $\angle\mathrm{POQ}$의 이등분선이다.

$\angle\mathrm{POQ}$의 크기는? (단, O는 원점이다.)

① $\frac{\pi}{8}$ ② $\frac{\pi}{7}$ ③ $\frac{\pi}{6}$

④ $\frac{\pi}{5}$ ⑤ $\frac{\pi}{4}$

Tip

$\angle\mathrm{POQ}$의 이등분선이 y축이므로 각 θ를 나타내는 동경과 각 4θ를 나타내는 동경은 ❶ ☐에 대하여 대칭이다.

답 ❶ y축

풀이

조건 (가), (나)에서 각 θ를 나타내는 동경과 각 4θ를 나타내는 동경은 y축에 대하여 대칭이므로

$\theta+4\theta=(2n+1)\pi$ (n은 정수)

$5\theta=(2n+1)\pi$ $\therefore\ \theta=\frac{2n+1}{5}\pi$

이때 $\pi<\theta<\frac{3}{2}\pi$에서 $\theta=\frac{7}{5}\pi$

$$\therefore\ \angle\mathrm{POQ}=2\left(\frac{3}{2}\pi-\theta\right)$$
$$=2\left(\frac{3}{2}\pi-\frac{7}{5}\pi\right)$$
$$=\frac{\pi}{5}$$

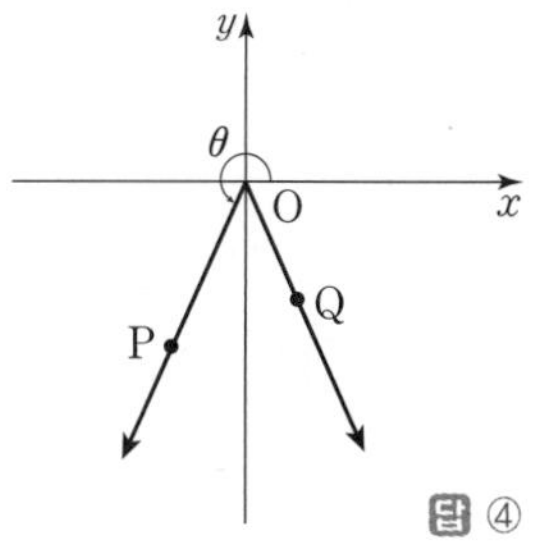

답 ④

4-1

$\frac{\pi}{2}<\theta<\pi$인 θ에 대하여 각 θ를 나타내는 동경과 각 8θ를 나타내는 동경이 x축에 대하여 대칭일 때, 모든 각 θ의 크기의 합이 $\frac{q}{p}\pi$이다. $p+q$의 값을 구하시오.

(단, p, q는 서로소인 자연수이다.)

핵심 예제 05

이차방정식 $x^2-kx+3=0$의 두 근이 $\frac{1}{\sin\theta}$, $\frac{1}{\cos\theta}$일 때, 상수 k에 대하여 k^2의 값은? $\left(단, 0<\theta<\frac{\pi}{2}\right)$

① 3　② 5　③ 8
④ 11　⑤ 15

Tip

- $\sin^2\theta+\cos^2\theta=$ [❶]
- $(\sin\theta+\cos\theta)^2=\sin^2\theta+$ [❷] $\sin\theta\cos\theta+\cos^2\theta$

답 ❶ 1 ❷ 2

풀이

이차방정식 $x^2-kx+3=0$의 두 근이 $\frac{1}{\sin\theta}$, $\frac{1}{\cos\theta}$이므로
이차방정식의 근과 계수의 관계에 의하여

$\frac{1}{\sin\theta}+\frac{1}{\cos\theta}=k$, $\frac{1}{\sin\theta}\times\frac{1}{\cos\theta}=3$

따라서 $k=\frac{\sin\theta+\cos\theta}{\sin\theta\cos\theta}=3(\sin\theta+\cos\theta)$이고

$\sin\theta\cos\theta=\frac{1}{3}$이므로

$k^2=9(\sin\theta+\cos\theta)^2$
$=9(\sin^2\theta+\cos^2\theta+2\sin\theta\cos\theta)$
$=9\times\left(1+2\times\frac{1}{3}\right)=15$

답 ⑤

5-1

이차방정식 $2x^2-kx+1=0$의 두 근이 $\sin\theta$, $\cos\theta$일 때, 상수 k에 대하여 k^2의 값을 구하시오.

5-2

이차방정식 $2x^2+2(k-1)x-k+2=0$의 두 근이 $\sin\theta$, $\cos\theta$일 때, 양수 k의 값을 구하시오.

핵심 예제 06

$0\le x\le 6\pi$에서 함수 $f(x)=-2\cos\left(\frac{x}{3}-\pi\right)+a$의 그래프와 직선 $y=-1$이 오직 한 점에서 만날 때, $a+f(\pi)$의 값을 구하시오. (단, a는 상수이다.)

Tip

$f(x)=-2\cos\left(\frac{x}{3}-\pi\right)+a=$ [❶] $\cos\left(\pi-\frac{x}{3}\right)+a$
$=$ [❷] $+a$

답 ❶ -2 ❷ $2\cos\frac{x}{3}$

풀이

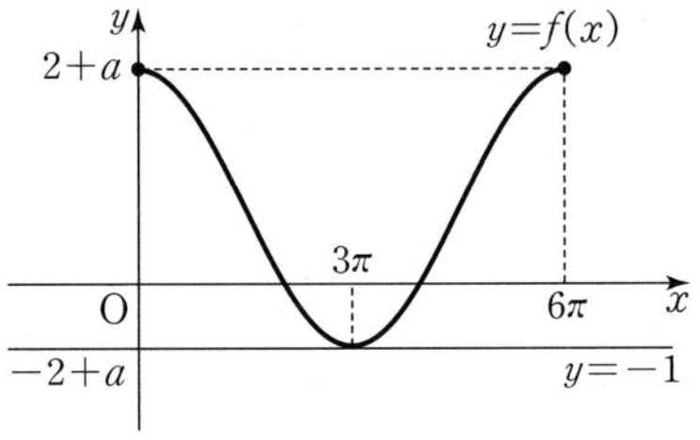

위의 그림과 같이 $0\le x\le 6\pi$에서 함수 $y=f(x)$의 그래프와 직선 $y=-1$이 오직 한 점에서 만나면 $f(3\pi)=-1$이므로

$2\cos\pi+a=-1$에서 $-2+a=-1$　$\therefore a=1$

이때 $f(\pi)=2\cos\frac{\pi}{3}+1=2\times\frac{1}{2}+1=2$

$\therefore a+f(\pi)=1+2=3$

답 3

6-1

함수 $y=a\sin 2x-4$의 최댓값이 0, 최솟값이 m, 주기가 $p\pi$일 때, $|amp|$의 값을 구하시오. (단, $a>0$)

6-2

$0\le x\le a\pi$에서 함수 $f(x)=3\sin 2\left(x+\frac{\pi}{2}\right)$의 그래프와 직선 $y=-3$이 두 점에서 만나도록 하는 양수 a의 최솟값이 $\frac{q}{p}$일 때, $p+q$의 값을 구하시오. (단, p, q는 서로소인 자연수이다.)

핵심 예제 07

다음 그림과 같이 함수 $y=2\sin\frac{\pi}{12}x$의 그래프와 x축으로 둘러싸인 부분에 직사각형 ABCD가 내접한다. $\overline{BC}=8$일 때, 직사각형 ABCD의 넓이를 구하시오.

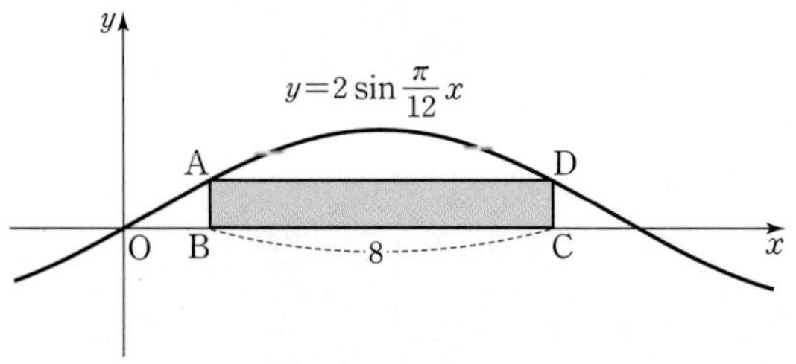

Tip

함수 $y=a\sin bx$ $(a>0, b>0)$의 최댓값은 a, 최솟값은 ❶ ______, 주기는 ❷ ______이다.

답 ❶ $-a$ ❷ $\frac{2\pi}{b}$

풀이

함수 $y=2\sin\frac{\pi}{12}x$의 주기는 $\frac{2\pi}{\frac{\pi}{12}}=24$이므로

함수 $y=2\sin\frac{\pi}{12}x$의 그래프는 직선 $x=6$에 대하여 대칭이다.

이때 $\overline{BC}=8$이므로 $B(2, 0)$, $C(10, 0)$

또 $x=2$일 때 $y=2\sin\frac{\pi}{6}=2\times\frac{1}{2}=1$이므로

$A(2, 1)$

$\therefore$ $\square ABCD=\overline{BC}\times\overline{AB}=8\times1=8$

답 8

7-1

다음 그림과 같이 함수 $y=\sin\frac{\pi}{6}x$의 그래프와 x축으로 둘러싸인 부분에 직사각형 ABCD가 내접한다. $\overline{BC}=4$일 때, 직사각형 ABCD의 둘레의 길이는?

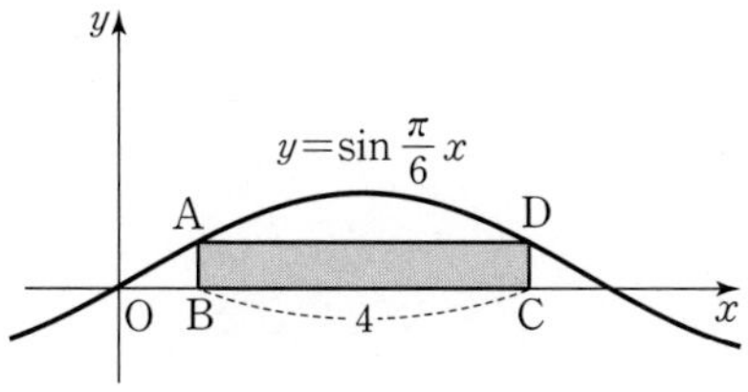

① 9 ② 10 ③ 11
④ 12 ⑤ 13

핵심 예제 08

자연수 n에 대하여 함수 $y=\sin nx$ $(0\le x\le 2\pi)$의 그래프와 직선 $y=1$이 만나는 점의 개수를 $f(n)$이라 할 때, $\sum_{n=1}^{5}f(n)$의 값을 구하시오.

Tip

함수 $y=\sin nx$ $(0\le x\le 2\pi)$의 최댓값은 ❶ ______, 최솟값은 -1, 주기는 ❷ ______이다.

답 ❶ 1 ❷ $\frac{2\pi}{n}$

풀이

함수 $y=\sin nx$의 주기는 $\frac{2\pi}{n}$이므로

$0\le x\le 2\pi$에서 함수 $y=\sin nx$의 그래프와 직선 $y=1$이 만나는 점의 개수는 $f(n)=n$

$\therefore$ $\sum_{n=1}^{5}f(n)=\sum_{n=1}^{5}n=\frac{5(5+1)}{2}=15$

답 15

8-1

자연수 n에 대하여 함수 $y=n\cos\frac{x}{n}$ $(0<x\le 10\pi)$의 그래프와 직선 $y=n$이 만나는 점의 개수를 $f(n)$이라 할 때, $f(n)=2$를 만족시키는 n의 값을 구하시오.

8-2

자연수 n에 대하여 함수

$f(x)=\frac{1}{n}\sin x$ $((n-1)\pi\le x<n\pi)$의 그래프와

직선 $y=a$가 세 점에서 만나도록 하는 모든 상수 a의 값의 합은?

① $\frac{1}{20}$ ② $\frac{1}{18}$ ③ $\frac{1}{16}$
④ $\frac{1}{14}$ ⑤ $\frac{1}{12}$

WEEK 1 DAY 2

필수 체크 전략 ②

01 반지름의 길이가 2, 호의 길이가 $\frac{2}{3}\pi$인 부채꼴의 넓이는?

① $\frac{\pi}{6}$ ② $\frac{\pi}{3}$ ③ $\frac{\pi}{2}$

④ $\frac{2}{3}\pi$ ⑤ $\frac{5}{6}\pi$

Tip

반지름의 길이가 r, 중심각의 크기가 θ인 부채꼴의 호의 길이를 l, 넓이를 S라 하면

$l=$ ❶

$S=\frac{1}{2}r^2\theta=$ ❷

답 ❶ $r\theta$ ❷ $\frac{1}{2}rl$

부채꼴의 호의 길이와
넓이를 구할 때, 중심각의 크기는
라디안으로 나타내.

02 좌표평면 위의 점 $\mathrm{P}(-2, -\sqrt{5})$를 지나는 동경 OP가 나타내는 각의 크기를 θ라 할 때, $9\sin\theta\cos\theta$의 값은? (단, O는 원점이다.)

① $-2\sqrt{5}$ ② $-\sqrt{5}$ ③ $\sqrt{5}$

④ $2\sqrt{5}$ ⑤ 5

Tip

좌표평면 위의 점 $\mathrm{P}(a, b)$를 지나는 동경 OP가 나타내는 각의 크기를 θ라 할 때,

$\sin\theta=$ ❶, $\cos\theta=$ ❷

답 ❶ $\frac{b}{\overline{\mathrm{OP}}}$ ❷ $\frac{a}{\overline{\mathrm{OP}}}$

03 제3사분면의 각 θ에 대하여 $\cos\theta=-\frac{4}{5}$일 때, $5\sin\theta+8\tan\theta$의 값은?

① -1 ② 0 ③ 1

④ 2 ⑤ 3

Tip

• 제3사분면의 각 θ에 대하여
$\sin\theta<0$, $\cos\theta<0$, $\tan\theta$ ❶ 0

• $\sin^2\theta+\cos^2\theta=$ ❷

답 ❶ > ❷ 1

04 $\frac{\pi}{2}<\theta<\pi$인 θ에 대하여 $\sin\theta=\frac{3}{5}$일 때, $\sin\left(\frac{\pi}{2}+\theta\right)+\tan(\pi-\theta)$의 값은?

① $-\frac{1}{5}$ ② $-\frac{1}{10}$ ③ $-\frac{1}{20}$

④ $\frac{1}{20}$ ⑤ $\frac{1}{10}$

Tip

$\sin\left(\frac{\pi}{2}+\theta\right)=$ ❶, $\tan(\pi-\theta)=$ ❷

답 ❶ $\cos\theta$ ❷ $-\tan\theta$

05 다음 그림과 같이 반지름의 길이가 1인 원 O 위에 두 점 A, B가 있다. 점 A에서의 접선이 $\overline{\mathrm{OB}}$의 연장선과 만나는 점을 D, 점 B에서 $\overline{\mathrm{OA}}$에 내린 수선의 발을 C, $\angle\mathrm{AOB}=\theta$라 하자.

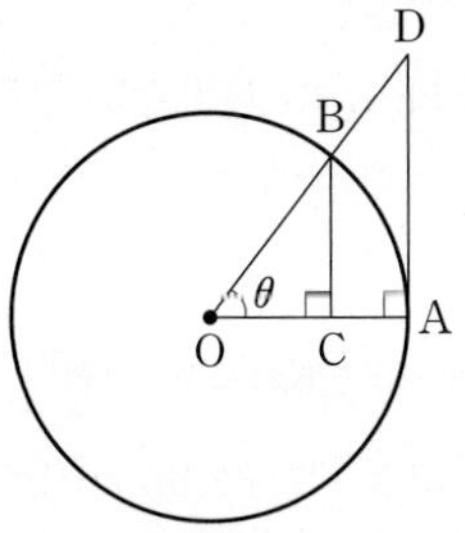
D
B
θ
O
C
A

$\overline{\mathrm{AD}}\times\overline{\mathrm{OC}}=\dfrac{2}{3}$일 때, $\cos\theta$의 값은? $\left(\text{단, } 0<\theta<\dfrac{\pi}{2}\right)$

① $\dfrac{1}{3}$ ② $\dfrac{2}{3}$ ③ $\dfrac{5}{8}$
④ $\dfrac{\sqrt{5}}{3}$ ⑤ $\dfrac{3}{4}$

Tip

반지름의 길이가 1이므로
$\sin\theta=$ ❶ ☐, $\cos\theta=\overline{\mathrm{OC}}$, $\tan\theta=$ ❷ ☐

답 ❶ $\overline{\mathrm{BC}}$ ❷ $\overline{\mathrm{AD}}$

06 다음 그림과 같이 $\overline{\mathrm{AB}}$를 지름으로 하는 원 O 위의 두 점 C, D에 대하여 $\overline{\mathrm{AB}}=6$, $\overline{\mathrm{BC}}=4$이다. $\angle\mathrm{ABC}=\alpha$, $\angle\mathrm{BDC}=\beta$라 할 때, $\sin(2\alpha+\beta)$의 값은?

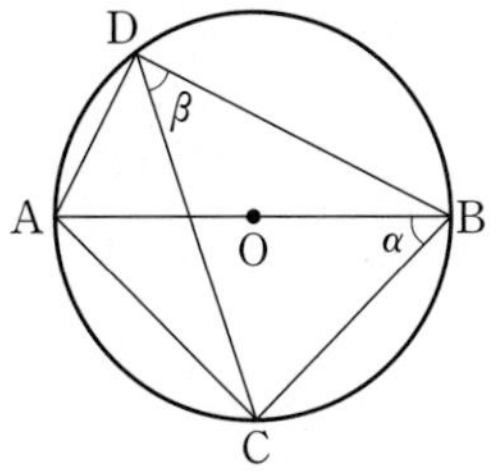
D
β
A
O
α
B
C

① $\dfrac{1}{3}$ ② $\dfrac{2}{3}$ ③ $\dfrac{\sqrt{5}}{6}$
④ $\dfrac{\sqrt{5}}{3}$ ⑤ $\dfrac{\sqrt{5}}{2}$

Tip

• 원주각의 성질에서 $\angle\mathrm{BDC}=\angle\mathrm{BAC}=$ ❶ ☐
• 지름이 $\overline{\mathrm{AB}}$인 삼각형 ABC에서 $\angle\mathrm{C}=$ ❷ ☐

답 ❶ β ❷ $\dfrac{\pi}{2}$

07 함수 $f(x)=2^{3\sin x+1}$의 최댓값을 M, 최솟값을 m이라 할 때, Mm의 값은?

① 2 ② 4 ③ 8
④ 16 ⑤ 32

Tip

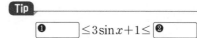

❶ ☐ $\leq 3\sin x+1\leq$ ❷ ☐

답 ❶ -2 ❷ 4

$y=2^{3\sin x+1}$의
밑 2가 1보다 큰 것을 생각해
문제를 해결해 봐.

08 함수 $f(x)=2\sin\left(\dfrac{\pi}{2}-2x\right)+1$에 대하여 보기에서 옳은 것만을 있는 대로 고른 것은?

보기
ㄱ. $-1\leq f(x)\leq 3$
ㄴ. 정수 n에 대하여 $f(x)=f(x+n\pi)$
ㄷ. $0\leq x\leq\pi$에서 함수 $y=f(x)$의 그래프와 x축의 교점의 x좌표의 합은 π이다.

① ㄴ ② ㄱ, ㄴ ③ ㄱ, ㄷ
④ ㄴ, ㄷ ⑤ ㄱ, ㄴ, ㄷ

Tip

• $\sin\left(\dfrac{\pi}{2}-2x\right)=$ ❶ ☐
• 함수 $f(x)=2\sin\left(\dfrac{\pi}{2}-2x\right)+1$에서
최댓값은 $2+1=3$, 최솟값은 ❷ ☐ $+1=-1$

답 ❶ $\cos 2x$ ❷ -2

WEEK 1 DAY 3

필수 체크 전략 ①

핵심 예제 01

$0 \le x \le 2\pi$에서 방정식 $2\sin\left(x+\frac{\pi}{3}\right)=1$의 모든 실근의 합은?

① π ② $\frac{11}{6}\pi$ ③ 2π
④ $\frac{7}{3}\pi$ ⑤ 3π

Tip

$2\sin\left(x+\frac{\pi}{3}\right)=1$에서 $\sin\left(x+\frac{\pi}{3}\right)=$ ❶ ☐ 이므로

함수 $y=\sin\left(x+\frac{\pi}{3}\right)$의 그래프와 직선 ❷ ☐ $=\frac{1}{2}$의 교점의 x좌표를 구한다.

답 ❶ $\frac{1}{2}$ ❷ y

풀이

$2\sin\left(x+\frac{\pi}{3}\right)=1$에서 $\sin\left(x+\frac{\pi}{3}\right)=\frac{1}{2}$

이때 $0 \le x \le 2\pi$에서 $\frac{\pi}{3} \le x+\frac{\pi}{3} \le \frac{7}{3}\pi$이므로

$x+\frac{\pi}{3}=\frac{5}{6}\pi$ 또는 $x+\frac{\pi}{3}=\frac{13}{6}\pi$

$\therefore x=\frac{\pi}{2}$ 또는 $x=\frac{11}{6}\pi$

따라서 모든 실근의 합은 $\frac{\pi}{2}+\frac{11}{6}\pi=\frac{7}{3}\pi$

답 ④

1-1

$0 \le x < 2\pi$에서 방정식 $2\cos x-1=0$의 모든 실근의 합이 $k\pi$일 때, 상수 k의 값을 구하시오.

1-2

$0 \le x \le \pi$에서 방정식 $\tan 2x=\sqrt{3}$의 모든 실근의 합은?

① $\frac{\pi}{6}$ ② $\frac{\pi}{2}$ ③ $\frac{2}{3}\pi$
④ $\frac{5}{6}\pi$ ⑤ $\frac{3}{2}\pi$

핵심 예제 02

$0 \le x < 2\pi$에서 방정식 $2\sin^2 x+\sin x=0$의 모든 실근의 합이 $k\pi$일 때, 상수 k의 값을 구하시오.

Tip

$2\sin^2 x+\sin x=0$에서 $\sin x($❶ ☐ $+1)=0$이므로 방정식의 해는 $\sin x=0$ 또는 $2\sin x+1=$ ❷ ☐ 의 해와 같다.

답 ❶ $2\sin x$ ❷ 0

풀이

$2\sin^2 x+\sin x=0$에서 $\sin x(2\sin x+1)=0$

$\therefore \sin x=0$ 또는 $\sin x=-\frac{1}{2}$

(i) $\sin x=0$에서 $x=0$ 또는 $x=\pi$

(ii) $\sin x=-\frac{1}{2}$에서 $x=\frac{7}{6}\pi$ 또는 $x=\frac{11}{6}\pi$

(i), (ii)에서 모든 실근의 합은 $0+\pi+\frac{7}{6}\pi+\frac{11}{6}\pi=4\pi$

$\therefore k=4$

답 4

2-1

$0 \le x < 2\pi$에서 방정식 $2\cos^2 x+\cos x-1=0$의 모든 실근의 합은?

① π ② $\frac{5}{3}\pi$ ③ 2π
④ $\frac{7}{3}\pi$ ⑤ 3π

2-2

$0 < x \le 2\pi$에서 방정식 $\sin^2 x+\cos x-1=0$의 모든 실근의 합은?

① π ② 2π ③ 3π
④ 4π ⑤ 5π

핵심 예제 03

$0 \le x < 2\pi$에서 부등식 $\sin x \le -\frac{1}{3}$의 해가 $\alpha \le x \le \beta$일 때, $\cos\frac{\alpha+\beta}{6}$의 값을 구하시오.

Tip

함수 $y=\sin x$의 그래프가 직선 $y=$ ❶ [　　] 과 만나거나 아래쪽에 있는 x의 값의 범위를 구한다.

답 ❶ $-\frac{1}{3}$

풀이

$0 \le x < 2\pi$에서 함수 $y=\sin x$의 그래프와 직선 $y=-\frac{1}{3}$은 다음과 같다.

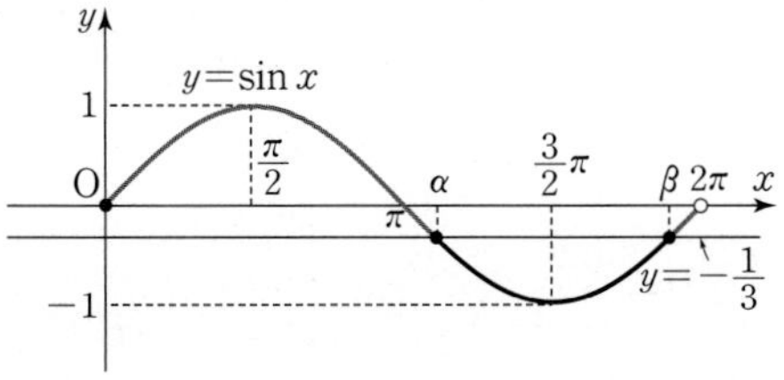

이때 두 그래프가 만나는 점의 x좌표가 α, β이므로

$\frac{\alpha+\beta}{2}=\frac{3}{2}\pi$

$\therefore \cos\frac{\alpha+\beta}{6}=\cos\left(\frac{1}{3}\times\frac{\alpha+\beta}{2}\right)=\cos\frac{\pi}{2}=0$

답 0

3-1

$0 \le x < \pi$에서 부등식 $\cos 2x < \frac{1}{3}$의 해가 $\alpha < x < \beta$일 때, $\alpha+\beta$의 값은?

① $\frac{\pi}{2}$　② π　③ $\frac{3}{2}\pi$　④ 2π　⑤ $\frac{5}{2}\pi$

3-2

$0 \le x \le 2\pi$에서 부등식 $2\sin^2 x - 3\cos x \ge 0$의 해가 $\alpha \le x \le \beta$일 때, $\frac{\beta}{\alpha}$의 값을 구하시오.

핵심 예제 04

모든 실수 x에 대하여 부등식 $\sin^2 x - 4\sin x - a + 6 \ge 0$이 성립하도록 하는 실수 a의 최댓값은?

① -2　② -1　③ 1　④ 2　⑤ 3

Tip

❶ [　　] $=t$로 놓으면 $-1 \le t \le 1$

이때 $f(t)=t^2-4t-a+6$이라 하면 $-1 \le t \le 1$에서

함수 $y=f(t)$의 최솟값은 $f($❷ [　　]$)$이다.

답 ❶ $\sin x$ ❷ 1

풀이

$\sin x = t$로 놓으면 $-1 \le t \le 1$

이때 $f(t)=t^2-4t-a+6=(t-2)^2-a+2$라 하면

함수 $y=f(t)$는 최솟값 $f(1)=-a+3$을 갖는다.

즉 모든 실수 x에 대하여 부등식 $\sin^2 x-4\sin x-a+6 \ge 0$이 성립하려면

$-a+3 \ge 0$　　$\therefore a \le 3$

따라서 실수 a의 최댓값은 3이다.

답 ⑤

4-1

모든 실수 x에 대하여 부등식 $\sin^2 x - \sin x + a - 3 \ge 0$이 성립하도록 하는 실수 a의 최솟값은?

① $\frac{9}{4}$　② $\frac{5}{2}$　③ $\frac{11}{4}$　④ 3　⑤ $\frac{13}{4}$

4-2

$\frac{\pi}{4} \le x < \frac{\pi}{2}$인 실수 x에 대하여 부등식 $-\tan^2 x - 4\tan x + a < 0$이 항상 성립하도록 하는 모든 자연수 a의 값의 합은?

① 5　② 7　③ 10　④ 12　⑤ 15

필수 체크 전략 ①

핵심 예제 05

다음 그림과 같이 $\overline{AC}=2$, $\angle A=105°$, $\angle C=45°$인 삼각형 ABC에서 $\overline{AB}$의 길이는?

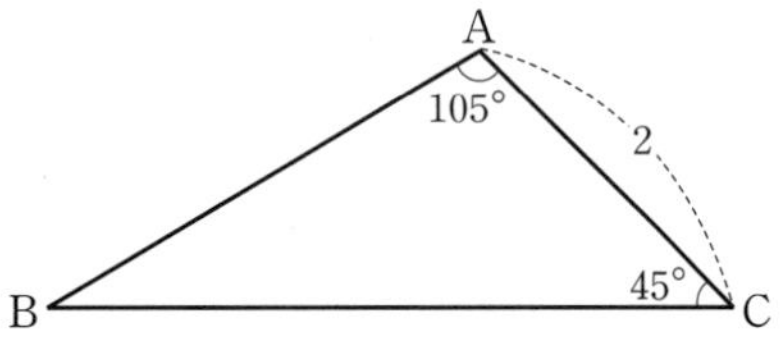

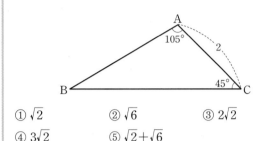

① $\sqrt{2}$ ② $\sqrt{6}$ ③ $2\sqrt{2}$
④ $3\sqrt{2}$ ⑤ $\sqrt{2}+\sqrt{6}$

Tip

- 삼각형 ABC의 내각의 크기의 합이 180°이므로 $\angle B=$ ❶
- 사인법칙에 의하여 $\dfrac{\overline{AB}}{❷}=\dfrac{\overline{AC}}{\sin B}$

답 ❶ 30° ❷ $\sin C$

풀이

삼각형 ABC에서 $\angle B=30°$이므로

사인법칙에 의하여 $\dfrac{\overline{AB}}{\sin 45°}=\dfrac{2}{\sin 30°}$

$\dfrac{\overline{AB}}{\frac{\sqrt{2}}{2}}=\dfrac{2}{\frac{1}{2}}$ $\quad\therefore \overline{AB}=4\times\dfrac{\sqrt{2}}{2}=2\sqrt{2}$

답 ③

핵심 예제 06

삼각형 ABC가 다음 조건을 만족시킨다.

> (가) 삼각형 ABC의 둘레의 길이는 $8+8\sqrt{2}$이다.
> (나) $\sin A+\sin B+\sin C=1+\sqrt{2}$

삼각형 ABC의 외접원의 반지름의 길이를 구하시오.

Tip

삼각형 ABC의 외접원의 반지름의 길이를 R라 하면 사인법칙에 의하여

$\dfrac{\overline{BC}}{\sin A}=\dfrac{\overline{AC}}{\sin B}=\dfrac{❶}{\sin C}=$ ❷

답 ❶ $\overline{AB}$ ❷ $2R$

풀이

삼각형 ABC의 외접원의 반지름의 길이를 R라 하면 사인법칙에 의하여

$\dfrac{\overline{BC}}{\sin A}=\dfrac{\overline{AC}}{\sin B}=\dfrac{\overline{AB}}{\sin C}=2R$

이때 $\overline{BC}=2R\sin A$, $\overline{AC}=2R\sin B$, $\overline{AB}=2R\sin C$이므로

조건 (가), (나)에서

$\overline{BC}+\overline{AC}+\overline{AB}=2R\sin A+2R\sin B+2R\sin C$
$=2R(\sin A+\sin B+\sin C)$
$=2R(1+\sqrt{2})=8+8\sqrt{2}$

$\therefore R=\dfrac{8(1+\sqrt{2})}{2(1+\sqrt{2})}=4$

답 4

5-1

$\angle A=30°$인 삼각형 ABC가 반지름의 길이가 3인 원에 내접할 때, $\overline{BC}$의 길이를 구하시오.

5-2

$\angle A=60°$, $\angle B=45°$, $\overline{AC}=4\sqrt{2}$인 삼각형 ABC의 외접원의 반지름의 길이를 R, $\overline{BC}$의 길이를 a라 할 때, aR의 값은?

① $8\sqrt{3}$ ② $12\sqrt{3}$ ③ $16\sqrt{3}$
④ $20\sqrt{3}$ ⑤ $24\sqrt{3}$

6-1

반지름의 길이가 4인 원에 내접하는 삼각형 ABC에 대하여 $\sin A+\sin B+\sin C=\dfrac{3+\sqrt{3}}{2}$일 때, 삼각형 ABC의 둘레의 길이를 구하시오.

6-2

삼각형 ABC에 대하여 $\dfrac{\sin A}{3}=\dfrac{\sin B}{2}=\dfrac{\sin C}{2}$일 때, $\cos C$의 값을 구하시오.

핵심 예제 07

삼각형 ABC에 대하여 $\angle B=\frac{\pi}{3}$, $a=3$, $c=2$일 때, b^2의 값은?

① 5 ② 6 ③ 7
④ 8 ⑤ 9

Tip

삼각형에서 두 변의 길이와 그 ❶ ☐ 의 크기를 알면 ❷ ☐ 법칙을 이용하여 나머지 변의 길이를 구할 수 있다.

답 ❶ 끼인각 ❷ 코사인

풀이

삼각형 ABC에서 코사인법칙에 의하여

$b^2=3^2+2^2-2\times3\times2\times\cos\frac{\pi}{3}$

$=9+4-12\times\frac{1}{2}=7$

답 ③

핵심 예제 08

$\angle A=60°$, $\overline{AB}=4$, $\overline{AC}=6$인 삼각형 ABC의 넓이는?

① $6\sqrt{2}$ ② $6\sqrt{3}$ ③ $7\sqrt{2}$
④ $7\sqrt{3}$ ⑤ $8\sqrt{2}$

Tip

$\triangle ABC=\frac{1}{2}\times\overline{AB}\times\overline{AC}\times\sin($ ❶ ☐ $)$

답 ❶ ∠CAB

풀이

$\triangle ABC=\frac{1}{2}\times\overline{AB}\times\overline{AC}\times\sin60°$

$=\frac{1}{2}\times4\times6\times\frac{\sqrt{3}}{2}=6\sqrt{3}$

답 ②

7-1

다음 그림과 같이 한 변의 길이가 2인 정삼각형 ABC에 대하여 $\overline{BC}$를 3 : 1로 외분하는 점 D가 있다. $\angle CAD=\theta$라 할 때, $\cos\theta$의 값을 구하시오.

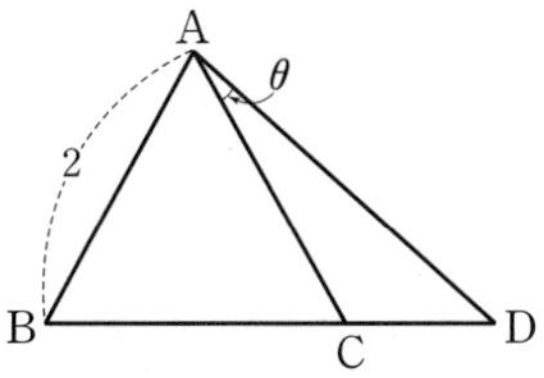

7-2

오른쪽 그림과 같이 길이가 $2\sqrt{5}$인 선분 AB를 지름으로 하는 원 O에 대하여 $\overline{AP}=4$가 되도록 원 위에 점 P를 잡는다. $\angle PAB=\theta$라 할 때, $\cos2\theta=\frac{q}{p}$이다. $p+q$의 값을 구하시오. (단, p, q는 서로소인 자연수이다.)

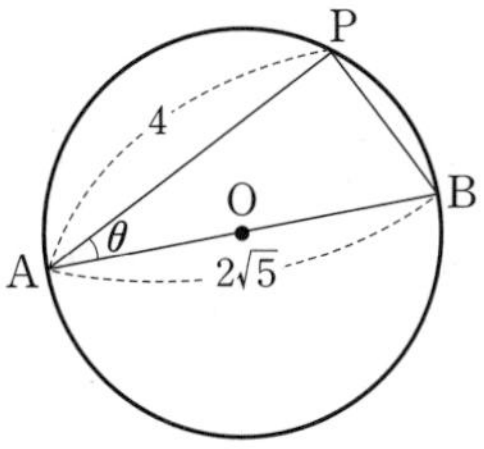

8-1

삼각형 ABC에 대하여 $\overline{AB}=6$, $\overline{AC}=5$, $\sin(B+C)=\frac{1}{3}$일 때, 삼각형 ABC의 넓이를 구하시오.

8-2

오른쪽 그림과 같이 길이가 10인 선분 AD를 지름으로 하는 원 O에 대하여 $\cos(\angle OAB)=\frac{4}{5}$가 되도록 원 위에 점 B를 잡는다. 점 B에서의 접선과 $\overline{AD}$의 연장선이 만나는 점을 C라 할 때, 삼각형 ABC의 넓이를 구하시오.

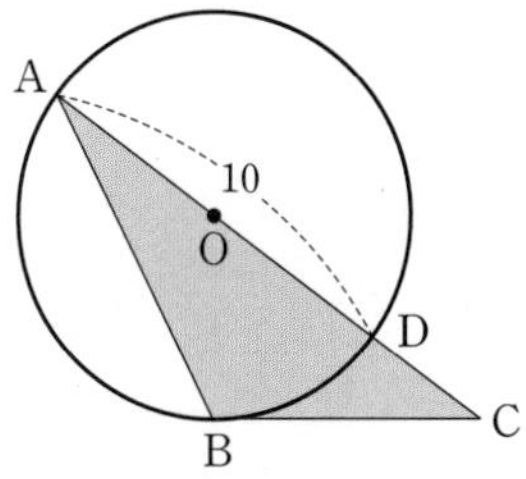

필수 체크 전략 ②

01 $0 \le x < 2\pi$에서 방정식 $|\sin 2x| = \frac{1}{3}$의 모든 실근의 합은?

① 4π　② 6π　③ 8π
④ 10π　⑤ 12π

Tip

함수 $y = |\sin 2x|$의 주기는 ❶ ☐이다.

답 ❶ $\frac{\pi}{2}$

02 $0 \le x < 2\pi$에서 방정식

$$6\cos^2 x + \sin x - 5 = 0$$

의 모든 실근의 합이 $k\pi$일 때, 상수 k의 값을 구하시오.

Tip

$\sin^2 x + \cos^2 x =$ ❶ ☐

답 ❶ 1

03 $0 < x < \pi$에서 방정식

$$\log_{\sin x}\left(\frac{1}{2}\cos x + \frac{1}{2}\right) = 2$$

의 실근을 θ라 할 때, $\sin\theta$의 값은?

① $-\frac{\sqrt{3}}{2}$　② $-\frac{1}{2}$　③ 0
④ $\frac{1}{2}$　⑤ $\frac{\sqrt{3}}{2}$

Tip

$a > 0$, $a \ne$ ❶ ☐, $b > 0$일 때,

$a^k =$ ❷ ☐ $\iff \log_a b = k$

답 ❶ 1 ❷ b

04 $0 \le x < 2\pi$에서 부등식 $\sqrt{2}\sin x < 1$을 만족시키는 모든 정수 x의 값의 합을 구하시오.

Tip

• $\sqrt{2}\sin x < 1$에서 ❶ ☐ $< \frac{\sqrt{2}}{2}$

• $0 \le x < 2\pi$에서 방정식 $\sin x = \frac{\sqrt{2}}{2}$의 해는

$x = \frac{\pi}{4}$ 또는 $x =$ ❷ ☐

답 ❶ $\sin x$ ❷ $\frac{3}{4}\pi$

05 삼각형 ABC에 대하여 $\angle A = 45°$, $\overline{BC} = 2\sqrt{2}$일 때, 삼각형 ABC의 외접원의 넓이는?

① π　② 2π　③ 3π
④ 4π　⑤ 5π

Tip

삼각형 ABC의 외접원의 반지름의 길이를 R라 하면

사인법칙에 의하여 $\frac{\overline{BC}}{\sin A} =$ ❶ ☐

답 ❶ $2R$

삼각형에서
사인법칙을 이용하면
삼각형의 외접원의 반지름의
길이를 구할 수 있어.

06 삼각형 ABC에 대하여 $2\sin A=3\sin B=2\sin C$일 때, $\cos B$의 값은?

① $\frac{4}{9}$ ② $\frac{5}{9}$ ③ $\frac{2}{3}$
④ $\frac{7}{9}$ ⑤ $\frac{8}{9}$

Tip

사인법칙에 의하여

$\overline{BC}$: ❶ ______ : $\overline{AB}$ = ❷ ______ : $\sin B$: $\sin C$

답 ❶ $\overline{AC}$ ❷ $\sin A$

07 삼각형 ABC가 다음 조건을 만족시킨다.

> (가) 삼각형 ABC의 외접원의 반지름의 길이는 4이다.
> (나) $\overline{BC}^2=\overline{AB}^2+\overline{AC}^2-\overline{AB}\times\overline{AC}$

$\overline{BC}$의 길이는?

① 2 ② $2\sqrt{3}$ ③ 4
④ 6 ⑤ $4\sqrt{3}$

Tip

코사인법칙에 의하여 $a^2=b^2+$ ❶ ______ $-2bc\cos A$

이때 $\cos A=\frac{1}{2}$이면 $A=$ ❷ ______

답 ❶ c^2 ❷ $\frac{\pi}{3}$

08 $\overline{AB}=4$인 삼각형 ABC에 대하여
$\sin A=2\sin\left(\frac{A-B+C}{2}\right)\sin C$일 때, 삼각형 ABC의 넓이의 최댓값을 구하시오.

Tip

$A+B+C=$ ❶ ______ 이므로

$\frac{A-B+C}{2}=\frac{\pi-\text{❷ ______}}{2}$

답 ❶ π ❷ $2B$

09 삼각형 ABC에 대하여 $\overline{AB}=8$, $\overline{BC}=7$, $\overline{CA}=3$일 때, $4\sin^2 A$의 값은?

① 1 ② $\frac{3}{2}$ ③ 2
④ $\frac{5}{2}$ ⑤ 3

Tip

• 코사인법칙에 의하여

$\cos A=\frac{\overline{AB}^2+\text{❶ ______}-\overline{BC}^2}{2\times\overline{AB}\times\overline{AC}}$

• 삼각형 ABC의 내각의 크기는 $0°$와 $180°$ 사이이므로

$\sin A$ ❷ ______ 0

답 ❶ $\overline{AC}^2$ ❷ >

10 다음 그림과 같이 $\overline{AB}=5$, $\overline{BC}=13$, $\angle BAC=90°$인 삼각형 ABC에 대하여 $\overline{AB}$를 한 변으로 하는 정사각형의 한 꼭짓점을 D, $\overline{BC}$를 한 변으로 하는 정사각형의 한 꼭짓점을 E라 할 때, $\overline{DE}$를 한 변으로 하는 정사각형의 넓이를 구하시오.

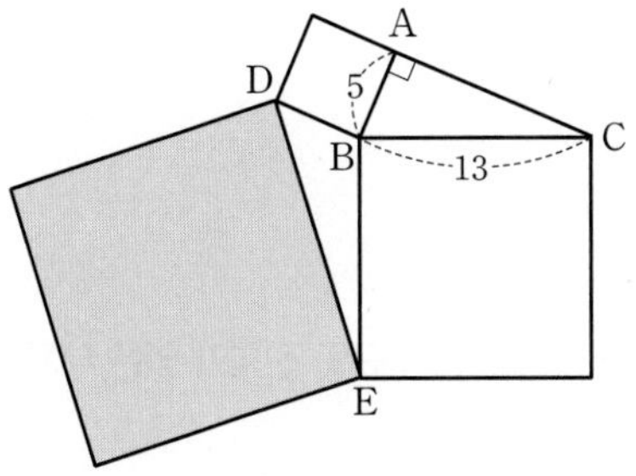

Tip

$\angle DBA=\angle CBE=$ ❶ ______ 이므로

$\angle ABC=\theta$라 하면 $\angle DBE=$ ❷ ______

답 ❶ $\frac{\pi}{2}$ ❷ $\pi-\theta$

WEEK 1

누구나 합격 전략

01 $\sin\left(\frac{\pi}{2}+\frac{\pi}{3}\right)$의 값은?

① $-\frac{\sqrt{3}}{2}$　② $-\frac{1}{2}$　③ $\frac{1}{2}$　④ $\frac{\sqrt{3}}{3}$　⑤ $\frac{\sqrt{3}}{2}$

02 좌표평면 위의 점 $\mathrm{P}(3,\ -4)$를 지나는 동경 OP가 나타내는 각을 θ라 할 때, $\tan\theta$의 값은? (단, O는 원점이다.)

① $-\frac{5}{3}$　② $-\frac{4}{3}$　③ $-\frac{4}{5}$　④ $-\frac{3}{4}$　⑤ $-\frac{3}{5}$

03 다음 그림에서 현규와 진희가 먹은 부채꼴 모양의 피자의 호의 길이는?

① π　② 2π　③ 3π　④ 4π　⑤ 5π

04 $\sin\theta=\frac{4}{5}$일 때, $9\tan^2\theta$의 값은?

① 8　② 9　③ 12　④ 16　⑤ 25

05 $\pi<\theta<\frac{3}{2}\pi$인 θ에 대하여 $\sin\theta\cos\theta=\frac{2}{5}$일 때, $5(\sin\theta+\cos\theta)^2$의 값은?

① 5　② 6　③ 7　④ 8　⑤ 9

06 함수 $y=-2\cos ax+3$의 주기가 π, 최댓값이 b일 때, 상수 a, b에 대하여 $a+b$의 값은? (단, $a>0$)

① -1 ② 1 ③ 3
④ 5 ⑤ 7

07 $0\le x<2\pi$에서 방정식

$$2|\tan x|-1=0$$

의 모든 실근의 합이 $k\pi$일 때, 상수 k의 값은?

① 1 ② 2 ③ 3
④ 4 ⑤ 5

08 삼각형 ABC에 대하여 $\overline{AC}=10$, $\overline{AB}=10\sqrt{2}$, $\sin C=\frac{1}{3}$일 때, $\sin B$의 값은?

① $\frac{\sqrt{2}}{6}$ ② $\frac{\sqrt{2}}{3}$ ③ $\frac{1}{2}$
④ $\frac{\sqrt{2}}{2}$ ⑤ $\frac{\sqrt{3}}{2}$

09 삼각형 ABC에 대하여 $\angle B=\frac{\pi}{4}$, $\overline{AB}=\sqrt{2}$, $\overline{BC}=3$일 때, $\overline{AC}$의 길이는?

① $\sqrt{5}$ ② $\sqrt{6}$ ③ $\sqrt{7}$
④ $2\sqrt{2}$ ⑤ 3

10 $\overline{AB}=4$, $\overline{AC}=6$인 삼각형 ABC가 있다. $\angle A=\theta$라 할 때, 삼각형 ABC의 넓이가 6이 되도록 하는 모든 θ의 값의 합은?

① $\frac{\pi}{2}$ ② $\frac{2}{3}\pi$ ③ $\frac{5}{6}\pi$
④ π ⑤ $\frac{3}{2}\pi$

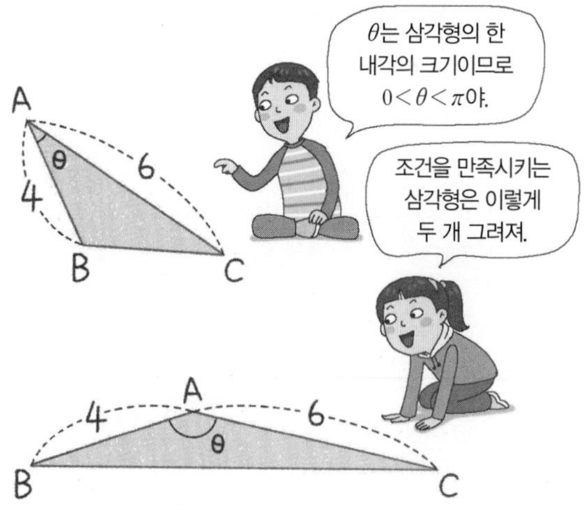

창의·융합·코딩 전략 ①

1 다음 그림은 어느 자동차의 후면에 장착된 와이퍼가 $\frac{2}{3}\pi$ 만큼 회전한 모양을 나타낸 것이다. 이 와이퍼에서 유리창을 닦는 고무판의 길이가 $50\,\text{cm}$이고, 고무판이 회전하면서 닦는 부분의 넓이가 $1500\pi\,\text{cm}^2$일 때, 고무판이 회전하면서 닦는 부분의 둘레의 길이는 $(p+q\pi)\,\text{cm}$이다. $p+q$의 값은? (단, 고무판이 회전하면서 닦는 부분의 모양은 부채꼴의 일부이고 p, q는 유리수이다.)

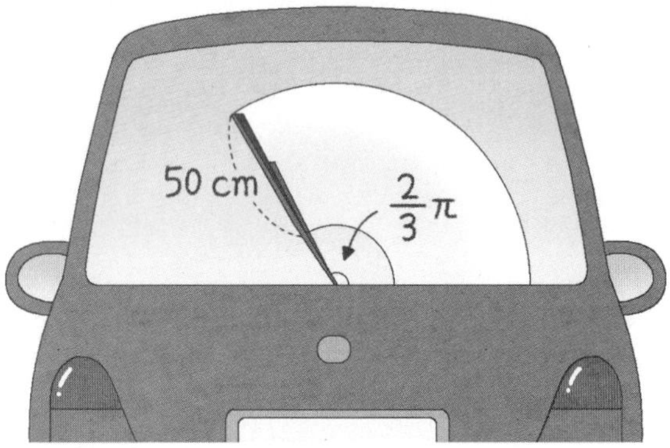

① 60 ② 80 ③ 100
④ 140 ⑤ 160

Tip

반지름의 길이가 r, 중심각의 크기가 θ인 부채꼴에서

(호의 길이)= ❶ ____

(부채꼴의 넓이)= ❷ ____

답 ❶ $r\theta$ ❷ $\frac{1}{2}r^2\theta$

2 다음 그림과 같이 반지름의 길이가 $1\,\text{m}$인 원 모양의 물레방아의 바퀴가 있다.

10개의 톱니를 가진 물레방아의 바퀴의 중심을 원점으로 하여 좌표평면에 나타내면 다음과 같다.

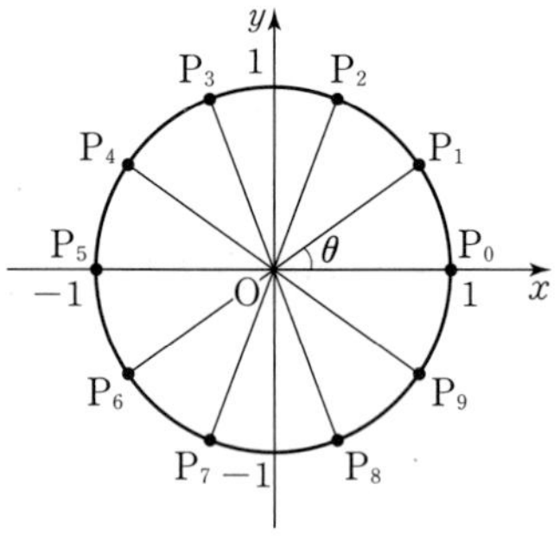

톱니가 나타내는 각 점을 차례대로 P_0, P_1, P_2, $\cdots$, P_9, $\angle P_0OP_1=\theta$라 할 때,

$$\cos\theta+\cos2\theta+\cos3\theta+\cdots+\cos10\theta$$

의 값은? (단, 톱니의 간격은 동일하고, O는 원점이다.)

① 0 ② 1 ③ 2
④ 3 ⑤ 4

Tip

• 10개의 톱니의 간격이 동일하므로 $\theta=\frac{❶\;\_\_\_\_}{10}$

• 두 점 P_k, P_{5+k}는 ❷ ____ 에 대하여 대칭이다.

답 ❶ 2π ❷ 원점

3 8월 어느 날 A 섬의 선착장에서 해수면의 높이를 조사하였다. x시에 선착장에서 측정한 해수면의 높이를 $h(x)$ m라 하면

$$h(x)=5+4.8\sin\frac{\pi}{6}x\ (0\le x<12)$$

가 성립한다고 한다. 이 섬의 선착장에서는 해수면의 높이가 7.4 m 이상일 때만 여객선을 댈 수 있다고 할 때, 여객선을 댈 수 있는 시각의 범위는 $a\le x\le b$이다. $b-a$의 값은?

$h(x)\ge 7.4$를
만족시키는 x의 값의
범위를 구해 볼까?

① 2 ② 3 ③ 4
④ 5 ⑤ 6

Tip

함수 $h(x)=5+4.8\sin\frac{\pi}{6}x\ (0\le x<12)$의 주기는

$\dfrac{2\pi}{❶\ \square}=❷\ \square$

답 ❶ $\frac{\pi}{6}$ ❷ 12

4 지면에 수직인 타워의 높이를 구하기 위하여 다음 그림과 같이 340 m 떨어진 두 지점 A, B에서 측량하였더니 $\angle\mathrm{QAB}=60°$, $\angle\mathrm{QBA}=75°$, $\angle\mathrm{PBQ}=30°$일 때, 타워의 높이 $\overline{\mathrm{PQ}}$는 몇 m인가?

① 170 ② 180 ③ 190
④ $170\sqrt{2}$ ⑤ $170\sqrt{3}$

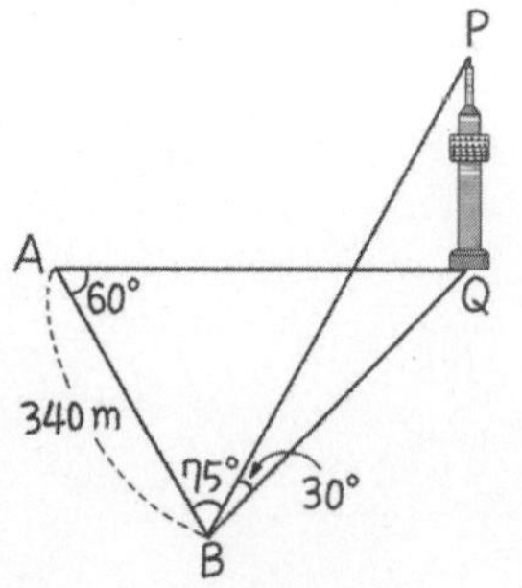
P
A
60°
Q
340 m
75°
30°
B

삼각형의 내각의 크기의 합이 180°이니까 ∠AQB의 크기를 구할 수 있어.
그럼 △ABQ에서 사인법칙을 이용하여 $\overline{\mathrm{BQ}}$의 길이를 구할 수 있겠다.
삼각형 PBQ는 직각삼각형임을 잊지 마.

Tip

삼각형에서 한 변의 길이와 두 각의 크기를 알면 ❶ $\square$ 을 이용하여 다른 변의 길이도 구할 수 있다.

답 ❶ 사인법칙

창의·융합·코딩 전략 ②

5 어느 호수 공원에 조성된 산책로는 다음 그림과 같이 직선 도로와 곡선 도로로 이루어져 있다.

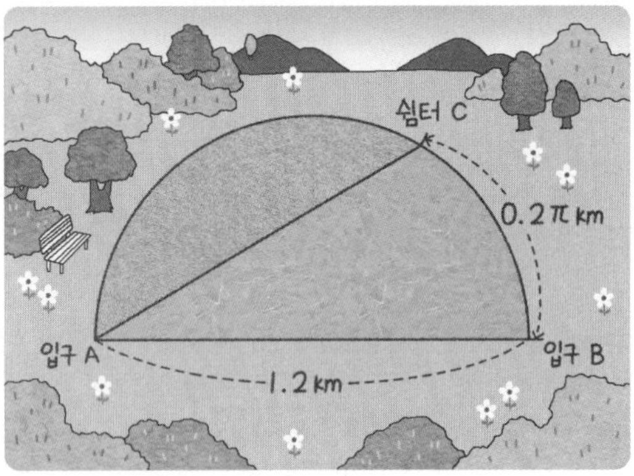

입구 A와 입구 B를 연결하는 직선 도로의 길이는 1.2 km이고, 직선 도로 AB를 지름으로 하는 반원의 호 위에 쉼터 C가 있다. 입구 B와 쉼터 C를 연결하는 곡선 도로의 길이는 0.2π km이다.
동욱이는 두 직선 도로 AB, AC와 호 BC로 이루어진 산책로를 다음과 같은 속력으로 한 바퀴 돌려고 한다.

> (가) 직선 도로를 산책할 때의 속력은 3 km/h이다.
> (나) 곡선 도로를 산책할 때의 속력은 $\frac{\pi}{2}$ km/h이다.

동욱이가 산책로를 한 바퀴 도는 데 걸리는 시간이 $(a+b\sqrt{3})$시간일 때, 유리수 a, b에 대하여 $a+b$의 값을 구하시오.

Tip
- 반원의 중심을 O라 하고, 두 점 O, C를 잇는다. 반원의 반지름의 길이를 r km, 부채꼴 BOC의 중심각의 크기를 θ라 하면 호 BC의 길이가 0.2π km이므로
  $0.2\pi=$ ❶ ____
- 삼각형 AOC에서 ❷ ____ 법칙에 의하여
  $\overline{AC}^2=\overline{AO}^2+\overline{CO}^2-2\times\overline{AO}\times\overline{CO}\times\cos(\angle AOC)$

답 ❶ $r\theta$ ❷ 코사인

6 다음 그림과 같이 지면에 수직으로 세워져 있는 철골 구조물이 있다. 한 평면 위에 있는 구조물을 1 : 40의 비율로 축소하여 그린 모형도에서 사각형 PBCA는 다음 조건을 만족시킨다.

> (가) 사각형 PBCA는 $\overline{PC}$에 대하여 대칭이다.
> (나) $\angle APC=60°$, $\overline{AP}=4$ cm, $\overline{CP}=3$ cm

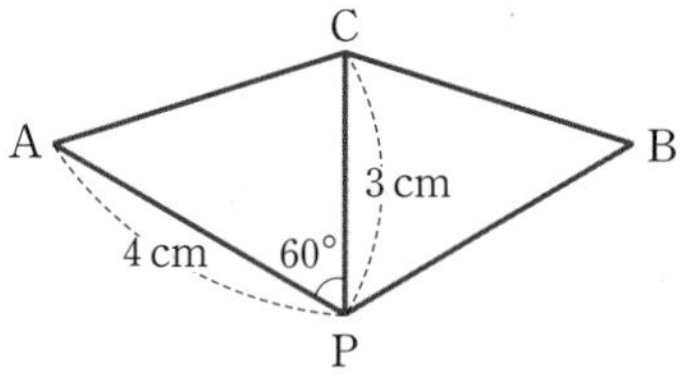

$\angle ACP=\theta$라 할 때, $\cos 2\theta$의 값은?

① $-\frac{12}{13}$ ② $-\frac{11}{13}$ ③ $-\frac{10}{13}$
④ $-\frac{9}{13}$ ⑤ $-\frac{8}{13}$

Tip
- 두 점 A, B가 직선 l에 대하여 대칭이면 선분 AB와 직선 l은 서로 ❶ ____ 이다.
- $\angle BCP=\angle ACP=\theta$이므로
  $\cos 2\theta=\frac{\overline{BC}^2+\overline{AC}^2-❷\ \_\_\_\_}{2\times\overline{BC}\times\overline{AC}}$

답 ❶ 수직 ❷ $\overline{AB}^2$

7 어느 유적 발굴지에서 일부분이 깨진 원형 그릇이 출토되었다. 이 그릇의 지름의 길이를 알기 위해 깨진 원형 그릇을 본떠 그림과 같이 모형을 만들었다. 모형인 원형 그릇의 가장자리에 세 점 A, B, C를 정하여 조사해 보니 $\overline{AB}=3\text{cm}$, $\overline{BC}=5\text{cm}$, $\angle ABC=120°$이었다. 출토된 원형 그릇의 지름의 길이는 몇 cm인가?

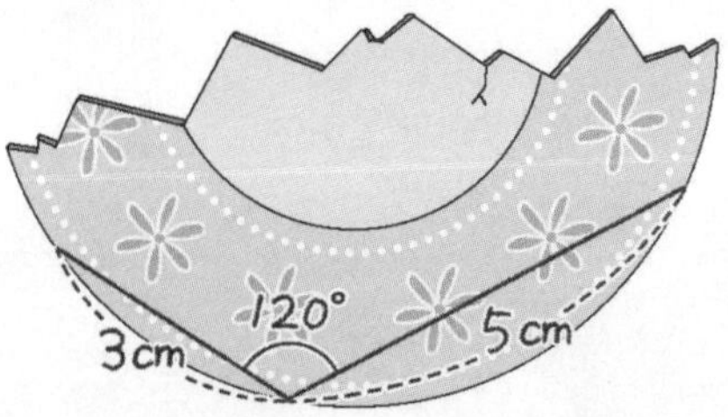

① $\frac{7\sqrt{3}}{3}$ ② $4\sqrt{3}$ ③ $\frac{14\sqrt{3}}{3}$

④ $5\sqrt{3}$ ⑤ $\frac{28\sqrt{3}}{3}$

Tip

- 삼각형 ABC의 외접원의 반지름의 길이를 R라 하면 사인법칙에 의하여

$\frac{\overline{AC}}{\sin B}=$ ❶ ☐

- 삼각형 ABC에서 코사인법칙에 의하여

$\overline{AC}^2=\overline{AB}^2+\overline{BC}^2-2\times\overline{AB}\times\overline{BC}\times$ ❷ ☐

답 ❶ $2R$ ❷ $\cos B$

8 다음 그림과 같은 원뿔 모양의 산이 있다. A 지점을 출발하여 산을 한 바퀴 돌아 B 지점으로 가는 관광 열차의 선로를 최단 거리로 놓을 때, 선로의 길이는 몇 m인가?

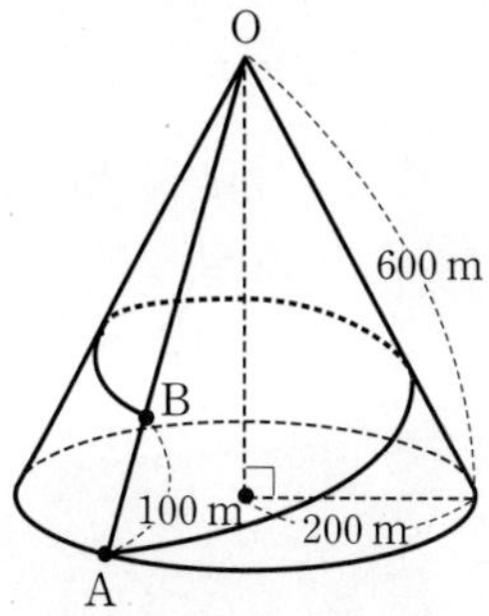

① $300\sqrt{10}$ ② $100\sqrt{91}$ ③ $200\sqrt{23}$

④ $100\sqrt{93}$ ⑤ $100\sqrt{94}$

Tip

- 선로의 최단 거리는 원뿔의 ❶ ☐ 에서 두 점 A, B를 잇는 선분의 길이이다.
- $\overline{OA}=600\text{ m}$이므로

$\overline{OB}=600-$ ❷ ☐ $=500\ (\text{m})$

답 ❶ 전개도 ❷ 100

WEEK

2 등차수열과 등비수열

공부할 내용 1. 등차수열 2. 등비수열 3. 수열의 합 4. 수학적 귀납법

WEEK 2 DAY 1

개념 돌파 전략 ①

개념 01 수열의 뜻과 일반항

자연수의 제곱을 차례로 나열하면 다음과 같다.

$1, 4, 9, 16, 25, \cdots$

이와 같이 차례로 늘어놓은 수의 열을 ❶ [　　] 이라 하고, 수열을 이루고 있는 각각의 수를 그 수열의 항이라 한다. 앞에서부터 차례로 첫째항, 둘째항, 셋째항, $\cdots$, n째항, $\cdots$ 또는 제1항, 제2항, 제3항, $\cdots$, 제n항, $\cdots$이라 하고, 일반적으로 수열은 각 항에 번호를 붙여

$a_1, a_2, \cdots, a_n, \cdots$

과 같이 나타낸다. 이때 제n항인 a_n을 이 수열의 ❷ [　　] 이라 하고, 일반항이 a_n인 수열을 간단히 기호로 $\{a_n\}$과 같이 나타낸다.

답 ❶ 수열 ❷ 일반항

확인 01

① 수열 $3, 9, 27, 81, 243, \cdots$의 제4항은 ❶ [　　] 이다.

② 수열 $\{10^n+3\}$의 제2항과 제3항은 각각 $10^2+3=103$, $10^3+3=$ ❷ [　　] 이다.

답 ❶ 81 ❷ 1003

개념 02 등차수열

❶ 수열 $1, 3, 5, 7, 9, \cdots$는 첫째항 1에 차례로 2를 더하여 만든 수열이다. 이와 같이 첫째항에 차례로 일정한 수를 더하여 만든 수열을 ❶ [　　] 이라 하고, 더하는 일정한 수를 ❷ [　　] 라 한다.

❷ 등차수열의 일반항: 첫째항이 a, 공차가 d인 등차수열 $\{a_n\}$의 일반항은

$a_n=a+(n-1)d \ (n=1, 2, 3, \cdots)$

답 ❶ 등차수열 ❷ 공차

확인 02

등차수열 $2, 9, 16, 23, 30, \cdots$에서 첫째항은 2, 공차는 ❶ [　　] 이므로 등차수열 $\{a_n\}$의 일반항은

$a_n=2+(n-1)\times7=7n-$ ❷ [　　]

답 ❶ 7 ❷ 5

개념 03 등차중항

세 수 a, b, c가 이 순서대로 등차수열을 이룰 때, b를 a와 c의 ❶ [　　] 이라 한다. 이때 $b-a=c-b$이므로 $2b=a+c$, 즉 $b=$ ❷ [　　] 이다.

답 ❶ 등차중항 ❷ $\frac{a+c}{2}$

확인 03

① 세 수 $2, x, 9$가 이 순서대로 등차수열을 이룰 때, ❶ [　　] 는 2와 9의 등차중항이므로 $x=\frac{2+9}{2}=\frac{11}{2}$

② 네 수 $a, 4, 6, b$가 이 순서대로 등차수열을 이룰 때, 4는 a와 6의 등차중항이므로 ❷ [　　] $=\frac{a+6}{2}$ $\quad\therefore a=2$

또 6은 4와 b의 등차중항이므로 $6=\frac{4+b}{2}$ $\quad\therefore b=8$

답 ❶ x ❷ 4

개념 04 등차수열의 합

등차수열의 첫째항부터 제n항까지의 합 S_n은

❶ 첫째항이 a, 제n항이 l일 때, $S_n=\frac{❶ [\quad](a+l)}{2}$

❷ 첫째항이 a, 공차가 d일 때, $S_n=\frac{n\{2a+(n-1)d\}}{❷ [\quad]}$

답 ❶ n ❷ 2

확인 04

① 첫째항이 2, 제10항이 30인 등차수열의 첫째항부터 제10항까지의 합은 $\frac{10(❶ [\quad]+30)}{2}=160$

② 첫째항이 3, 공차가 4인 등차수열의 첫째항부터 제10항까지의 합은 $\frac{10(2\times3+9\times ❷ [\quad])}{2}=210$

답 ❶ 2 ❷ 4

개념 05 등비수열

❶ 수열 2, 4, 8, 16, 32, ⋯는 첫째항 2에 차례로 2를 곱하여 만든 수열이다. 이와 같이 첫째항에 차례로 0이 아닌 일정한 수를 곱하여 만든 수열을 ❶ ☐ 이라 하고, 곱하는 일정한 수를 ❷ ☐ 라 한다.

❷ 등비수열의 일반항: 첫째항이 a, 공비가 r $(r\neq0)$인 등비수열 $\{a_n\}$의 일반항은

$$a_n=ar^{n-1}\ (n=1,\ 2,\ 3,\ \cdots)$$

답 ❶ 등비수열 ❷ 공비

확인 05

등비수열 $-5,\ 10,\ -20,\ 40,\ \cdots$에서 첫째항은 -5, 공비는 ❶ ☐ 이므로 등비수열 $\{a_n\}$의 일반항은

$a_n=$ ❷ ☐ $\times(-2)^{n-1}$

답 ❶ -2 ❷ -5

개념 06 등비중항

❶ ☐ 이 아닌 세 수 $a,\ b,\ c$가 이 순서대로 등비수열을 이룰 때, b를 a와 c의 등비중항이라 한다.

이때 $\dfrac{b}{a}=\dfrac{c}{b}$이므로 ❷ ☐ $=ac$이다.

답 ❶ 0 ❷ b^2

확인 06

① 세 수 $2,\ x,\ 32$가 이 순서대로 등비수열을 이룰 때, x는 2와 32의 ❶ ☐ 이므로 $x^2=64$

$\therefore x=\pm8$

② 네 수 $a,\ 4,\ 8,\ b$가 이 순서대로 등비수열을 이룰 때, 4는 a와 8의 등비중항이므로 $4^2=8a$

$\therefore a=2$

또 8은 4와 b의 등비중항이므로 $8^2=$ ❷ ☐

$\therefore b=16$

답 ❶ 등비중항 ❷ $4b$

개념 07 등비수열의 합

첫째항이 a, 공비가 r $(r\neq0)$인 등비수열의 첫째항부터 제n항까지의 합 S_n은

❶ $r\neq1$일 때, $S_n=\dfrac{a(1-r^n)}{1-r}=\dfrac{a(r^n-1)}{❶\ ☐}$

❷ $r=1$일 때, $S_n=$ ❷ ☐

답 ❶ $r-1$ ❷ na

확인 07

① 첫째항이 8, 공비가 2인 등비수열의 첫째항부터 제6항까지의 합은 $\dfrac{❶\ ☐\,(2^6-1)}{2-1}=504$

② 첫째항이 10, 공비가 1인 등비수열의 첫째항부터 제7항까지의 합은 $7\times$ ❷ ☐ $=70$

답 ❶ 8 ❷ 10

개념 08 수열의 합과 일반항 사이의 관계

수열 $\{a_n\}$의 첫째항부터 제n항까지의 합을 S_n이라 하면

$a_1=$ ❶ ☐, $a_n=S_n-S_{n-1}$ ($n\geq$ ❷ ☐)

참고 수열의 합과 일반항 사이의 관계는 등차수열, 등비수열뿐만 아니라 모든 수열에서 성립한다.

답 ❶ S_1 ❷ 2

확인 08

수열 $\{a_n\}$의 첫째항부터 제n항까지의 합 S_n에 대하여

① $S_n=n^2+n$이라 하면

$n=1$일 때, $a_1=S_1=1^2+1=2$

$n\geq2$일 때,

$a_n=S_n-S_{n-1}$

$=n^2+n-\{(n-1)^2+(n-1)\}=2n$ ⋯⋯ ㉠

이때 $a_1=2$는 ㉠에 $n=1$을 대입한 것과 같으므로

$a_n=$ ❶ ☐

② $S_n=3^n-2$라 하면

$n=1$일 때, $a_1=S_1=3^1-2=1$

$n\geq2$일 때,

$a_n=S_n-S_{n-1}$

$=3^n-2-(3^{n-1}-2)=3^n-3^{n-1}$ ⋯⋯ ㉠

이때 $a_1=1$은 ㉠에 $n=1$을 대입한 것과 다르므로

$a_1=$ ❷ ☐, $a_n=3^n-3^{n-1}$ $(n\geq2)$

답 ❶ $2n$ ❷ 1

개념 돌파 전략 ①

개념 09 합의 기호 $\sum$

수열 $\{a_n\}$의 첫째항부터 제n항까지의 합을 기호 $\sum$를 사용하여

$$a_1+a_2+a_3+\cdots+a_n=\sum_{k=1}^{n}a_k$$

와 같이 나타낸다. 즉 $\sum_{k=1}^{n}$ ❶ ☐ 는 수열의 일반항 a_k의 k에 1, 2, 3, $\cdots$, n을 차례로 대입하여 얻은 항 a_1, a_2, a_3, $\cdots$, a_n의 합을 뜻한다.

참고 m ❷ ☐ n일 때, 제m항부터 제n항까지의 합은 $\sum_{k=m}^{n}a_k$로 나타낸다.

답 ❶ a_k ❷ $\le$

확인 09

① $2+4+6+\cdots+20$을 합의 기호 $\sum$를 이용하여 나타내면
수열 2, 4, 6, $\cdots$, 20의 첫째항이 2, 제10항이 20이므로
일반항 a_n은 $a_n=2n$
$\therefore 2+4+6+\cdots+20=\sum_{k=1}^{10}$ ❶ ☐

② $1+3+3^2+3^3+\cdots+3^8$을 합의 기호 $\sum$를 이용하여 나타내면
수열 1, 3, 3^2, 3^3, $\cdots$, 3^8의 첫째항이 1, 제 ❷ ☐ 항이 3^8이므로
일반항 a_n은 $a_n=3^{n-1}$
$\therefore 1+3+3^2+3^3+\cdots+3^8=\sum_{k=1}^{9}3^{k-1}$

답 ❶ $2k$ ❷ 9

개념 10 $\sum$의 성질

두 수열 $\{a_n\}$, $\{b_n\}$과 상수 c에 대하여 다음이 성립한다.

❶ $\sum_{k=1}^{n}(a_k\pm b_k)=$ ❶ ☐ $\pm\sum_{k=1}^{n}b_k$

❷ $\sum_{k=1}^{n}ca_k=c\sum_{k=1}^{n}a_k$

❸ $\sum_{k=1}^{n}c=$ ❷ ☐

답 ❶ $\sum_{k=1}^{n}a_k$ ❷ cn

확인 10

$\sum_{k=1}^{10}a_k=100$, $\sum_{k=1}^{10}b_k=20$일 때,

$\sum_{k=1}^{10}(a_k-2b_k+7)=\sum_{k=1}^{10}a_k-$ ❶ ☐ $\sum_{k=1}^{10}b_k+\sum_{k=1}^{10}7$

$=100-2\times20+$ ❷ ☐ $=130$

답 ❶ 2 ❷ 70

개념 11 자연수의 거듭제곱의 합

자연수의 거듭제곱의 합은 다음과 같다.

❶ $\sum_{k=1}^{n}k=1+2+3+\cdots+n=\dfrac{\text{❶}\ \square\ (n+1)}{2}$

❷ $\sum_{k=1}^{n}k^2=1^2+2^2+3^2+\cdots+n^2=\dfrac{n(n+1)(\text{❷}\ \square)}{6}$

❸ $\sum_{k=1}^{n}k^3=1^3+2^3+3^3+\cdots+n^3=\left\{\dfrac{n(n+1)}{2}\right\}^2$

답 ❶ n ❷ $2n+1$

확인 11

① $1^2+2^2+3^2+\cdots+10^2=\sum_{k=1}^{10}$ ❶ ☐ $=\dfrac{10\times11\times21}{6}=385$

② $\sum_{k=1}^{5}(k+1)(k-1)=\sum_{k=1}^{5}(k^2-1)=\sum_{k=1}^{5}k^2-\sum_{k=1}^{5}1$

$=\dfrac{5\times6\times11}{6}-5=$ ❷ ☐

답 ❶ k^2 ❷ 50

개념 12 여러 가지 수열의 합

❶ 분수 꼴인 수열의 합

일반항이 분수 꼴이고, 분모가 두 일차식의 곱으로 나타나는 수열의 합을 구할 때는 다음 등식을 이용하여 구한다.

$$\frac{1}{AB}=\frac{1}{\text{❶}\ \square}\left(\frac{1}{A}-\frac{1}{B}\right)\ (\text{단, } A\neq B)$$

❷ 근호가 포함된 수열의 합

분모에 근호가 포함된 수열의 합은 분모를 ❷ ☐ 하여 구한다.

$$\frac{1}{\sqrt{A}+\sqrt{B}}=\frac{1}{A-B}(\sqrt{A}-\sqrt{B})\ (\text{단, } A\neq B)$$

답 ❶ $B-A$ ❷ 유리화

확인 12

$\sum_{k=1}^{4}\dfrac{1}{\sqrt{k+1}+\sqrt{k}}$

$=\sum_{k=1}^{4}\dfrac{\sqrt{k+1}-\text{❶}\ \square}{(\sqrt{k+1}+\sqrt{k})(\sqrt{k+1}-\sqrt{k})}$

$=\sum_{k=1}^{4}(\sqrt{k+1}-\sqrt{k})$

$=(\sqrt{2}-\sqrt{1})+(\sqrt{3}-\sqrt{2})+(\sqrt{4}-\sqrt{3})+(\sqrt{5}-\sqrt{4})$

$=$ ❷ ☐ -1

답 ❶ $\sqrt{k}$ ❷ $\sqrt{5}$

개념 13 수열의 귀납적 정의

일반적으로 수열 $\{a_n\}$을

❶ 처음 몇 개의 항의 값

❷ 이웃하는 여러 항 사이의 관계식

으로 수열 $\{a_n\}$을 정의하는 것을 수열의 ❶ [ ] 라 한다.

참고 수열에서 이웃하는 두 항 사이의 관계식을 ❷ [ ] 이라 한다.

답 ❶ 귀납적 정의 ❷ 점화식

확인 13

① $a_1=5$, $a_{n+1}=a_n+2$인 수열 $\{a_n\}$에 대하여 제3항은

$a_3=a_2+2=(a_1+$ ❶ [ ] $)+2$

$=a_1+2\times2=5+4=9$

② $a_1=2$, $a_{n+1}=a_n+n$인 수열 $\{a_n\}$에 대하여 제4항은

$a_4=a_3+3=(a_2+2)+3$

$=($ ❷ [ ] $+1)+2+3=2+6=8$

답 ❶ 2 ❷ a_1

개념 14 등차수열의 귀납적 정의

수열 $\{a_n\}$에서

❶ 첫째항이 a, 공차가 d인 등차수열

$a_1=a$, $a_{n+1}-a_n=d$ (일정) $\Longleftrightarrow$ $a_{n+1}=a_n+$ ❶ [ ]

❷ $a_{n+1}-a_n=a_{n+2}-a_{n+1}$ $\Longleftrightarrow$ $2a_{n+1}=a_n+a_{n+2}$

$\Longleftrightarrow$ $a_{n+1}=\dfrac{a_n+a_{n+2}}{❷\ [\ ]}$

답 ❶ d ❷ 2

확인 14

① 첫째항이 3, 공차가 2인 등차수열 $\{a_n\}$을 귀납적으로 정의하면

$a_1=$ ❶ [ ], $a_{n+1}=a_n+2$ $(n=1, 2, 3, \cdots)$

② 수열 1, -3, -7, -11, $\cdots$은 첫째항이 1, 공차가 -4인 등차수열이므로 이를 귀납적으로 정의하면

$a_1=1$, $a_{n+1}=a_n-$ ❷ [ ] $(n=1, 2, 3, \cdots)$

답 ❶ 3 ❷ 4

개념 15 등비수열의 귀납적 정의

수열 $\{a_n\}$에서

❶ 첫째항이 a, 공비가 r $(r\neq0)$인 등비수열

$a_1=a$, $\dfrac{a_{n+1}}{a_n}=$ ❶ [ ] (일정) $\Longleftrightarrow$ $a_{n+1}=ra_n$

❷ $a_{n+1}\div a_n=a_{n+2}\div a_{n+1}$ $\Longleftrightarrow$ ${a_{n+1}}^2=a_na_{n+2}$

$\Longleftrightarrow$ $a_{n+1}=$ ❷ [ ]

답 ❶ r ❷ $\pm\sqrt{a_na_{n+2}}$

확인 15

① 첫째항이 3, 공비가 2인 등비수열 $\{a_n\}$을 귀납적으로 정의하면

$a_1=3$, $a_{n+1}=$ ❶ [ ] a_n $(n=1, 2, 3, \cdots)$

② 수열 2, 6, 18, 54, $\cdots$는 첫째항이 2, 공비가 ❷ [ ] 인 등비수열이므로 이를 귀납적으로 정의하면

$a_1=2$, $a_{n+1}=3a_n$ $(n=1, 2, 3, \cdots)$

답 ❶ 2 ❷ 3

개념 16 수학적 귀납법

자연수 n에 대한 명제 $p(n)$이 모든 자연수 n에 대하여 성립함을 증명하려면 다음 두 가지를 보이면 된다.

(i) $n=1$일 때, 명제 $p(n)$이 성립한다.

(ii) $n=k$일 때, 명제 $p(n)$이 성립한다고 가정하면

$n=$ ❶ [ ] 일 때도 명제 $p(n)$이 성립한다.

이와 같이 자연수 n에 대한 명제 $p(n)$이 모든 자연수 n에 대하여 성립함을 증명하는 방법을 ❷ [ ] 이라 한다.

답 ❶ $k+1$ ❷ 수학적 귀납법

확인 16

모든 자연수 n에 대하여 등식

$1+3+5+\cdots+(2n-1)=n^2$

이 성립함을 증명해 보자.

(i) $n=1$일 때, (좌변)= ❶ [ ], (우변)$=1^2=1$이므로 주어진 등식이 성립한다.

(ii) $n=k$일 때, 주어진 등식이 성립한다고 가정하면

$1+3+5+\cdots+(2k-1)=k^2$

위 식의 양변에 $2k+1$을 더하면

$1+3+5+\cdots+(2k-1)+(2k+1)=k^2+(2k+1)$

$=($ ❷ [ ] $)^2$

즉 $n=k+1$일 때도 주어진 등식이 성립한다.

따라서 모든 자연수 n에 대하여 주어진 등식이 성립한다.

답 ❶ 1 ❷ $k+1$

개념 돌파 전략 ②

1 수열 $\{n(n+1)\}$의 제4항은?

① 16 ② 20 ③ 24
④ 28 ⑤ 32

Tip

수열 $\{n(n+1)\}$에서 $n=$ ❶ ☐ 일 때의 값을 구한다.

답 ❶ 4

2 등차수열 $\{a_n\}$에 대하여 $a_1=4$, $a_3=a_2+2$일 때, a_7의 값은?

① 12 ② 14 ③ 16
④ 18 ⑤ 20

공차가 d인 등차수열 $\{a_n\}$은
모든 자연수 n에 대하여
$a_{n+1}-a_n=d$가 성립해!

Tip

등차수열 $\{a_n\}$에서
$a_3-a_2=$ ❶ ☐ 이므로
❷ ☐ 는 2이다.

답 ❶ 2 ❷ 공차

3 첫째항이 32, 공비가 $\frac{1}{2}$인 등비수열 $\{a_n\}$에서 제5항은?

① $\frac{1}{2}$ ② 1 ③ 2
④ 4 ⑤ 8

Tip

첫째항이 ❶ ☐, 공비가 r $(r\neq0)$인 등비수열 $\{a_n\}$의 일반항은
$a_n=a$ ❷ ☐

답 ❶ a ❷ r^{n-1}

4 수열 $\{a_n\}$의 첫째항부터 제n항까지의 합을 S_n이라 하자. $S_n=3n^2+1$일 때, a_1+a_3의 값은?

① 16 ② 17 ③ 18
④ 19 ⑤ 20

Tip

수열 $\{a_n\}$의 첫째항부터 제n항까지의 합을 S_n이라 하면

$a_1=$ ❶ [ ]

$a_n=S_n-$ ❷ [ ] $(n\ge 2)$

답 ❶ S_1 ❷ S_{n-1}

5 두 수열 $\{a_n\}$, $\{b_n\}$에 대하여 $\sum_{k=1}^{5}a_k=10$, $\sum_{k=1}^{5}b_k=15$일 때, $\sum_{k=1}^{5}(a_k+2b_k)$의 값은?

① 25 ② 30 ③ 35
④ 40 ⑤ 45

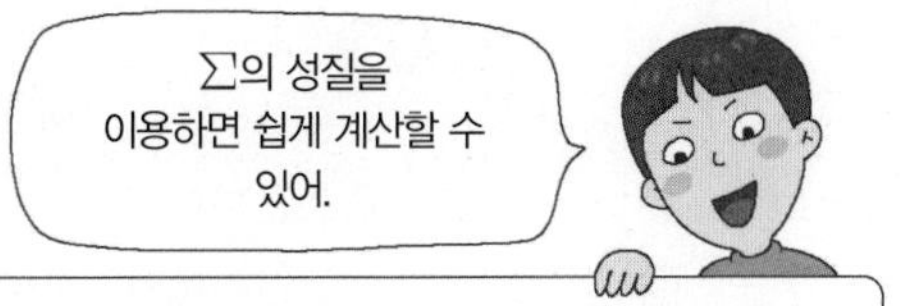

∑의 성질을 이용하면 쉽게 계산할 수 있어.

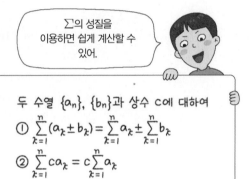

두 수열 $\{a_n\}$, $\{b_n\}$과 상수 c에 대하여

① $\sum_{k=1}^{n}(a_k\pm b_k)=\sum_{k=1}^{n}a_k\pm\sum_{k=1}^{n}b_k$

② $\sum_{k=1}^{n}ca_k=c\sum_{k=1}^{n}a_k$

Tip

$\sum_{k=1}^{5}(a_k+2b_k)$

$=\sum_{k=1}^{5}a_k+\sum_{k=1}^{❶[\ ]}2b_k$

$=\sum_{k=1}^{5}a_k+$ ❷ [ ] $\sum_{k=1}^{5}b_k$

답 ❶ 5 ❷ 2

6 수열 $\{a_n\}$이 모든 자연수 n에 대하여

$$\begin{cases}a_1=3\\ a_{n+1}=a_n+5\end{cases}$$

일 때, a_4의 값은?

① 10 ② 12 ③ 14
④ 16 ⑤ 18

Tip

수열 $\{a_n\}$이 모든 자연수 n에 대하여

$$\begin{cases}a_1=3\\ a_{n+1}=a_n+5\end{cases}$$

이므로 n에 ❶ [ ], 2, 1을 차례로 대입하여 정리하면

$a_4=a_3+5=a_2+10=a_1+$ ❷ [ ]

답 ❶ 3 ❷ 15

필수 체크 전략 ①

핵심 예제 01

등차수열 $\{a_n\}$에 대하여 $a_1=18$, $a_1+a_4+a_7=0$일 때, a_{10}의 값은?

① -36 ② -38 ③ -40
④ -42 ⑤ -44

Tip

공차가 d인 등차수열 $\{a_n\}$의 일반항은
$a_n=a_1+$ ❶ ______

답 ❶ $(n-1)d$

풀이

등차수열 $\{a_n\}$의 공차를 d라 하면

$a_1+a_4+a_7=a_1+(a_1+3d)+(a_1+6d)$
$=3a_1+9d=0$

이므로 $d=-\frac{1}{3}a_1=-\frac{1}{3}\times 18=-6$

$\therefore a_{10}=a_1+9d=18+9\times(-6)=-36$

답 ①

1-1

등차수열 $\{a_n\}$에 대하여 $a_2=5$, $a_4=a_6-4$일 때, a_{10}의 값은?

① 19 ② 20 ③ 21
④ 22 ⑤ 23

1-2

등차수열 $\{a_n\}$에 대하여 $a_3=7$, $a_4=3a_1$일 때, a_8의 값을 구하시오.

핵심 예제 02

공차가 양수인 등차수열 $\{a_n\}$이 다음 조건을 만족시킨다.

> (가) $a_2+a_6=0$
> (나) $|a_3|=|a_4|+2$

a_2의 값은?

① -1 ② -2 ③ -3
④ -4 ⑤ -5

Tip

- $a_2+a_6=(a_1+d)+(a_1+$ ❶ ______ $)=0$
- $|a_1+2d|=|a_1+$ ❷ ______ $|+2$

답 ❶ $5d$ ❷ $3d$

풀이

등차수열 $\{a_n\}$의 공차를 d라 하면

조건 (가)에서 $(a_1+d)+(a_1+5d)=0$, $a_1+3d=0$

조건 (나)에서 $|a_1+2d|=|a_1+3d|+2$이므로

$|a_1+2d|=0+2=2$

이때 $|a_1+2d|=|(a_1+3d)-d|=|-d|=2$이므로

$d=2$ ($\because d>0$)

따라서 $a_1=-3d=-3\times 2=-6$이므로

$a_2=a_1+d=-6+2=-4$

답 ④

2-1

등차수열 $\{a_n\}$에 대하여 $a_1=-5$, $|a_3|-a_4=0$일 때, a_7의 값을 구하시오.

2-2

공차가 2인 등차수열 $\{a_n\}$에 대하여 $|a_3-1|=|a_6+1|$일 때, $a_n=31$을 만족시키는 자연수 n의 값을 구하시오.

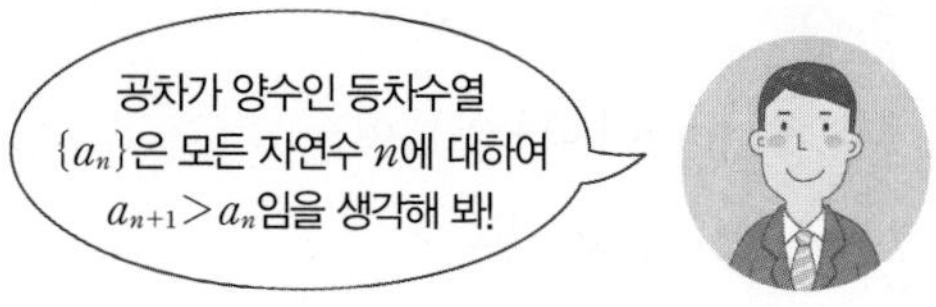
공차가 양수인 등차수열
{aₙ}은 모든 자연수 n에 대하여
aₙ₊₁>aₙ임을 생각해 봐!

핵심 예제 03

등차수열 $\{a_n\}$에 대하여 $a_1=6$, $a_{10}=-12$일 때, $\sum_{n=1}^{10}\frac{a_n+|a_n|}{2}$의 값은?

① 10 ② 12 ③ 14 ④ 16 ⑤ 18

Tip

- a_n ❶ [ ] 0일 때, $\frac{a_n+|a_n|}{2}=a_n$
- $a_n<0$일 때, $\frac{a_n+|a_n|}{2}=$ ❷ [ ]

답 ❶ $\geq$ ❷ 0

풀이

등차수열 $\{a_n\}$의 공차를 d라 하면

$a_{10}=-12$에서 $a_1+9d=-12$

$6+9d=-12 \quad \therefore d=-2$

즉 $a_n=6+(n-1)\times(-2)=-2n+8$

따라서 $n\leq4$일 때 $a_n\geq0$이고, $n\geq5$일 때 $a_n<0$이므로

$\sum_{n=1}^{10}\frac{a_n+|a_n|}{2}=\sum_{n=1}^{4}a_n=6+4+2+0=12$

답 ②

공차가 d인 등차수열 $\{a_n\}$의 일반항 $a_n=a_1+(n-1)d$를 이용해서 문제를 해결해 봐!

3-1

등차수열 $\{a_n\}$에 대하여 $a_3=-2$, $a_9=16$일 때, $|a_1|+|a_2|+|a_3|+\cdots+|a_{10}|$의 값은?

① 70 ② 75 ③ 80 ④ 85 ⑤ 90

3-2

등차수열 $\{a_n\}$에 대하여 $a_2=-3$, $a_4+a_5+a_6=0$일 때, $\sum_{n=1}^{10}(a_n+|a_n|)$의 값을 구하시오.

핵심 예제 04

등차수열 $\{a_n\}$에 대하여 $a_5-a_7+a_9=0$, $\sum_{k=1}^{14}a_k=14$일 때, a_{11}의 값은?

① 6 ② 7 ③ 8 ④ 9 ⑤ 10

Tip

- 세 수 a, b, c가 이 순서대로 등차수열을 이루면 $2b=$ ❶ [ ]
- 첫째항이 a, 제n항이 l일 때, 첫째항부터 제n항까지의 합은 ❷ [ ]

답 ❶ $a+c$ ❷ $\frac{n(a+l)}{2}$

풀이

$a_5-a_7+a_9=0$에서 $a_5+a_9=a_7$

등차수열 $\{a_n\}$의 공차를 d라 하면

$(a_1+4d)+(a_1+8d)=a_1+6d$, $a_1=-6d$

즉 $a_n=a_1+(n-1)d=(n-7)d$

이때

$\sum_{k=1}^{14}a_k=\sum_{k=1}^{14}(k-7)d$

$=d\times\frac{14\times15}{2}-7\times14\times d$

$=7d=14$

이므로 $d=2$

따라서 $a_1=-6d=-6\times2=-12$이므로

$a_{11}=a_1+10d=-12+10\times2=8$

답 ③

4-1

1과 10 사이에 n개의 수를 넣어 만든 등차수열

$1, a_1, a_2, \cdots, a_n, 10$

의 모든 항의 합이 121일 때, n의 값을 구하시오.

4-2

두 등차수열 $\{a_n\}$, $\{b_n\}$에 대하여 $a_1+b_1=5$, $\sum_{k=1}^{10}a_k+\sum_{k=1}^{10}b_k=100$일 때, $a_{10}+b_{10}$의 값을 구하시오.

필수 체크 전략 ①

핵심 예제 05

모든 항이 양수인 등비수열 $\{a_n\}$이 다음 조건을 만족시킨다.

(가) $a_2=a_1^2$　　(나) $\dfrac{a_5}{a_4}=3$

a_3의 값은?

① 3　② 9　③ 27
④ 81　⑤ 243

Tip

공비가 r ($r\neq$ ❶ ____)인 등비수열 $\{a_n\}$의 일반항은

$a_n=a_1\times r^{❷}$

답 ❶ 0 ❷ $n-1$

풀이

등비수열 $\{a_n\}$의 공비를 r라 하면

조건 (나)에서 $\dfrac{a_5}{a_4}=r=3$

조건 (가)에서 $a_1\times 3=a_1^2$

$a_1(a_1-3)=0$　$\therefore a_1=3$ ($\because a_n>0$)

$\therefore a_3=a_1\times r^2=3\times 3^2=27$

답 ③

핵심 예제 06

공차가 6인 등차수열 $\{a_n\}$이 다음 조건을 만족시킨다.

(가) 세 항 a_2, a_k, a_8은 이 순서대로 등차수열을 이룬다.
(나) 세 항 a_1, a_2, a_k는 이 순서대로 등비수열을 이룬다.

$k+a_1$의 값은?

① 5　② 6　③ 7
④ 8　⑤ 9

Tip

세 수 a, b, c가 이 순서대로 등차수열을 이루면

$2b=$ ❶ ____ 이고, 등비수열을 이루면 $b^2=$ ❷ ____ 이다.

답 ❶ $a+c$ ❷ ac

풀이

조건 (가)에서 $2a_k=a_2+a_8$

$2\{a_1+(k-1)\times 6\}=(a_1+6)+(a_1+42)$

$12(k-1)=48$　$\therefore k=5$

조건 (나)에서 $a_2^2=a_1\times a_5$

$(a_1+6)^2=a_1(a_1+24)$

$12a_1+36=24a_1$, $12a_1=36$　$\therefore a_1=3$

$\therefore k+a_1=5+3=8$

답 ④

5-1

모든 항이 양수인 등비수열 $\{a_n\}$에 대하여

$a_4=\dfrac{1}{3}a_2$, $a_1a_3=12$일 때, a_1의 값은?

① 3　② 4　③ 5
④ 6　⑤ 7

5-2

등비수열 $\{a_n\}$이 다음 조건을 만족시킨다.

(가) $a_3+a_5=15$　　(나) $\dfrac{a_3}{a_2}=\dfrac{1}{5}a_4$

a_7의 값은?

① 15　② 20　③ 25
④ 30　⑤ 35

6-1

세 수 2, x, 14가 이 순서대로 등차수열을 이루고, 세 수 3, y, 27이 이 순서대로 등비수열을 이룰 때, xy^2의 값을 구하시오.

6-2

세 수 a, 0, b가 이 순서대로 등차수열을 이루고,
세 수 $2b$, a, -7이 이 순서대로 등비수열을 이룰 때, a의 값은?

① 11　② 12　③ 13
④ 14　⑤ 15

핵심 예제 07

$a_4=1$이고 공비가 r인 등비수열 $\{a_n\}$에 대하여
$\log_8(a_1a_2a_3\times\cdots\times a_{10})=5$일 때, a_7의 값은? (단, $r>0$)

① 2 ② 4 ③ 6
④ 8 ⑤ 10

Tip

세 수 a, b, c가 이 순서대로 등비수열을 이루면
$b^2=$ ❶ $\boxed{}$

답 ❶ ac

풀이

세 항 a_{4-k}, a_4, a_{4+k} $(k=1, 2, 3)$는 이 순서대로 등비수열을 이루고 $a_4=1$이므로
$a_1a_7=a_2a_6=a_3a_5=1$
이때 $a_1a_2a_3\times\cdots\times a_{10}=a_8a_9a_{10}=r^4r^5r^6=r^{15}$
이므로

$$\log_8(a_1a_2a_3\times\cdots\times a_{10})=\log_{2^3}r^{15}=\frac{15}{3}\log_2 r$$
$$=5\log_2 r=5$$

즉 $\log_2 r=1$이므로 $r=2$
$\therefore a_7=a_4r^3=1\times2^3=8$

답 ④

핵심 예제 08

모든 항이 양수이고 공비가 r인 등비수열 $\{a_n\}$에 대하여 첫째항부터 제n항까지의 합을 S_n이라 하자.
$\dfrac{a_7}{S_9-S_7}=\dfrac{9}{4}$일 때, r의 값은?

① $\dfrac{1}{4}$ ② $\dfrac{1}{3}$ ③ $\dfrac{1}{2}$
④ 2 ⑤ 3

Tip

공비가 r인 등비수열 $\{a_n\}$에 대하여
$a_{m+k}=a_m\times$ ❶ $\boxed{}$, $S_9-S_7=a_8+$ ❷ $\boxed{}$

답 ❶ r^k ❷ a_9

풀이

$S_9-S_7=a_8+a_9$이므로
$\dfrac{a_7}{a_8+a_9}=\dfrac{9}{4}$, $\dfrac{a_7}{a_7(r+r^2)}=\dfrac{9}{4}$
$9(r^2+r)=4$, $9r^2+9r-4=0$
$(3r+4)(3r-1)=0$ $\therefore r=-\dfrac{4}{3}$ 또는 $r=\dfrac{1}{3}$
이때 모든 항이 양수이므로 $r=\dfrac{1}{3}$

답 ②

7-1

네 수 1, a, b, c는 이 순서대로 공비가 r인 등비수열을 이룬다.
$\log_8 c=\log_a b$일 때, r의 값은?

① 2 ② $\dfrac{5}{2}$ ③ 3
④ $\dfrac{7}{2}$ ⑤ 4

7-2

두 자연수 a, b에 대하여 세 수 a^n, 4×9^3, b^n이 이 순서대로 등비수열을 이룰 때, ab의 최솟값을 구하시오. (단, n은 자연수이다.)

8-1

등비수열 $\{a_n\}$에 대하여 첫째항부터 제n항까지의 합을 S_n이라 하자. $a_1+a_2=10$, $S_4-S_2=30$일 때, a_7+a_8의 값을 구하시오.

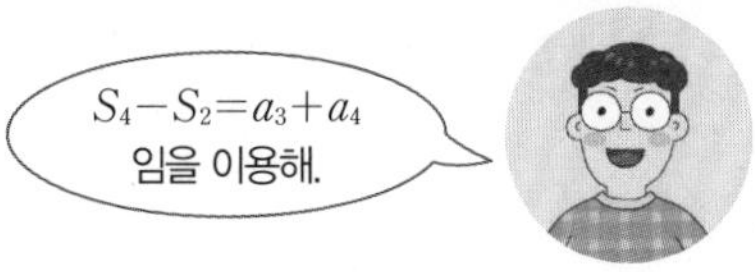

8-2

$a_1=3$이고 모든 항이 양수인 등비수열 $\{a_n\}$에 대하여 첫째항부터 제n항까지의 합을 S_n이라 하자. $\dfrac{S_{12}}{S_4}=7$일 때, a_9의 값은?

① 6 ② 9 ③ 12
④ 15 ⑤ 18

필수 체크 전략 ②

01 등차수열 $\{a_n\}$에 대하여 $a_2=4$, $a_6=a_4+6$일 때, a_8의 값은?

① 18 ② 20 ③ 22 ④ 24 ⑤ 26

Tip

등차수열 $\{a_n\}$의 공차를 d라 하면

$a_6=a_2+$ ❶ ☐, $a_4=a_2+$ ❷ ☐

답 ❶ $4d$ ❷ $2d$

02 $a_2=3$, $a_8=15$인 등차수열 $\{a_n\}$에 대하여 첫째항을 a, 공차를 d라 할 때, $a+3d$의 값은?

① 5 ② 6 ③ 7 ④ 8 ⑤ 9

Tip

등차수열 $\{a_n\}$의 공차를 d라 하면

$a_2=a_1+$ ❶ ☐, $a_8=a_1+$ ❷ ☐

답 ❶ d ❷ $7d$

03 공차가 3인 등차수열 $\{a_n\}$에 대하여 $|a_3-13|=|a_5-13|$일 때, a_6의 값은?

① 16 ② 17 ③ 18 ④ 19 ⑤ 20

Tip

$|a_3-13|=|a_1+2\times3-13|=|a_1-7|$

$|a_5-13|=|a_1+$ ❶ ☐ $\times3-13|=|a_1-1|$

이므로 a_3-13 ❷ ☐ 0, $a_5-13>0$

답 ❶ 4 ❷ <

04 수열 $\{a_n\}$에 대하여 첫째항부터 제n항까지의 합을 S_n이라 하자. $S_n=n^2+2n$일 때, $a_4+a_5+a_6$의 값은?

① 30 ② 31 ③ 32 ④ 33 ⑤ 34

Tip

수열 $\{a_n\}$의 첫째항부터 제n항까지의 합 S_n에 대하여

$S_6=a_1+a_2+a_3+$ ❶ ☐, $S_3=$ ❷ ☐

답 ❶ $a_4+a_5+a_6$ ❷ $a_1+a_2+a_3$

05 공차가 양수인 등차수열 $\{a_n\}$에 대하여 이차방정식 $x^2-5x+3=0$의 두 근이 a_3, a_8일 때, $\sum_{n=1}^{10} a_n$의 값은?

① 25 ② 26 ③ 27 ④ 28 ⑤ 29

Tip

- 이차방정식 $x^2-5x+3=0$의 두 근이 a_3, a_8이면

  $a_3+a_8=$ ❶ ☐

- 등차수열 $\{a_n\}$의 공차를 d라 하면

  $a_1+a_{10}=(a_3-$ ❷ ☐ $)+(a_8+2d)$

답 ❶ 5 ❷ $2d$

이차방정식 $ax^2+bx+c=0$의 두 근을 α, β라 하면 이차방정식의 근과 계수의 관계에 의하여 $\alpha+\beta=-\frac{b}{a}$야!

06 $a_1=162$, $\frac{a_3}{a_2}=\frac{1}{3}$인 등비수열 $\{a_n\}$에 대하여 a_5의 값을 구하시오.

Tip

등비수열 $\{a_n\}$의 공비를 r라 하면

$\frac{a_{n+1}}{a_n}=$ ❶ [　　]

답 ❶ r

07 등비수열 $\{a_n\}$에 대하여 $a_1+a_2=3$, $a_5+a_6=12$일 때, a_9+a_{10}의 값을 구하시오.

Tip

등비수열 $\{a_n\}$의 공비를 r라 하면

$a_1+a_2=a_1+a_1r=a_1(1+r)$

$a_5+a_6=a_1r^4+a_1r^5=$ ❶ [　　] $(1+r)$

$a_9+a_{10}=a_1r^8+a_1r^9=a_1r^8($❷ [　　]$)$

답 ❶ a_1r^4 ❷ $1+r$

08 두 함수 $y=3\sqrt{x}$, $y=\sqrt{x}$의 그래프와 직선 $x=k$가 만나는 점을 각각 A, B, 직선 $x=k$가 x축과 만나는 점을 C라 하자. $\overline{\text{BC}}$, $\overline{\text{OC}}$, $\overline{\text{AC}}$가 이 순서대로 등비수열을 이룰 때, 양수 k의 값을 구하시오. (단, O는 원점이다.)

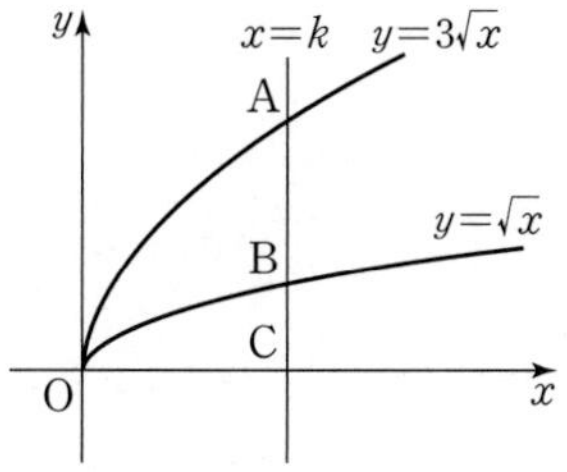

Tip

함수 $y=3\sqrt{x}$의 그래프와 직선 $x=k$는 점 ❶ [　　]에서 만나고, 함수 $y=\sqrt{x}$의 그래프와 직선 $x=k$는 점 ❷ [　　]에서 만난다.

답 ❶ $(k, 3\sqrt{k})$ ❷ $(k, \sqrt{k})$

09 세 양수 a, b, c가 이 순서대로 등비수열을 이루고, 다음 조건을 만족시킨다.

> (가) $a+b+c=\frac{13}{3}$
>
> (나) $abc=1$

$9(a^2+b^2+c^2)$의 값을 구하시오. (단, $a<b<c$)

Tip

- $b^2=$ ❶ [　　]
- $abc=$ ❷ [　　]

답 ❶ ac ❷ b^3

10 공차가 양수인 등차수열 $\{a_n\}$과 첫째항이 자연수이고 공비가 음의 정수인 등비수열 $\{b_n\}$이 다음 조건을 만족시킨다.

> (가) $a_3+a_9=0$
>
> (나) $|a_4|=|a_6|+4$
>
> (다) $\sum_{n=1}^{4}(a_n+|b_n|)=17$

b_2의 값은?

① -2　② -3　③ -4　④ -5　⑤ -6

Tip

등차수열 $\{a_n\}$에서 a_3, ❶ [　　], a_9는 이 순서대로 등차수열을 이룬다.

답 ❶ a_6

WEEK 2 DAY 3

필수 체크 전략 ①

핵심 예제 01

수열 $\{a_n\}$에 대하여 $\sum_{k=1}^{10} a_k=5$, $\sum_{k=1}^{10} a_k(a_k+2)=35$일 때, $\sum_{k=1}^{10} a_k^2$의 값은?

① 15 ② 20 ③ 25
④ 30 ⑤ 40

Tip

$$\sum_{k=1}^{10} a_k(a_k+2)=\sum_{k=1}^{10}(a_k^2+\boxed{❶\quad})$$
$$=\sum_{k=1}^{10} a_k^2+\boxed{❷\quad}\sum_{k=1}^{10} a_k$$

답 ❶ $2a_k$ ❷ 2

풀이

$\sum_{k=1}^{10} a_k=5$, $\sum_{k=1}^{10} a_k(a_k+2)=35$이므로

$\sum_{k=1}^{10} a_k^2=\sum_{k=1}^{10} a_k(a_k+2)-2\sum_{k=1}^{10} a_k=35-2\times5=25$

답 ③

핵심 예제 02

$\sum_{k=1}^{5} k(k+1)$의 값은?

① 55 ② 60 ③ 65
④ 70 ⑤ 75

Tip

$\sum_{k=1}^{n} k^2=\boxed{❶\quad}$, $\sum_{k=1}^{n} k=\boxed{❷\quad}$

답 ❶ $\frac{n(n+1)(2n+1)}{6}$ ❷ $\frac{n(n+1)}{2}$

풀이

$$\sum_{k=1}^{5} k(k+1)=\sum_{k=1}^{5}(k^2+k)$$
$$=\sum_{k=1}^{5} k^2+\sum_{k=1}^{5} k$$
$$=\frac{5\times6\times11}{6}+\frac{5\times6}{2}=70$$

답 ④

1-1

두 수열 $\{a_n\}$, $\{b_n\}$에 대하여 $\sum_{k=1}^{5} a_k=20$, $\sum_{k=1}^{5} b_k=5$일 때, $\sum_{k=1}^{5}(a_k+4b_k)$의 값을 구하시오.

1-2

수열 $\{a_n\}$에 대하여 $\sum_{k=1}^{10} a_k=10$, $\sum_{k=1}^{10}(2a_k+1)^2=170$일 때, $\sum_{k=1}^{10} a_k^2$의 값은?

① 10 ② 20 ③ 30
④ 40 ⑤ 50

2-1

$\sum_{k=1}^{8}(2k-1)$의 값은?

① 63 ② 64 ③ 65
④ 66 ⑤ 67

2-2

$\sum_{k=1}^{6} k(k+2)$의 값은?

① 129 ② 131 ③ 133
④ 135 ⑤ 137

핵심 예제 03

등차수열 $\{a_n\}$에 대하여 $a_1+a_4=11$, $a_4+a_7=29$일 때, $\sum_{k=1}^{5} a_{3k-2}$의 값을 구하시오.

Tip

세 수 a_1, a_4, a_7은 이 순서대로 ❶ ______ 을 이루므로

$2a_4=$ ❷ ______ 이다.

답 ❶ 등차수열 ❷ a_1+a_7

풀이

세 수 a_1, a_4, a_7은 이 순서대로 등차수열을 이루므로

$2a_4=a_1+a_7$

이때 $a_1+a_4=11$, $a_4+a_7=29$이므로

$a_1+2a_4+a_7=4a_4=40 \qquad \therefore a_4=10$

즉 $a_1=11-a_4=1$, $a_4=10$, $a_7=29-a_4=19$이므로

수열 $\{a_{3n-2}\}$는 첫째항이 1, 공차가 9인 등차수열이다.

따라서 $a_{3n-2}=1+(n-1)\times9=9n-8$이므로

$$\sum_{k=1}^{5} a_{3k-2}=\sum_{k=1}^{5}(9k-8)=9\times\frac{5\times6}{2}-8\times5=95$$

답 95

3-1

수열 $\{a_n\}$이 모든 자연수 n에 대하여 $a_{2n-1}+a_{2n}=4n+3$을 만족시킨다. $\sum_{k=1}^{10} a_k$의 값은?

① 55　② 65　③ 75　④ 85　⑤ 95

3-2

수열 $\{a_n\}$이 모든 자연수 n에 대하여 $a_n+a_{n+1}=2n+1$을 만족시킨다. $\sum_{k=1}^{10} a_k$의 값은?

① 50　② 55　③ 60　④ 65　⑤ 70

핵심 예제 04

등차수열 $\{a_n\}$에 대하여 $a_1=2$, $a_5-a_3=4$일 때, $\sum_{k=1}^{9} \frac{4}{a_k a_{k+1}}$의 값은?

① $\frac{5}{6}$　② $\frac{6}{7}$　③ $\frac{7}{8}$　④ $\frac{8}{9}$　⑤ $\frac{9}{10}$

Tip

$\frac{C}{AB}=\frac{C}{❶\ \_\_\_\_}\left(\frac{1}{A}-\frac{1}{B}\right)$ (단, $A\neq B$)

답 ❶ $B-A$

풀이

등차수열 $\{a_n\}$의 공차를 d라 하면

$a_5-a_3=2d=4 \qquad \therefore d=2$

즉 $a_n=2+(n-1)\times2=2n$

$$\begin{aligned}\therefore \sum_{k=1}^{9}\frac{4}{a_k a_{k+1}}&=\sum_{k=1}^{9}\frac{4}{2k\times2(k+1)}=\sum_{k=1}^{9}\frac{1}{k(k+1)}\\&=\sum_{k=1}^{9}\left(\frac{1}{k}-\frac{1}{k+1}\right)\\&=\left(1-\frac{1}{2}\right)+\left(\frac{1}{2}-\frac{1}{3}\right)+\cdots+\left(\frac{1}{9}-\frac{1}{10}\right)\\&=1-\frac{1}{10}=\frac{9}{10}\end{aligned}$$

답 ⑤

4-1

$\sum_{k=1}^{99}\frac{100}{k(k+1)}$의 값은?

① 99　② 100　③ 101　④ 102　⑤ 103

4-2

수열 $\{a_n\}$에 대하여 첫째항부터 제n항까지의 합을 S_n이라 하자. $S_n=n^2+2n$일 때, $\sum_{k=1}^{9}\frac{14}{a_k a_{k+1}}$의 값을 구하시오.

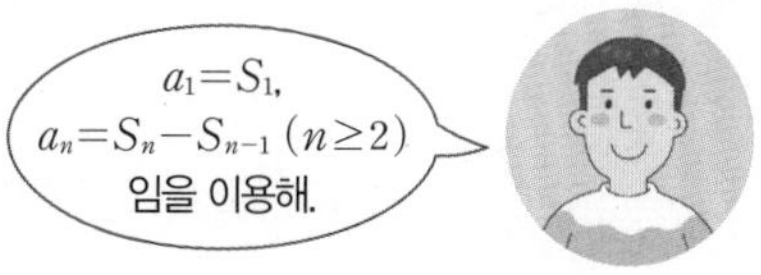

필수 체크 전략 ①

핵심 예제 05

$\sum_{k=1}^{24} \frac{1}{\sqrt{k+1}+\sqrt{k}}$의 값은?

① 2　② 3　③ 4
④ 5　⑤ 6

Tip

$\frac{1}{\sqrt{k+1}+\sqrt{k}}$의 분모, 분자에 각각 ❶ ☐를 곱하면

$\frac{\sqrt{k+1}-\sqrt{k}}{(\sqrt{k+1}+\sqrt{k})(\sqrt{k+1}-\sqrt{k})}=$ ❷ ☐

답 ❶ $\sqrt{k+1}-\sqrt{k}$ ❷ $\sqrt{k+1}-\sqrt{k}$

풀이

$$\sum_{k=1}^{24} \frac{1}{\sqrt{k+1}+\sqrt{k}}=\sum_{k=1}^{24} \frac{\sqrt{k+1}-\sqrt{k}}{(\sqrt{k+1}+\sqrt{k})(\sqrt{k+1}-\sqrt{k})}$$
$$=\sum_{k=1}^{24}(\sqrt{k+1}-\sqrt{k})$$
$$=(\sqrt{2}-1)+(\sqrt{3}-\sqrt{2})+\cdots+(5-\sqrt{24})$$
$$=5-1=4$$

답 ③

핵심 예제 06

수열 $\{a_n\}$이 $a_1=1$, $a_2=-1$이고, 모든 자연수 n에 대하여

$$a_{n+2}=\begin{cases} a_n+2 & (n\text{은 홀수}) \\ a_n & (n\text{은 짝수}) \end{cases}$$

일 때, $a_{10}+a_{11}$의 값은?

① 10　② 11　③ 12
④ 13　⑤ 14

Tip

수열 $\{a_{2n-1}\}$은 첫째항이 ❶ ☐, 공차가 ❷ ☐인 등차수열이다.

답 ❶ 1 ❷ 2

풀이

$a_{n+2}=\begin{cases} a_n+2 & (n\text{은 홀수}) \\ a_n & (n\text{은 짝수}) \end{cases}$에서 $a_{10}=a_2=-1$

수열 $\{a_{2n-1}\}$은 첫째항이 $a_1=1$, 공차가 2인 등차수열이고, a_{11}은 제6항이므로

$a_{11}=1+(6-1)\times 2=11$

$\therefore a_{10}+a_{11}=-1+11=10$

답 ①

5-1

다음 그림과 같이 직선 $x=n$이 곡선 $y=\sqrt{3x-2}$와 x축과 만나는 점을 각각 P_n, Q_n라 하자. 두 점 P_n, Q_n에 대하여 $a_n=\overline{\mathrm{P}_n\mathrm{Q}_n}$이라 할 때, $\sum_{k=1}^{16} \frac{1}{a_n+a_{n+1}}$의 값을 구하시오.

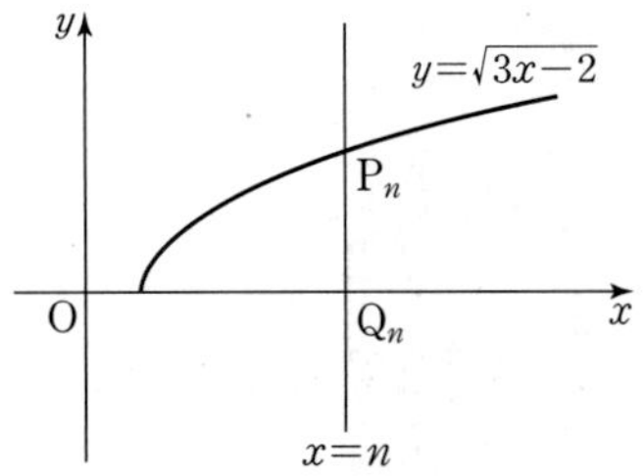

5-2

등차수열 $\{a_n\}$에 대하여 $a_2=3$, $a_4+a_6=12$일 때,

$\sum_{k=3}^{m} \frac{1}{\sqrt{a_{k+1}}+\sqrt{a_k}}=8$을 만족시키는 자연수 m의 값을 구하시오.

6-1

첫째항이 4인 수열 $\{a_n\}$이 모든 자연수 n에 대하여 $a_{n+1}-a_n=5$일 때, a_5의 값은?

① 21　② 23　③ 24
④ 25　⑤ 26

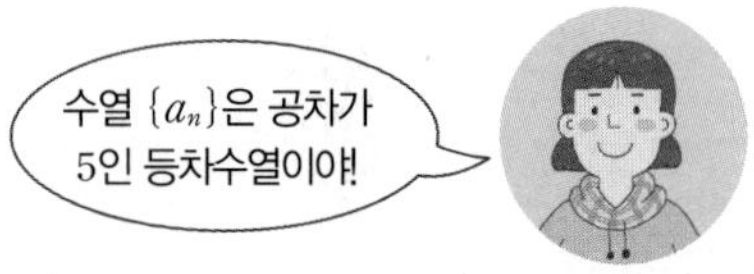

6-2

수열 $\{a_n\}$이 다음 조건을 만족시킨다.

> (가) $a_1=a_2-1$
> (나) 모든 자연수 n에 대하여 $a_{n+1}=2a_n$이다.

a_9의 값을 구하시오.

핵심 예제 07

첫째항이 2인 수열 $\{a_n\}$이 모든 자연수 n에 대하여

$$a_{n+1}=\begin{cases} 2a_n & (n\text{은 홀수}) \\ a_n+1 & (n\text{은 짝수}) \end{cases}$$

일 때, a_8의 값을 구하시오.

Tip

$a_2=$ ❶ a_1, ❷ $=a_2+1$

답 ❶ 2 ❷ a_3

풀이

$a_{n+1}=\begin{cases} 2a_n & (n\text{은 홀수}) \\ a_n+1 & (n\text{은 짝수}) \end{cases}$의 n에 1, 2, 3, …, 7을 차례로 대입하면 $a_1=2$에서

$a_2=2a_1=4$, $a_3=a_2+1=5$, $a_4=2a_3=10$

$a_5=a_4+1=11$, $a_6=2a_5=22$, $a_7=a_6+1=23$

$\therefore a_8=2a_7=46$

답 46

7-1

첫째항이 40인 수열 $\{a_n\}$이 모든 자연수 n에 대하여

$$a_{n+1}=\begin{cases} a_n+1 & (a_n\text{이 홀수}) \\ \frac{1}{2}a_n & (a_n\text{이 짝수}) \end{cases}$$

일 때, a_7의 값은?

① 1 ② 2 ③ 3
④ 4 ⑤ 5

7-2

수열 $\{a_n\}$이 $a_8=22$이고, 모든 자연수 n에 대하여

$$a_{n+1}=\begin{cases} a_n+2 & (n\text{은 홀수}) \\ 2a_n & (n\text{은 짝수}) \end{cases}$$

일 때, a_1의 값은?

① -2 ② -1 ③ 0
④ 1 ⑤ 2

핵심 예제 08

다음은 모든 자연수 n에 대하여

$$\frac{1}{1\times2}+\frac{1}{2\times3}+\cdots+\frac{1}{n(n+1)}=\frac{n}{n+1}$$

이 성립함을 수학적 귀납법으로 증명한 것이다.

> (i) $n=1$일 때
> (좌변)$=\frac{1}{1\times2}=\frac{1}{2}$, (우변)$=\frac{1}{2}$이므로 주어진 등식이 성립한다.
> (ii) $n=k$일 때 주어진 등식이 성립한다고 가정하면
> $\frac{1}{1\times2}+\frac{1}{2\times3}+\cdots+\frac{1}{k(k+1)}=\frac{k}{k+1}$
> 위의 식의 양변에 (가) 을 더하면
> $\frac{1}{1\times2}+\frac{1}{2\times3}+\cdots+\frac{1}{k(k+1)}+$ (가)
> $=\frac{k}{k+1}+$ (가) $=$ (나)
> 따라서 $n=k+1$일 때도 주어진 등식이 성립한다.
> (i), (ii)에 의하여 모든 자연수 n에 대하여 주어진 등식이 성립한다.

위의 (가), (나)에 알맞은 식을 각각 $f(k)$, $g(k)$라 할 때, $8f(1)g(2)$의 값을 구하시오.

Tip

$\frac{k}{k+1}+\frac{1}{(k+1)(k+2)}=\frac{k(k+2)+1}{(k+1)(k+2)}=$ ❶

답 ❶ $\frac{k+1}{k+2}$

풀이

(ii) $n=k$일 때 주어진 등식이 성립한다고 가정하면

$\frac{1}{1\times2}+\frac{1}{2\times3}+\cdots+\frac{1}{k(k+1)}=\frac{k}{k+1}$

위의 식의 양변에 (가) $\frac{1}{(k+1)(k+2)}$ 을 더하면

$\frac{1}{1\times2}+\frac{1}{2\times3}+\cdots+\frac{1}{k(k+1)}+$ (가) $\frac{1}{(k+1)(k+2)}$

$=\frac{k}{k+1}+$ (가) $\frac{1}{(k+1)(k+2)}$ $=$ (나) $\frac{k+1}{k+2}$

따라서 $n=k+1$일 때도 주어진 등식이 성립한다.

$\therefore$ (가) $\frac{1}{(k+1)(k+2)}$ (나) $\frac{k+1}{k+2}$

따라서 $f(k)=\frac{1}{(k+1)(k+2)}$, $g(k)=\frac{k+1}{k+2}$이므로

$8f(1)g(2)=8\times\frac{1}{6}\times\frac{3}{4}=1$

답 1

WEEK 2 DAY 3

필수 체크 전략 ②

01 $\sum_{k=1}^{10}(1+2+3+\cdots+k)$의 값은?

① 110 ② 220 ③ 330
④ 440 ⑤ 550

Tip

$\sum_{k=1}^{n}k^2=$ ❶ ☐, $\sum_{k=1}^{n}k=$ ❷ ☐

답 ❶ $\frac{n(n+1)(2n+1)}{6}$ ❷ $\frac{n(n+1)}{2}$

$$\sum_{k=1}^{10}(1+2+3+\cdots+k)=\sum_{k=1}^{10}\frac{k(k+1)}{2}$$
$$=\frac{1}{2}\sum_{k=1}^{10}k^2+\frac{1}{2}\sum_{k=1}^{10}k$$

02 수열 $\{a_n\}$에 대하여 $\sum_{k=1}^{10}a_k=4$, $\sum_{k=1}^{10}a_k^2=7$일 때, $\sum_{k=1}^{10}(a_k-1)^2$의 값은?

① 6 ② 7 ③ 8
④ 9 ⑤ 10

Tip

$\sum_{k=1}^{10}(a_k-1)^2=\sum_{k=1}^{10}(a_k^2-$ ❶ ☐ $a_k+1)$

$=\sum_{k=1}^{10}a_k^2-$ ❷ ☐ $\sum_{k=1}^{10}a_k+\sum_{k=1}^{10}1$

답 ❶ 2 ❷ 2

03 수열 $\{a_n\}$에 대하여 $\sum_{k=1}^{10}a_{2k-1}=40$, $\sum_{k=1}^{20}(-1)^k a_k=5$일 때, $\sum_{k=1}^{10}a_{2k}$의 값은?

① 30 ② 35 ③ 40
④ 45 ⑤ 50

Tip

$\sum_{k=1}^{10}a_{2k-1}+\sum_{k=1}^{20}(-1)^k a_k=\sum_{k=1}^{10}$ ❶ ☐

답 ❶ a_{2k}

04 등차수열 $\{a_n\}$에 대하여 $a_2=6$, $a_6=-2$일 때, $\sum_{n=1}^{10}a_n$의 값은?

① -10 ② -5 ③ 5
④ 10 ⑤ 20

Tip

$\sum_{n=1}^{10}a_n=a_1+a_2+\cdots+$ ❶ ☐ $=\frac{10(a_1+a_{10})}{❷ ☐}$

답 ❶ a_{10} ❷ 2

05 수열 $\{a_n\}$이 $a_3=4$이고, 모든 자연수 n에 대하여

$$a_{n+1}=\begin{cases} a_n+1 & (a_n\text{이 홀수}) \\ \frac{1}{2}a_n & (a_n\text{이 짝수}) \end{cases}$$

일 때, 가능한 모든 a_1의 값의 합은?

① 23 ② 25 ③ 27
④ 29 ⑤ 31

Tip

a_2가 짝수일 때, $a_2=$ ❶ ☐ a_3

a_2가 홀수일 때, $a_2=a_3-$ ❷ ☐

답 ❶ 2 ❷ 1

06

수열 $\{a_n\}$에 대하여 첫째항부터 제n항까지의 합을 S_n이라 할 때, $S_n=2n^2-n$이다. $\sum_{k=1}^{10}\frac{1}{a_ka_{k+1}}=\frac{q}{p}$일 때, $p+q$의 값을 구하시오. (단, p, q는 서로소인 자연수이다.)

Tip

수열 $\{a_n\}$의 첫째항부터 제n항까지의 합이 S_n일 때,

$a_1=$ ❶ [　　]

$a_n=S_n-$ ❷ [　　] $(n\geq 2)$

답 ❶ S_1 ❷ S_{n-1}

07

수열 $\{a_n\}$이 모든 자연수 n에 대하여 $\sum_{k=1}^{n}\frac{a_k}{k+1}=n^2+n$일 때, a_5의 값은?

① 20　② 30　③ 40　④ 50　⑤ 60

Tip

- $\frac{a_1}{2}=$ ❶ [　　]
- $\sum_{k=1}^{n}\frac{a_k}{k+1}-\sum_{k=1}^{n-1}\frac{a_k}{k+1}=$ ❷ [　　] $(n\geq 2)$

답 ❶ 2 ❷ $\frac{a_n}{n+1}$

08

수열 $\{a_n\}$이 다음 조건을 만족시킨다.

> (가) $a_1=1$, $a_{n+1}=\frac{a_n}{2a_n+1}$ $(n=1, 2, 3)$
> (나) 모든 자연수 n에 대하여 $a_{n+4}=a_n$이다.

$\sum_{n=1}^{22}\frac{1}{a_n}$의 값을 구하시오.

Tip

$a_2=\frac{1}{3}$, $a_3=$ ❶ [　　], $a_4=$ ❷ [　　]

답 ❶ $\frac{1}{5}$ ❷ $\frac{1}{7}$

09

수열 $\{a_n\}$이 $a_1=1$, $a_2=3$이고, 모든 자연수 n에 대하여 $a_{n+2}+a_n=a_{n+1}$일 때, 보기에서 옳은 것만을 있는 대로 고른 것은?

> 보기
> ㄱ. $a_5=-3$
> ㄴ. $a_{13}=1$
> ㄷ. 모든 자연수 m에 대하여 $\sum_{k=m}^{m+5}a_k=0$이다.

① ㄱ　② ㄷ　③ ㄱ, ㄴ　④ ㄴ, ㄷ　⑤ ㄱ, ㄴ, ㄷ

Tip

$a_{n+2}=a_{n+1}$ ❶ [　　] a_n이므로

$a_3=a_2-a_1=$ ❷ [　　]

답 ❶ − ❷ 2

10

다음은 모든 자연수 n에 대하여 $5^{2n}-1$이 8의 배수임을 수학적 귀납법으로 증명한 것이다.

> (i) $n=1$일 때
> $5^{2\times 1}-1=24$이므로 성립한다.
> (ii) $n=k$일 때 $5^{2k}-1$이 8의 배수라고 가정하면
> $5^{2k}-1=8N$ (N은 자연수)이므로
> $5^{2(k+1)}-1=5^2\times($ (가) $)-1$
> $=8\times($ (나) $)$
> 따라서 $n=k+1$일 때도 $5^{2n}-1$은 8의 배수이다.
> (i), (ii)에 의하여 모든 자연수 n에 대하여 $5^{2n}-1$은 8의 배수이다.

위의 (가), (나)에 알맞은 식을 각각 $f(N)$, $g(N)$이라 할 때, $f(5)+g(3)$의 값을 구하시오.

Tip

- $5^{2k}=8N+$ ❶ [　　]
- $5^{2(k+1)}-1=5^{❷}\times 5^{2k}-1$

답 ❶ 1 ❷ 2

누구나 합격 전략

01 등차수열 $\{a_n\}$에 대하여 $a_1=4$, $a_3=8$일 때, a_4의 값은?

① 8 ② 10 ③ 12 ④ 14 ⑤ 16

02 네 수 2, x, 8, y가 이 순서대로 등차수열을 이룰 때, xy의 값은?

① 45 ② 50 ③ 55 ④ 60 ⑤ 65

03 등비수열 $\{a_n\}$에 대하여 $a_2=3$, $a_5=24$일 때, a_6의 값은?

① 42 ② 44 ③ 46 ④ 48 ⑤ 50

04 세 양수 a_1, a_2, a_3에 대하여 다섯 수 $\frac{1}{2}$, a_1, a_2, a_3, 8이 이 순서대로 등비수열을 이룰 때, $\frac{a_1a_3}{a_2}$의 값은?

① 1 ② 2 ③ 3 ④ 4 ⑤ 5

05 수열 $\{a_n\}$에 대하여 첫째항부터 제n항까지의 합을 S_n이라 하자. $S_n=2^n-1$일 때, a_5의 값을 구하시오.

a_5의 값을
어떻게 구할 수 있을까?
$a_n=S_n-S_{n-1}\ (n\geq 2)$
을 이용해 보자!

06 $\sum_{k=1}^{10}(2k-1)$의 값은?

① 100 ② 110 ③ 120
④ 130 ⑤ 140

07 $\sum_{k=1}^{10}(k+2)-\sum_{k=1}^{10}k$의 값은?

① 16 ② 17 ③ 18
④ 19 ⑤ 20

08 두 수열 $\{a_n\}$, $\{b_n\}$에 대하여 $\sum_{k=1}^{15}a_k=5$, $\sum_{k=1}^{15}b_k=8$일 때, $\sum_{k=1}^{15}(3a_k-2b_k+5)$의 값은?

① 74 ② 75 ③ 76
④ 77 ⑤ 78

09 수열 $\{a_n\}$이 모든 자연수 n에 대하여

$$\begin{cases} a_1=-1 \\ a_{n+1}=a_n+4 \end{cases}$$

일 때, a_{10}의 값을 구하시오.

10 수열 $\{a_n\}$이 $a_1=3$이고, 모든 자연수 n에 대하여

$$a_{n+1}=\begin{cases} a_n+1 & (n\text{은 홀수}) \\ 2a_n & (n\text{은 짝수}) \end{cases}$$

일 때, a_5의 값은?

① 13 ② 15 ③ 18
④ 20 ⑤ 23

창의·융합·코딩 전략 ①

1 독서 퀴즈 대회에서 1등부터 10등까지의 참가자에게 다음과 같이 상금을 지급하기로 하였다.

> (가) 1등 상금은 100만 원이다.
> (나) 2등부터는 바로 위 등수의 참가자보다 7만 원씩 적게 받는다.

1등부터 10등까지의 참가자에게 지급할 상금 액수의 총합은 몇만 원인가? (단, 각 등수의 참가자는 한 명씩 있다.)

① 681 ② 682 ③ 683
④ 684 ⑤ 685

Tip

- 상금 액수를 1등부터 10등까지 차례로 나열하면 이 순서대로 공차가 ❶ [ ] 만 원인 등차수열을 이룬다.
- 첫째항이 a, 공차가 d인 등차수열의 첫째항부터 제n항까지의 합을 S_n이라 하면 $S_n=$ ❷ [ ]

답 ❶ -7 ❷ $\frac{n\{2a+(n-1)d\}}{2}$

2 어떤 사진 편집 프로그램에서 사진의 넓이를 변경할 때 '넓이 조정'에서 50 %를 적용하면 사진의 넓이가 원래 사진의 50 %로 줄어든다고 한다.

처음 사진의 넓이가 2048 cm^2일 때, '넓이 조정'에서 50 %를 적용하는 과정을 10번 반복하여 얻어진 사진의 넓이는 몇 cm^2인가?

① 2 ② 16 ③ 64
④ 128 ⑤ 256

Tip

- 넓이가 2048 cm^2인 사진을 '넓이 조정'에서 50 %를 적용하는 과정을 한 번 하여 얻어진 사진의 넓이는
  $2048\times$ ❶ [ ] $=1024\,(cm^2)$
- '넓이 조정'에서 50 %를 적용하여 얻어진 사진의 넓이는 공비가 $\frac{1}{2}$인 ❷ [ ] 을 이룬다.

답 ❶ $\frac{1}{2}$ ❷ 등비수열

3 다음 그림은 길이가 1인 성냥개비를 이용하여 한 변의 길이가 1인 정사각형을 단계별로 만든 모형이다.

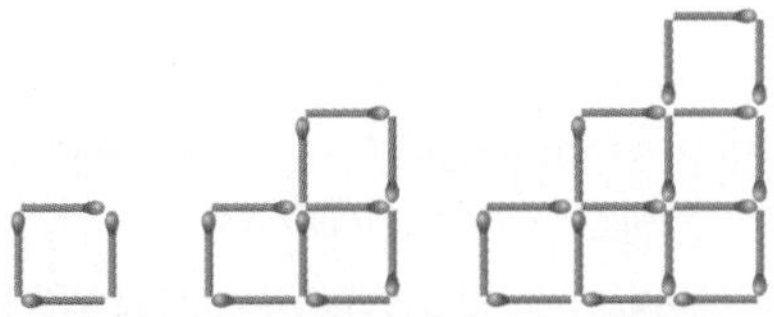

[1단계]　　[2단계]　　[3단계]

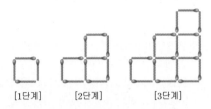

[n단계] 모형의 모든 선분의 길이의 합을 a_n이라 하자. 예를 들면 $a_1=4$, $a_2=10$이다. $a_m>100$을 만족시키는 자연수 m의 최솟값은?

① 5　　② 6　　③ 7
④ 8　　⑤ 9

Tip

[n단계]에서 새로 추가되는 한 변의 길이가 1인 정사각형은 ❶ ____ 개이다.

답 ❶ n

4 A, B, C의 세 명이 다음과 같은 규칙으로 전자 우편을 보내기로 하였다.

> (가) A는 B에게만 보낸다.
> (나) B는 A와 C 모두에게 각각 한 통씩 보낸다.
> (다) C는 A와 B 모두에게 각각 한 통씩 보낸다.

아래 그림과 같이 B부터 전자 우편을 보내기 시작할 때, [n단계]에서 A가 받은 전자 우편의 개수를 a_n이라 하자. 예를 들면 $a_2=1$, $a_3=2$이다. a_7의 값을 구하시오.
(단, 전자 우편의 개수와 용량은 제한하지 않는다.)

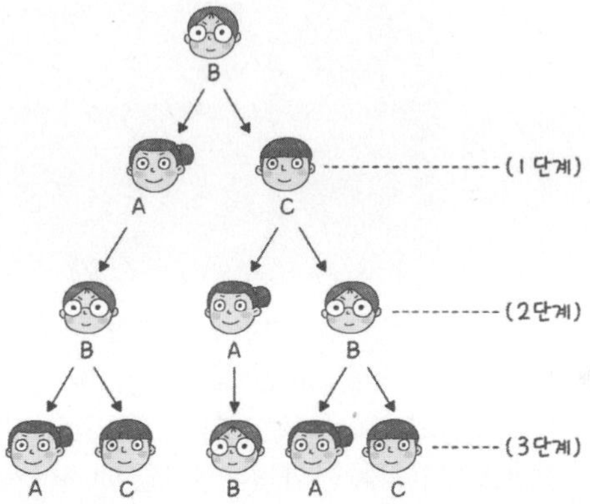

Tip

[n단계]에서 B, C가 받은 전자 우편의 개수를 각각 b_n, c_n이라 하면 모든 자연수 n에 대하여
$a_{n+1}=b_n+c_n$, $b_{n+1}=$ ❶ ____ , $c_{n+1}=$ ❷ ____

답 ❶ a_n+c_n ❷ b_n

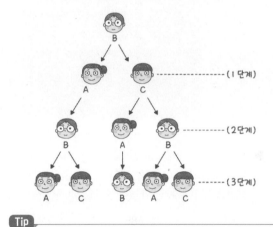

5 1부터 9까지의 숫자가 하나씩 적힌 9개의 공이 있다. 다음 그림과 같이 가로, 세로, 대각선 방향에 들어 있는 공에 적힌 수들의 합이 각각 15가 되도록 3×3 격자판의 각 칸에 9개의 공을 한 개씩 모두 넣었다.

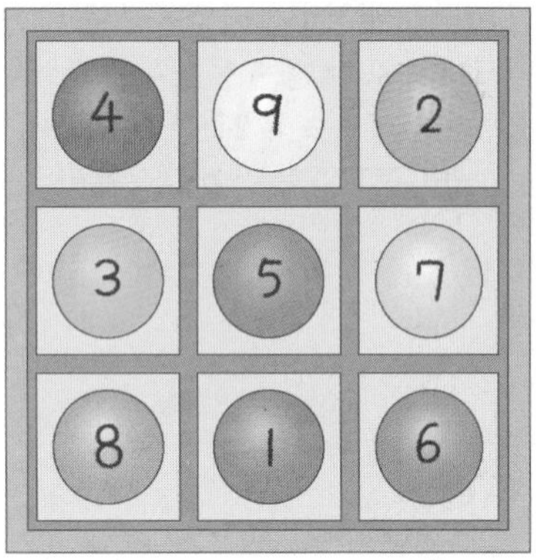

위와 같은 방법으로 1부터 25까지의 숫자가 하나씩 적힌 25개의 공을 가로, 세로, 대각선 방향에 놓여 있는 공에 적힌 수들의 합이 각각 m이 되도록 $n\times n$ 격자판의 각 칸에 25개의 공을 한 개씩 모두 넣을 때, $m+n$의 값은?

① 60 ② 65 ③ 70
④ 75 ⑤ 80

Tip

- $n\times n$ 격자판의 각 칸에 25개의 공을 한 개씩 모두 넣으므로
  $n^2=$ ❶
- 가로 방향에 놓여 있는 공에 적힌 수들의 합이 각각 m이고, 격자판의 행의 개수가 5이므로
  ❷ $m=1+2+3+\cdots+25$

답 ❶ 25 ❷ 5

6 어떤 회사의 생명공학 연구소에서는 연구비를 마련하기 위해 2021년부터 매년 1월 1일에 매출액의 일부를 적립한다고 한다. 적립할 금액은 경제 성장률을 감안하여 매년 전년도보다 5%씩 증액한다. 2021년 1월 1일부터 10억 원을 적립하기 시작하여 5년 동안 적립할 때, 2025년 12월 31일까지의 적립금의 원리합계는 몇억 원인가? (단, 연이율은 5%, 1년마다 복리로 계산하고, $1.05^5=1.28$로 계산한다.)

① 60 ② 62 ③ 64
④ 66 ⑤ 68

Tip

- 2022년 1월 1일에 적립할 금액은 (10× ❶)억 원
- 2021년 1월 1일에 적립한 10억 원의 2025년 12월 31일까지의 원리합계는 (10× ❷)억 원

답 ❶ 1.05 ❷ 1.05^5

7 좌표평면 위에 다음 [단계]와 같은 순서대로 점을 찍는다.

> [단계 1] $(1, 0)$에 점을 찍는다.
> [단계 2] $(2, 0)$, $(2, 1)$에 이 순서대로 2개의 점을 찍는다.
> ⋮
> [단계 k] $(k, 0)$, $(k, 1)$, $(k, 2)$, $\cdots$, $(k, k-1)$에 이 순서대로 k개의 점을 찍는다.
> (단, k는 자연수이다.)
> ⋮

이와 같은 과정으로 [단계 1]부터 시작하여 점을 찍을 때, 50번째로 찍히는 점의 좌표는 (p, q)이다. $p+q$의 값을 구하시오.

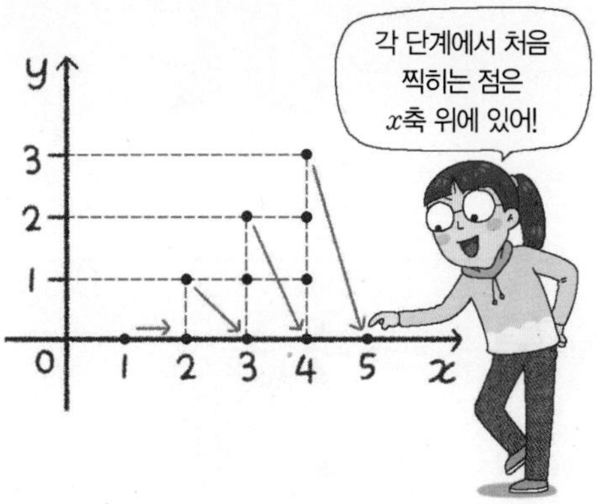

Tip

[단계 k]에서 찍히는 점의 개수는 ❶ ☐ 개이므로

[단계 k]까지 찍힌 모든 점의 개수는 ❷ ☐ 이다.

답 ❶ k ❷ $\frac{k(k+1)}{2}$

8 다음 그림과 같이 원기둥을 10개 쌓아 올린 탑이 있다. 모든 원기둥의 밑넓이는 바로 위에 놓여 있는 원기둥 밑넓이의 1.25배이고, 각각의 원기둥 높이는 모두 1m로 같다. 가장 아래에 위치한 원기둥 밑면의 지름이 20m이고, 탑의 부피가 $k\pi$ m³일 때, 상수 k의 값을 구하시오.

$\left(\text{단, } \left(\frac{4}{5}\right)^{10}=0.11\text{로 계산한다.}\right)$

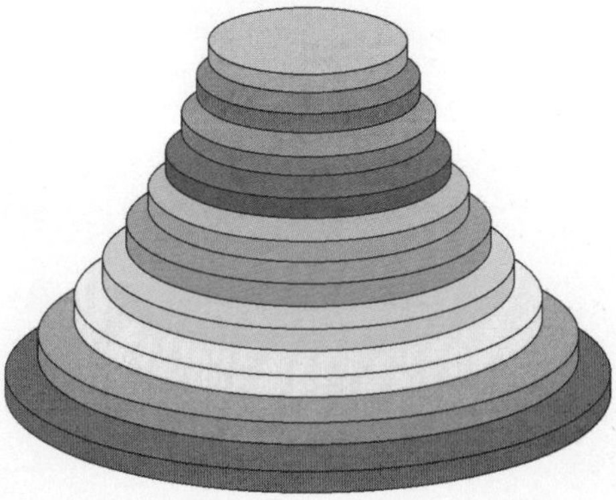

Tip

아래에서부터 차례로 n번째에 있는 원기둥의 부피를 a_nm³라 하면 수열 $\{a_n\}$은 첫째항이 $a_1=$ ❶ ☐, 공비가 ❷ ☐ 인 등비수열이다.

답 ❶ 100π ❷ $\frac{4}{5}$

후편 마무리 전략

핵심 한눈에 보기

삼각함수

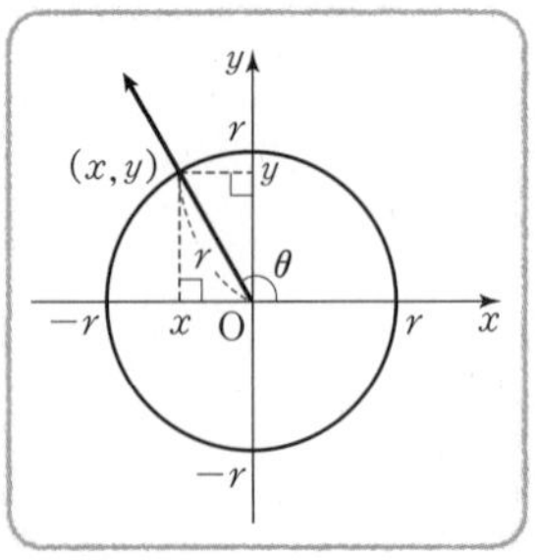

$\sin\theta = \dfrac{y}{r}$, $\cos\theta = \dfrac{x}{r}$, $\tan\theta = \dfrac{y}{x}\,(x \neq 0)$

(1) $\tan\theta = \dfrac{\sin\theta}{\cos\theta}$

(2) $\sin^2\theta + \cos^2\theta = 1$

삼각함수 사이의 관계는 다음과 같아.

삼각함수의 성질

주어진 각을 $2\pi \pm \theta$ 또는 $\pi \pm \theta$ 또는 $\dfrac{\pi}{2} \pm \theta$ 꼴로 고칠 수 있는지 확인해 봐.

- $\sin\dfrac{7}{6}\pi = \sin\left(\pi + \dfrac{\pi}{6}\right) = -\sin\dfrac{\pi}{6} = -\dfrac{1}{2}$
- $\cos\dfrac{11}{6}\pi = \cos\left(2\pi - \dfrac{\pi}{6}\right) = \cos\dfrac{\pi}{6} = \dfrac{\sqrt{3}}{2}$
- $\tan\dfrac{5}{6}\pi = \tan\left(\dfrac{\pi}{2} + \dfrac{\pi}{3}\right) = -\dfrac{1}{\tan\dfrac{\pi}{3}} = -\dfrac{1}{\sqrt{3}} = -\dfrac{\sqrt{3}}{3}$

사인법칙과 코사인법칙

$\overline{AB}=3$, $\angle C=\dfrac{\pi}{6}$인 삼각형 ABC의 외접원의 반지름의 길이를 R라 하면 사인법칙에 의하여

$2R = \dfrac{\overline{AB}}{\sin C} = \dfrac{3}{\sin\dfrac{\pi}{6}} = 6 \qquad \therefore R=3$

삼각형의 한 변의 길이와 그 대각의 크기를 알면 사인법칙을 이용할 수 있어.

두 변의 길이와 그 끼인각의 크기를 이용하여 나머지 한 변의 길이를 구해 볼까?

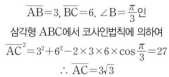

$\overline{AB}=3$, $\overline{BC}=6$, $\angle B=\dfrac{\pi}{3}$인 삼각형 ABC에서 코사인법칙에 의하여

$\overline{AC}^2 = 3^2+6^2-2\times3\times6\times\cos\dfrac{\pi}{3}=27$

$\therefore \overline{AC}=3\sqrt{3}$

자연수의 거듭제곱의 합

① $2+4+6+8+10=\sum_{k=1}^{5}2k=2\sum_{k=1}^{5}k=2\times\frac{5\times6}{2}=30$

② $1^2+2^2+3^2+4^2=\sum_{k=1}^{4}k^2=\frac{4(4+1)(2\times4+1)}{6}=30$

③ $1^3+2^3+3^3+4^3=\sum_{k=1}^{4}k^3=\left\{\frac{4(4+1)}{2}\right\}^2=100$

$\sum_{k=1}^{n}a_k$에서 k 대신 다른 문자도 사용할 수 있어.

등차수열 1, 5, 9, 13, …의 귀납적 정의

첫째항이 1, 공차가 4이므로 이렇게 귀납적으로 정의할 수 있어.

$a_1=1$
$a_{n+1}=a_n+4$

$a_1=1$
$a_{n+1}-a_n=4$

이렇게도 표현할 수 있어!

등비수열 3, 6, 12, 24, …의 귀납적 정의

첫째항이 3, 공비가 2이므로 이렇게 귀납적으로 정의할 수 있어.

$a_1=3$
$a_{n+1}=2a_n$

$a_1=3$
$\frac{a_{n+1}}{a_n}=2$

이렇게도 표현할 수 있지!

신유형·신경향 전략

01 다음 그래프는 어떤 사람이 정상적인 상태에 있을 때 시간에 따라 호흡기에 유입되는 공기의 흡입률을 나타낸 것이다. 숨을 들이쉬기 시작한 지 t $(t>0)$초 후 호흡기에 유입되는 공기의 흡입률을 y (리터/초)라 하면 함수 $y=a\sin bt$ $(a>0, b>0)$로 나타낼 수 있다.

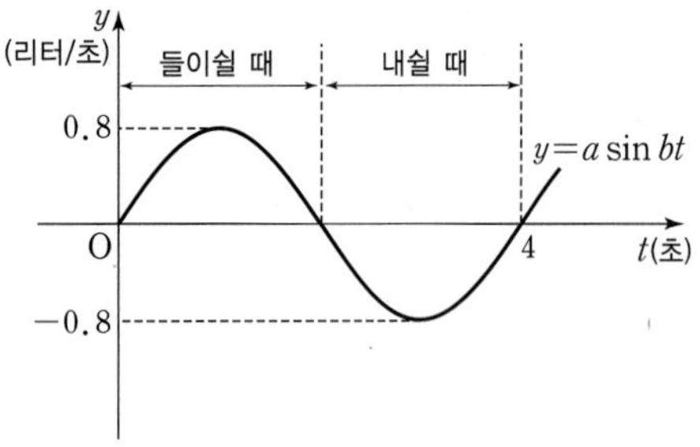

이 함수의 주기는 4이고, 최댓값은 0.8이다. 숨을 들이쉬기 시작한 시각으로부터 처음으로 흡입률이 -0.4(리터/초)가 되는 데 걸리는 시간을 구하시오.

Tip

함수 $y=a\sin bt$에서

최댓값은 ❶ ☐, 주기는 $\frac{❷ ☐}{|b|}$

답 ❶ $|a|$ ❷ 2π

02 밑면의 반지름의 길이가 6이고 높이가 25인 원기둥 모양의 물통에 물을 담아 다음 그림과 같이 수평으로 뉘었다. 수면과 원기둥의 밑면이 만나서 이루는 현에 대한 중심각의 크기가 $\frac{5}{6}\pi$일 때, 물통에 담겨 있는 물의 부피는 $a\pi+b$이다. 정수 a, b에 대하여 $a+b$의 값을 구하시오.

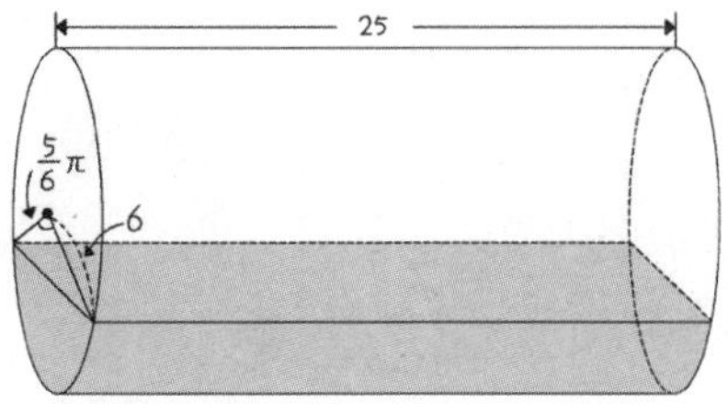

Tip

수면과 원기둥의 밑면이 만나 얻어지는 활꼴의 넓이는 중심각의 크기가 ❶ ☐ 이고 반지름의 길이가 ❷ ☐인 부채꼴의 넓이에서 두 변의 길이가 6이고 그 끼인각의 크기가 $\frac{5}{6}\pi$인 삼각형의 넓이를 빼서 구할 수 있다.

답 ❶ $\frac{5}{6}\pi$ ❷ 6

03 오른쪽 그림과 같이 $\overline{AC}=240\,\mathrm{m}$, $\overline{BC}=60\,\mathrm{m}$인 골프 홀이 있다. 이 골프 홀에서 한 선수가 A 지점에서 공을 쳐서 D 지점에 떨어졌을 때, $\angle CAD=\angle ACD=30°$이었다. $\angle BCD=30°$일 때, D 지점에서 B 지점까지의 거리를 구하시오.

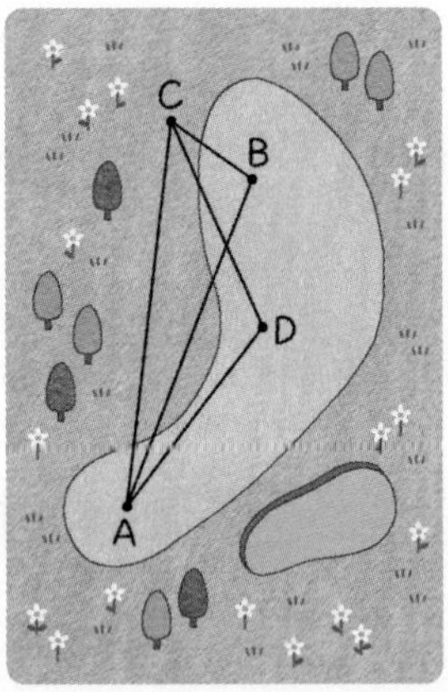

Tip

$\angle CAD=\angle ACD=30°$이므로 삼각형 ADC는 ❶ $\boxed{}$ $=\overline{AD}$인 ❷ $\boxed{}$ 삼각형이다.

답 ❶ $\overline{CD}$ ❷ 이등변

04 다음 그림과 같이 정사각형에 대각선을 각각 하나씩 그어 [도형 1]과 [도형 2]를 만든다.

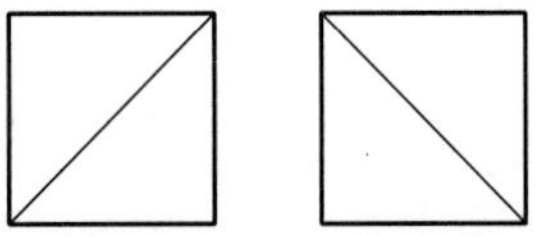

[도형 1] [도형 2]

[도형 1]과 [도형 2]를 번갈아 가며 계속 붙여 아래 그림과 같은 도형을 만든다. 그림과 같이 처음으로 붙여지는 [도형 1]의 왼쪽 아래 꼭짓점을 P라 하고, [도형 1]의 개수와 [도형 2]의 개수를 합하여 n개 붙여 만든 도형에서 가장 오른쪽 대각선의 끝점을 A_n이라 하자.

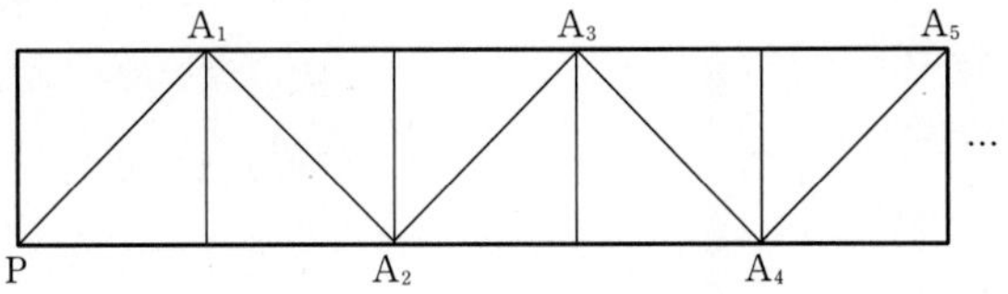

한 번 지나온 선분으로 되돌아갈 수 없고 오른쪽, 위, 대각선으로만 움직인다고 할 때, 꼭짓점 P에서 6개의 점 A_1, A_2, A_3, $\cdots$, A_6을 모두 거쳐서 점 A_7에 도착하는 경로의 수를 구하시오.

Tip

점 A_{2n-2}에서 점 A_{2n-1}로 가는 경로의 수는 ❶ $\boxed{}$, 점 A_{2n-1}에서 점 A_{2n}으로 가는 경로의 수는 ❷ $\boxed{}$이다.

답 ❶ 3 ❷ 1

05 다음 그림과 같이 1부터 100까지의 자연수가 배열되어 있는 숫자판에 9개의 수 (1, 2, 3, 11, 12, 13, 21, 22, 23)을 포함하는 어두운 정사각형이 놓여 있다. 이 어두운 정사각형을 오른쪽으로 m칸, 아래쪽으로 n칸 이동하였을 때, 이동된 정사각형 안의 모든 수의 합을 $S(m, n)$이라 하자. 예를 들면 $S(0, 0)$은 9개의 수 (1, 2, 3, 11, 12, 13, 21, 22, 23)의 합이고, $S(2, 1)$은 9개의 수 (13, 14, 15, 23, 24, 25, 33, 34, 35)의 합이다.

1	2	3	4	5	6	7	8	9	10
11	12	13	14	15	16	17	18	19	20
21	22	23	24	25	26	27	28	29	30
31	32	33	34	35	36	37	38	39	40
41	42	43	44	45	46	47	48	49	50
51	52	53	54	55	56	57	58	59	60
61	62	63	64	65	66	67	68	69	70
71	72	73	74	75	76	77	78	79	80
81	82	83	84	85	86	87	88	89	90
91	92	93	94	95	96	97	98	99	100

$|S(4, 2)-S(2, 4)|$의 값을 구하시오.

Tip

어두운 정사각형을 오른쪽으로 ❶ [ ]칸, 아래쪽으로 n칸 이동하였을 때, 어두운 정사각형 안의 모든 수는 처음 9개의 수보다 각각 (❷ [ ] $n+m$)만큼 큰 수로 대응한다.

답 ❶ m ❷ 10

06 다독이는 200쪽짜리 소설책을 모두 읽기 위하여 일주일 계획을 세웠다.

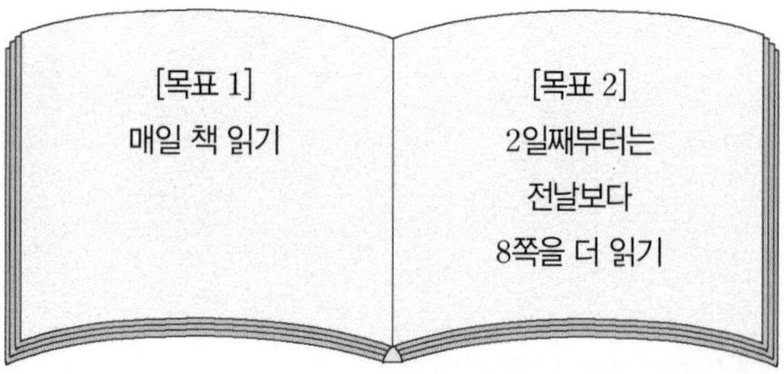
[목표 1]
매일 책 읽기
[목표 2]
2일째부터는
전날보다
8쪽을 더 읽기

다독이가 매일 두 가지 목표를 달성하여 계획 마지막 날에 소설책을 모두 읽었을 때, 다독이가 첫날 읽은 책의 페이지 수의 최솟값과 최댓값의 합을 구하시오.

Tip

읽기 시작한 지 n일째 되는 날 읽은 책의 페이지 수를 a_n이라 하면 수열 $\{a_n\}$은 공차가 ❶ [ ]인 ❷ [ ]수열이다.

답 ❶ 8 ❷ 등차

07

다음 그림은 한 변의 길이가 1인 정사각형 모양의 타일을 이용하여 아래의 방법으로 'ㅂ' 모양의 도형을 단계별로 만든 것이다.

> [1단계] 한 변의 길이가 1인 정사각형 모양의 타일로 가로의 길이가 3, 높이가 4, 각 획의 폭이 1이 되도록 'ㅂ' 모양의 도형 F_1을 만든다.
> [2단계] 도형 F_1의 가로의 길이를 2배, 높이를 2배, 각 획의 폭을 2배로 하여 'ㅂ' 모양의 도형 F_2를 만든다.
> [3단계] 도형 F_1의 가로의 길이를 3배, 높이를 3배, 각 획의 폭을 3배로 하여 'ㅂ' 모양의 도형 F_3을 만든다.
> ⋮
> [n단계] 도형 F_1의 가로의 길이를 n배, 높이를 n배, 각 획의 폭을 n배로 하여 'ㅂ' 모양의 도형 F_n을 만든다.
> ⋮

이와 같은 방법으로 도형 F_n을 만들 때, 사용된 타일의 개수를 a_n이라 하자. a_7의 값을 구하시오.

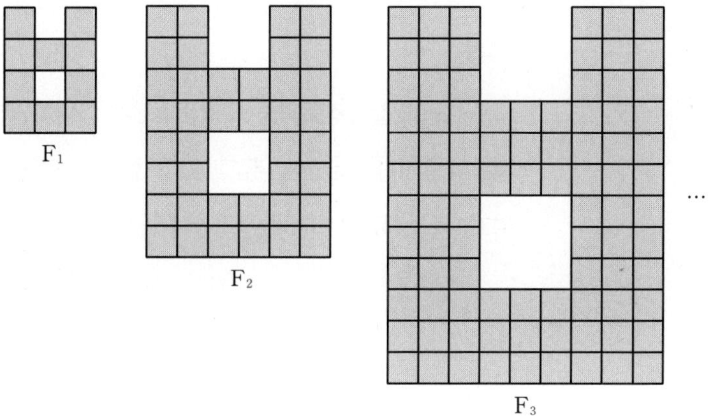

F_1 F_2 F_3 …

Tip

- 도형 F_1에서
  $a_1=$ ❶ $\square$ $\times 3-1^2\times 2=10$
- 도형 F_n에서
  $a_n=(4\times n)\times(3\times$ ❷ $\square$ $)-n^2\times 2$

답 ❶ 4 ❷ n

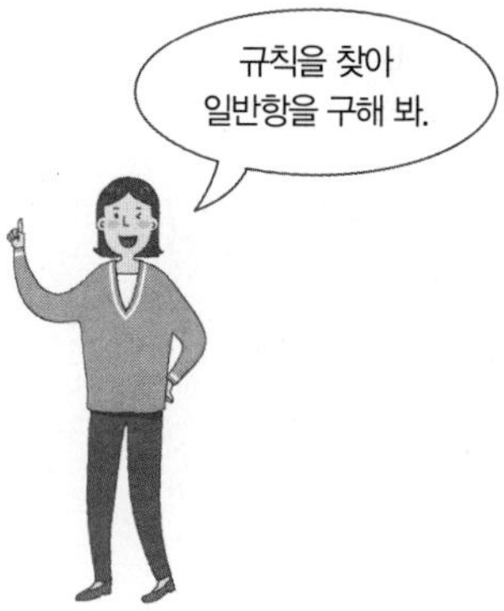

08

자연수 n에 대하여 점 P_n이 원 $x^2+y^2=1$ 위의 점일 때, 점 P_{n+1}을 다음 규칙에 따라 정한다.

> (가) 점 P_n이 제1사분면 위의 점이면, 점 P_{n+1}은 점 P_n을 원 위의 호를 따라 시계 반대 방향으로 $\frac{\pi}{2}$만큼 이동시킨 점이다.
> (나) 점 P_n이 제2사분면 또는 제4사분면 위의 점이면, 점 P_{n+1}은 점 P_n을 x축에 대하여 대칭이동시킨 점이다.
> (다) 점 P_n이 제3사분면 위의 점이면, 점 P_{n+1}은 점 P_n을 y축에 대하여 대칭이동시킨 점이다.

점 P_1의 좌표가 $\left(\frac{1}{2}, \frac{\sqrt{3}}{2}\right)$일 때, 점 P_{2022}의 좌표를 구하시오.

(단, 점 P_n은 좌표축 위의 점이 아니다.)

Tip

- 점 $\mathrm{P}_1\left(\frac{1}{2}, \frac{\sqrt{3}}{2}\right)$은 제 ❶ $\square$ 사분면 위의 점이다.
- 점 P_n의 좌표는 8개의 점 P_1, P_2, …, P_8이 주기적으로 반복된다.
  이때 $2022=8\times$ ❷ $\square$ $+6$이므로
  $\mathrm{P}_{2022}=\mathrm{P}_6$

답 ❶ 1 ❷ 252

1·2등급 확보 전략 1회

01

중심각의 크기가 30°, 반지름의 길이가 6인 부채꼴의 호의 길이는?

① $\frac{\pi}{6}$ ② $\frac{\pi}{2}$ ③ $\frac{2}{3}\pi$

④ π ⑤ $\frac{3}{2}\pi$

02

$0<\theta<\frac{\pi}{2}$에서 방정식

$$\log_3 \cos\theta - \log_3 \sin\theta = \frac{1}{2}$$

을 만족시키는 실수 θ의 값은?

① $\frac{\pi}{6}$ ② $\frac{\pi}{4}$ ③ $\frac{2}{7}\pi$

④ $\frac{\pi}{3}$ ⑤ $\frac{2}{5}\pi$

로그의 성질을 이용하면 쉽게 정리할 수 있어!

03

$\sin\theta - \cos\theta = \frac{\sqrt{2}}{2}$일 때, $\frac{1-\tan\theta}{\sin\theta}$의 값은?

① $-2\sqrt{2}$ ② $-\sqrt{2}$ ③ $-\frac{1}{2}$

④ $\sqrt{2}$ ⑤ $2\sqrt{2}$

04

다음 그림과 같이 정육각형 ABCDEF가 중심이 원점 O이고 반지름의 길이가 1인 원에 내접해 있다. 점 A의 좌표가 $\left(\frac{2}{3}, \frac{\sqrt{5}}{3}\right)$일 때, 동경 OD가 나타내는 각 θ에 대하여 $\cos\theta$의 값은?

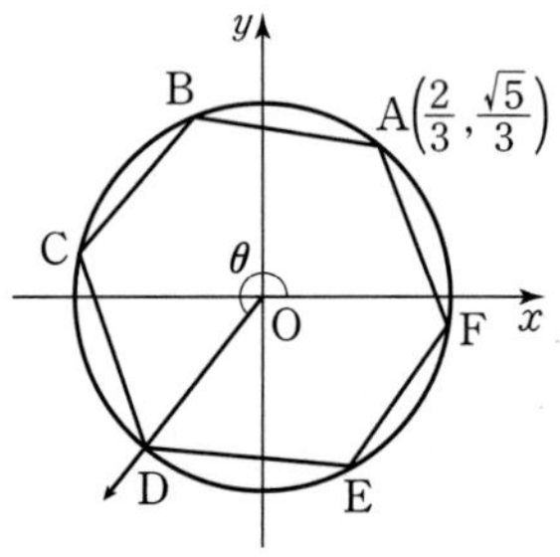

① $-\frac{2\sqrt{5}}{5}$ ② $-\frac{\sqrt{5}}{3}$ ③ $-\frac{2}{3}$

④ $-\frac{1}{2}$ ⑤ $\frac{2}{3}$

05

함수 $y=4\sin\frac{\pi}{3}x-1\ (0\le x\le 3)$의 그래프 위의 점 중에서 y좌표가 자연수인 점의 개수는?

① 1　② 2　③ 3　④ 4　⑤ 5

06

함수 $f(x)=\sin(ax+b)$의 그래프가 다음과 같다.

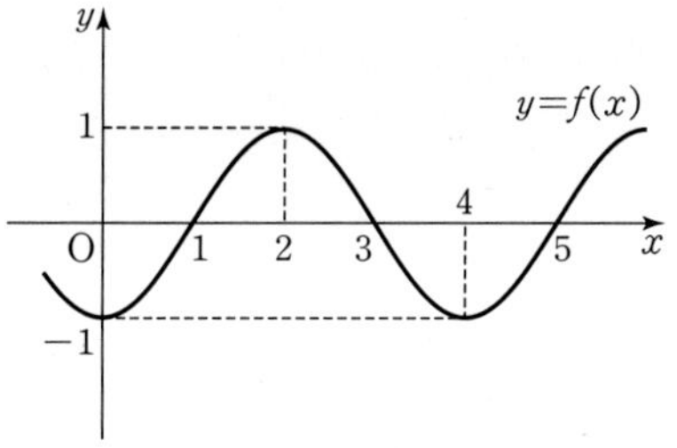

y
y=f(x)
1
O
1
2
3
4
5
x
−1

$f\left(\frac{4}{3}\right)$의 값은? (단, $a>0$, $-\pi<b<\pi$)

① $\frac{1}{5}$　② $\frac{1}{3}$　③ $\frac{\sqrt{3}}{4}$　④ $\frac{1}{2}$　⑤ $\frac{\sqrt{2}}{2}$

07

함수 $f(x)=a\cos x+1$의 최댓값을 M, 최솟값을 m이라 할 때, $M-m=50$이다. $4aM$의 값은? (단, $a>0$)

① 31　② 32　③ 33　④ 34　⑤ 35

함수 y=a cos x+1
의 최댓값과 최솟값은
어떻게 구하죠?
함수 y=a cos x의
최댓값은 |a|,
최솟값은 −|a|
임을 이용해 봐.

08

함수 $y=a\sin\frac{\pi}{b}x+1$의 최댓값이 3, 주기가 2일 때, $a+b$의 값은? (단, $a>0$, $b>0$)

① 2　② $\frac{5}{2}$　③ 3　④ $\frac{7}{2}$　⑤ 4

09

$-\pi < x < \pi$에서 함수 $y=\tan\left(2x-\frac{\pi}{2}\right)$의 그래프와 직선 $y=-x$가 만나는 점의 개수는?

① 2　② 4　③ 6　④ 8　⑤ 10

10

$0 \le x \le 4\pi$에서 방정식

$$2\sin^2 x - 3\cos\left(\frac{\pi}{2}+x\right)-2=0$$

의 모든 실근의 합은?

① 5π　② 6π　③ 7π　④ 8π　⑤ 9π

11

$0 \le x \le 4$에서 방정식

$$|\sin 2\pi x| = \frac{1}{3}$$

의 모든 실근의 합은?

① 35　② 34　③ 33　④ 32　⑤ 31

12

$0 < \theta < 2\pi$에서 이차방정식

$$2x^2+(4\sin\theta)x+\sin\theta=0$$

이 실근을 갖지 않도록 하는 실수 θ의 값의 범위는 $0<\theta<\alpha$ 또는 $\beta<\theta<\pi$이다. $3\alpha+\beta$의 값은?

① $\frac{5}{6}\pi$　② π　③ $\frac{7}{6}\pi$　④ $\frac{4}{3}\pi$　⑤ $\frac{3}{2}\pi$

13

삼각형 ABC에 대하여 $\overline{AC}=8$, $\overline{AB}=7$, $\angle A=60°$일 때, $\overline{BC}^2$의 값은?

① 56　② 57　③ 58
④ 59　⑤ 60

14

삼각형 ABC에 대하여 $\overline{BC}=\frac{\overline{AC}}{\sqrt{3}}=\frac{\overline{AB}}{2}$일 때, A의 크기는?

① $\frac{5}{6}\pi$　② $\frac{2}{3}\pi$　③ $\frac{\pi}{2}$
④ $\frac{\pi}{3}$　⑤ $\frac{\pi}{6}$

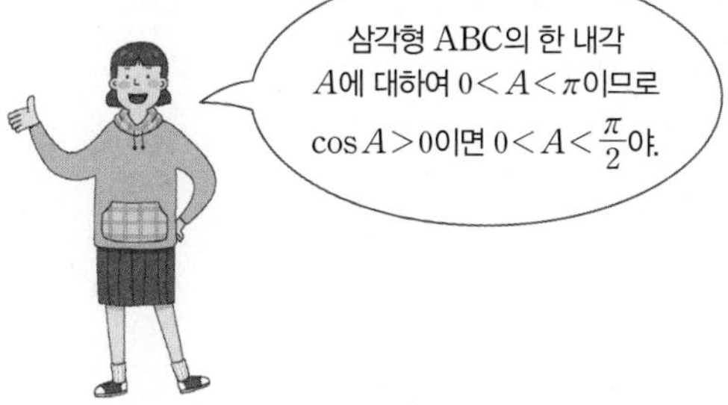

15

다음 그림과 같이 $\overline{BC}=6$, $\overline{AC}=b$, $\overline{AB}=c$인 예각삼각형 ABC가 있다. 삼각형 ABC의 세 꼭짓점을 지나는 원의 반지름의 길이가 4이고 $\sin B=\frac{3}{4}$일 때, $8\cos C$의 값은?

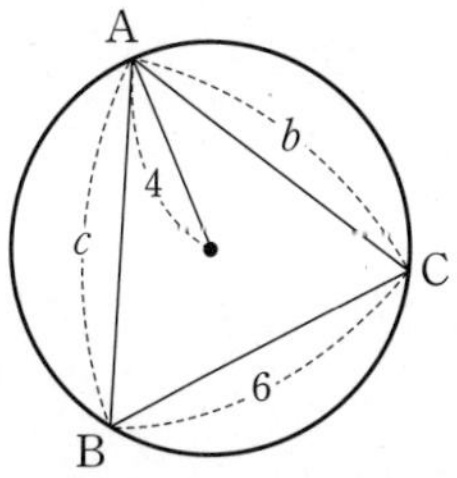

① 1　② 2　③ 3
④ 4　⑤ 5

16

다음 그림과 같이 삼각형 ABC의 $\overline{AB}$를 점 B의 방향으로 $\overline{AB}$의 길이의 50 %만큼 연장하여 점 P를 잡고, $\overline{AC}$를 점 A의 방향으로 $\overline{AC}$의 길이의 30 %만큼 연장하여 점 Q를 잡는다. 삼각형 ABC의 넓이가 40일 때, 삼각형 PCQ의 넓이는?

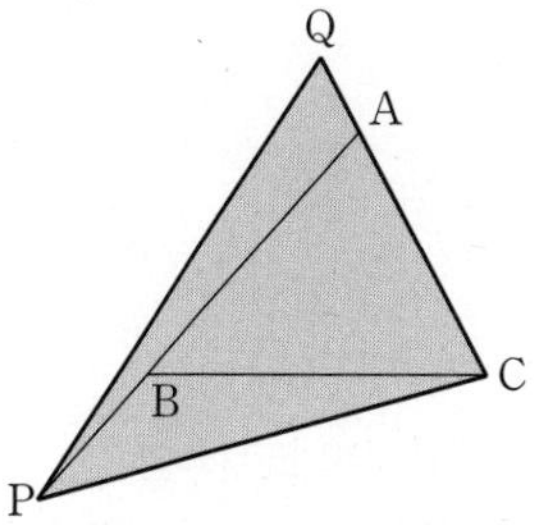

① 76　② 77　③ 78
④ 79　⑤ 80

1·2등급 확보 전략 2회

01

등차수열 $\{a_n\}$에 대하여 $a_2=4$, $a_4+a_8=16$일 때, a_{14}의 값은?

① 8 ② 10 ③ 12
④ 14 ⑤ 16

02

네 수 6, a, b, 12가 이 순서대로 등비수열을 이룰 때, ab의 값은?

① 56 ② 64 ③ 72
④ 80 ⑤ 144

03

서로 다른 자연수로 이루어진 등차수열 $\{a_n\}$의 세 항 a_2, a_5, a_{14}가 이 순서대로 등비수열을 이룰 때, a_{10}의 최솟값은?

① 13 ② 15 ③ 17
④ 19 ⑤ 21

a_5는 a_2와 a_{14}의 등비중항이야!

04

3과 33 사이에 k개의 수 a_1, a_2, a_3, $\cdots$, a_k를 넣어 등차수열을 만들려고 한다. 만든 등차수열의 공차가 1이 아닌 최소의 자연수일 때, $a_1+a_2+a_3+\cdots+a_k$의 값은?

① 250 ② 252 ③ 254
④ 256 ⑤ 258

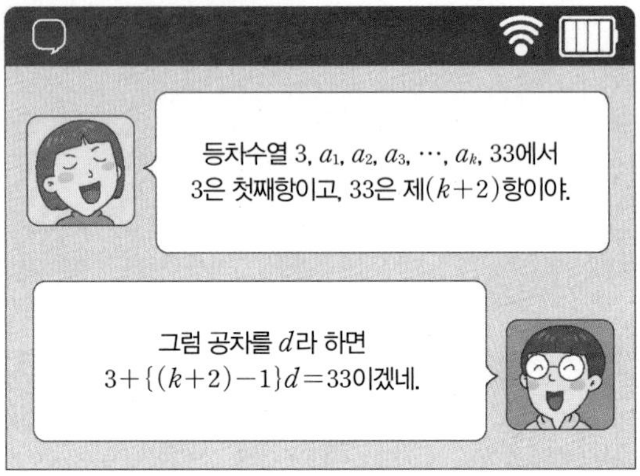
등차수열 3, a_1, a_2, a_3, $\cdots$, a_k, 33에서 3은 첫째항이고, 33은 제$(k+2)$항이야.
그럼 공차를 d라 하면 $3+\{(k+2)-1\}d=33$이겠네.

05

공차가 음수인 등차수열 $\{a_n\}$이 다음 조건을 만족시킨다.

> (가) $a_5+a_7=0$
> (나) $|a_4|=|a_6|+6$

a_2의 값은?

① 12 ② 13 ③ 14
④ 15 ⑤ 16

06

$\sum_{k=1}^{10}(k+5)(k-2)-\sum_{k=1}^{10}(k-5)(k+2)$의 값은?

① 310　② 320　③ 330　④ 340　⑤ 350

07

함수 $f(x)=4x-3$에 대하여 $\sum_{k=1}^{9}f(k+1)-\sum_{k=2}^{10}f(k-1)$의 값은?

① 33　② 34　③ 35　④ 36　⑤ 37

∑의 성질을 이용할 수 없는데 어떡하지?
∑를 사용하지 않은 합의 꼴로 나타내 봐.

08

수열 $\{a_n\}$의 첫째항부터 제n항까지의 합 S_n이 다항식 $2x^2+x+1$을 $x-n$으로 나누었을 때의 나머지와 같을 때, a_5의 값은?

① 11　② 13　③ 15　④ 17　⑤ 19

a_5의 값을 어떻게 구하지?

나머지정리를 이용하면 S_n을 구할 수 있어.

09

이차방정식 $x^2-kx+45=0$의 두 근을 $\alpha, \beta\ (\alpha<\beta)$라 할 때, 세 수 $\alpha, \beta-\alpha, \beta$가 이 순서대로 등비수열을 이룬다. 양수 k의 값은?

① 12　② 15　③ 18　④ 21　⑤ 24

이차방정식의 근과 계수의 관계를 떠올려 봐!

10

수열 $\{a_n\}$의 첫째항부터 제n항까지의 합 S_n이 $S_n=n^2$이다. $\displaystyle\sum_{k=1}^{50}\frac{1}{a_k a_{k+1}}=\frac{q}{p}$일 때, $p+q$의 값은?

(단, p, q는 서로소인 자연수이다.)

① 111　② 121　③ 131　④ 141　⑤ 151

11

첫째항이 50인 수열 $\{a_n\}$이 모든 자연수 n에 대하여

$$a_{n+1}=\begin{cases} a_n+3 & (a_n\text{이 홀수}) \\ \dfrac{a_n}{2} & (a_n\text{이 짝수}) \end{cases}$$

일 때, $a_n=1$을 만족시키는 100보다 작은 자연수 n의 개수는?

① 29　② 30　③ 31　④ 32　⑤ 33

12

수열 $\{a_n\}$이 모든 자연수 n에 대하여 다음 조건을 만족시킨다.

> (가) $a_{2n}=a_n-1$
> (나) $a_{2n+1}=2a_n+2$

$a_{20}=20$일 때, a_3+a_4의 값은?

① 33　② 34　③ 35　④ 36　⑤ 37

13

첫째항이 1인 수열 $\{a_n\}$이 모든 자연수 n에 대하여 다음 조건을 만족시킨다.

> (가) $a_{n+1}>a_n$
> (나) $(a_n+a_{n+1})^2=4a_n a_{n+1}+4$

$\displaystyle\sum_{k=1}^{10}a_k$의 값은?

① 55　② 80　③ 100　④ 110　⑤ 220

14

수열 $\{a_n\}$이 $a_1=0$이고, 모든 자연수 n에 대하여

$$a_{n+1}=(-1)^n a_n+\sin\frac{n\pi}{2}$$

일 때, $\sum_{k=1}^{11} a_k$의 값은?

① -4　　② -2　　③ 2
④ 4　　⑤ 6

15

공비가 2인 등비수열 $\{a_n\}$에 대하여

$$A_n=\sum_{k=1}^{n}(a_k+a_{k+1}),\ B_n=\sum_{k=1}^{n}(a_{2k-1}+a_{2k})$$

이고, 수열 $\{c_n\}$에 대하여

$$B_n-A_n=c_n\times\sum_{k=2}^{n}a_k\ (n\geq 2)$$

일 때, c_5의 값은?

① 31　　② 32　　③ 33
④ 34　　⑤ 35

$B_n-A_n=c_n\times\sum_{k=2}^{n}a_k$의
n에 5를 대입하면
c_5의 값을 구할 수
있을 것 같아.
A_n, B_n의 식에 각각
$n=5$를 대입하여
B_5-A_5를 계산해 보자.

16

수열 $\{a_n\}$은 $a_1=2$이고, $S_n=\sum_{k=1}^{n}a_k$라 할 때,

$$a_{n+1}=\frac{S_n}{a_n}\ (n\geq 1)$$

을 만족시킨다. 다음은 S_n을 구하는 과정이다.

> $a_1=S_1$이므로 주어진 식에 의하여
>
> $a_2=\dfrac{S_1}{a_1}=1$
>
> 이다. 주어진 식의 양변에 a_n을 곱하면
>
> $a_n a_{n+1}=S_n\ (n\geq 1)$
>
> 이므로 $n\geq 3$일 때,
>
> $a_n=\dfrac{S_{n-1}}{a_{n-1}}=\dfrac{S_{n-2}+a_{n-1}}{a_{n-1}}$
>
> $=\dfrac{a_{n-2}a_{n-1}+a_{n-1}}{a_{n-1}}$
>
> $=a_{n-2}+1$
>
> 이다. 일반항 a_n을 구하면 자연수 k에 대하여
>
> $a_n=\begin{cases} k+1 & (n=2k-1) \\ \boxed{(가)} & (n=2k) \end{cases}$
>
> 이다. 따라서 S_n을 구하면
>
> $S_n=\begin{cases} (k+1)\times\boxed{(가)} & (n=2k-1) \\ \boxed{(나)} & (n=2k) \end{cases}$
>
> 이다.

위의 (가), (나)에 알맞은 식을 각각 $f(k)$, $g(k)$라 할 때, $f(5)+g(8)$의 값은?

① 55　　② 65　　③ 75
④ 85　　⑤ 95

memo
시
험
대
박

수능공략 필승학습!
단기간에 끝장내자!

실전에 강한

수능전략

BOOK 3

정답과 해설

수학 영역 수학 I

천재교육

수능전략

수·학·영·역

수학 I

BOOK 3

정답과 해설

수학 I (전편)

WEEK

1

지수와 로그

DAY

1 개념 돌파 전략 ②

12~13쪽

1 ⑤	2 ④	3 ③	4 ③	5 ④	6 ④

1 5의 세제곱근 중 실수인 것은 $\sqrt[3]{5}$이므로 $x=\sqrt[3]{5}$

$\therefore x^3=(\sqrt[3]{5})^3=5$

2 $2^3\times4^{-2}\div\frac{1}{8}=2^3\times(2^2)^{-2}\div\frac{1}{2^3}$

$=2^3\times2^{-4}\div2^{-3}$

$=2^{3+(-4)-(-3)}$

$=2^2=4$

밑이 같은 경우에
지수법칙을 이용하여
계산할 수 있어.

3 $\sqrt[3]{16}\div2^{\frac{1}{3}}=\sqrt[3]{2^4}\div2^{\frac{1}{3}}$

$=2^{\frac{4}{3}}\div2^{\frac{1}{3}}$

$=2^{\frac{4}{3}-\frac{1}{3}}$

$=2^1=2$

LECTURE 지수의 확장

(1) $a\neq0$이고 n이 양의 정수일 때

$a^0=1,\ a^{-n}=\frac{1}{a^n}$

(2) $a>0$이고 $m,\ n\ (n\geq2)$이 정수일 때

$a^{\frac{m}{n}}=\sqrt[n]{a^m},\ a^{\frac{1}{n}}=\sqrt[n]{a}$

(3) $a>0,\ b>0$이고 $x,\ y$가 실수일 때

① $a^xa^y=a^{x+y}$ ② $a^x\div a^y=a^{x-y}$

③ $(a^x)^y=a^{xy}$ ④ $(ab)^x=a^xb^x$

4 $\log_2(5-x)$가 정의되려면

진수의 조건에서 $5-x>0$ $\therefore x<5$

따라서 $M=4$이므로

$(\sqrt{2})^M=(\sqrt{2})^4=(2^{\frac{1}{2}})^4=2^2=4$

5 $\log_3\frac{9}{2}+\log_3 6=\log_3\left(\frac{9}{2}\times6\right)$

$=\log_3 27$

$=\log_3 3^3=3$

6 $\log 12=\log(2^2\times3)$

$=2\log2+\log3$

$=2\times0.3010+0.4771$

$=1.0791$

DAY

2 필수 체크 전략 ①

14~17쪽

1-1 ③	1-2 ②	2-1 ⑤	2-2 ③
3-1 41	3-2 ④	4-1 ③	4-2 ⑤
5-1 ④	5-2 5	6-1 ①	6-2 ③
7-1 ②	7-2 2	8-1 ④	8-2 9

1-1 $\sqrt[3]{9}\times3^{\frac{1}{3}}=3^{\frac{2}{3}}\times3^{\frac{1}{3}}$

$=3^{\frac{2}{3}+\frac{1}{3}}$

$=3^1=3$

1-2 $2^{\sqrt{2}}\times2^{1-\sqrt{2}}=2^{\sqrt{2}+(1-\sqrt{2})}$

$=2^1=2$

2-1 $(ab)^6=(\sqrt{2}\times\sqrt[3]{3})^6$

$=(2^{\frac{1}{2}}\times3^{\frac{1}{3}})^6$

$=2^3\times3^2=72$

2-2 $\sqrt{\sqrt[3]{4^n}}={}^{2\times3}\sqrt{4^n}=(4^n)^{\frac{1}{6}}=(2^{2n})^{\frac{1}{6}}=2^{\frac{n}{3}}$이 자연수가 되려면 n은 3의 배수이어야 한다.

따라서 $n<100$인 자연수 n은 3, 6, 9, …, 99로 그 개수는 33이다.

3-1 $\sqrt[n]{4^{10}}=(2^{20})^{\frac{1}{n}}=2^{\frac{20}{n}}$이 자연수가 되려면 n은 20의 약수이어야 한다.

따라서 2 이상의 자연수 n은 2, 4, 5, 10, 20이므로 그 합은

$2+4+5+10+20=41$

3-2 $1<a<1000$인 자연수 a에 대하여

$(\sqrt[3]{a^5})^{\frac{1}{5}}=(a^{\frac{5}{3}})^{\frac{1}{5}}=a^{\frac{1}{3}}$이 자연수가 되려면

a는 2^3, 3^3, …, 9^3이어야 한다.

따라서 자연수 a의 개수는 8이다.

4-1 256의 n제곱근을 x라 하면

$x=\sqrt[n]{256}=\sqrt[n]{2^8}=2^{\frac{8}{n}}$

이때 x가 자연수가 되려면 n은 8의 약수이어야 한다.

따라서 2 이상의 자연수 n은 2, 4, 8이므로 그 합은

$2+4+8=14$

4-2 3^8의 n제곱근과 4^6의 n제곱근을 각각 x, y라 하면

$x=\sqrt[n]{3^8}=3^{\frac{8}{n}}$, $y=\sqrt[n]{4^6}=4^{\frac{6}{n}}=2^{\frac{12}{n}}$

이때 x, y가 모두 자연수가 되려면 n은 8과 12의 공약수, 즉 4의 약수이어야 한다.

따라서 2 이상의 자연수 n은 2, 4이므로 그 합은

$2+4=6$

5-1 $1\le a\le 200$인 자연수 a에 대하여

$x=\sqrt[3]{a}$가 자연수이므로

a는 1^3, 2^3, 3^3, 4^3, 5^3

따라서 $A=\{1, 2, 3, 4, 5\}$이므로 집합 A의 모든 원소의 합은

$1+2+3+4+5=15$

5-2 $1\le a\le 100$인 자연수 a에 대하여

$x=\sqrt{a}$가 자연수이므로

a는 1^2, 2^2, 3^2, …, 10^2

$\therefore A=\{1, 2, 3, \cdots, 10\}$

또 $1\le b\le 10$인 자연수 b에 대하여

$x=\sqrt[3]{b^2}=b^{\frac{2}{3}}$이 자연수이므로

b는 1^3, 2^3

$\therefore B=\{1, 4\}$

따라서 집합 B의 모든 원소의 합은

$1+4=5$

오답 피하기

$x=\sqrt[3]{b^2}=b^{\frac{2}{3}}$에서 b는 1^3, 2^3이므로 x는

$(1^3)^{\frac{2}{3}}=1^2=1$, $(2^3)^{\frac{2}{3}}=2^2=4$

6-1 $a+a^{-1}=5$의 양변을 제곱하면

$a^2+2aa^{-1}+a^{-2}=25$

$a^2+2+\frac{1}{a^2}=25$

$\therefore a^2+\frac{1}{a^2}=25-2=23$

6-2 $\frac{a+a^{-1}}{a-a^{-1}}$의 분모, 분자에 a를 각각 곱하면

$$\frac{a+a^{-1}}{a-a^{-1}}=\frac{a(a+a^{-1})}{a(a-a^{-1})}=\frac{a^2+1}{a^2-1}=\frac{2+1}{2-1}=3$$

7-1 $3^x=12^y=6$에서 $3=6^{\frac{1}{x}}$, $12=6^{\frac{1}{y}}$

이때 $3\times12=6^{\frac{1}{x}}\times6^{\frac{1}{y}}=6^{\frac{1}{x}+\frac{1}{y}}$이므로

$36=6^2=6^{\frac{1}{x}+\frac{1}{y}}$

$\therefore \frac{1}{x}+\frac{1}{y}=2$

7-2 $24^x=4$, $6^y=8$에서

$24=4^{\frac{1}{x}}=2^{\frac{2}{x}}$, $6=8^{\frac{1}{y}}=2^{\frac{3}{y}}$

이때 $\frac{24}{6}=\frac{2^{\frac{2}{x}}}{2^{\frac{3}{y}}}=2^{\frac{2}{x}-\frac{3}{y}}$이므로

$4=2^2=2^{\frac{2}{x}-\frac{3}{y}}$

$\therefore \frac{2}{x}-\frac{3}{y}=2$

8-1 이차방정식 $2x^2-7x+2=0$의 두 근이 α, β이므로 이차방정식의 근과 계수의 관계에 의하여

$\alpha+\beta=\frac{7}{2}$, $\alpha\beta=1$

$\therefore 4^{\frac{1}{\alpha}}\times4^{\frac{1}{\beta}}=4^{\frac{1}{\alpha}+\frac{1}{\beta}}=4^{\frac{\alpha+\beta}{\alpha\beta}}$

$=4^{\frac{7}{2}}=(2^2)^{\frac{7}{2}}$

$=2^7=128$

LECTURE 이차방정식의 근과 계수의 관계

이차방정식 $ax^2+bx+c=0$의 두 근을 α, β라 할 때

(1) $\alpha+\beta=-\frac{b}{a}$ (2) $\alpha\beta=\frac{c}{a}$

8-2 이차방정식 $x^2-4x+1=0$의 두 근이 α, β이므로 이차방정식의 근과 계수의 관계에 의하여

$\alpha+\beta=4$, $\alpha\beta=1$

$\therefore \sqrt{3^{\frac{1}{\alpha}}}\times\sqrt{3^{\frac{1}{\beta}}}=\sqrt{3^{\frac{1}{\alpha}}\times3^{\frac{1}{\beta}}}=\sqrt{3^{\frac{1}{\alpha}+\frac{1}{\beta}}}=\sqrt{3^{\frac{\alpha+\beta}{\alpha\beta}}}$

$=\sqrt{3^4}=3^2=9$

DAY **2** **필수 체크 전략 ②** | 18~19쪽

01 ②	**02** ④	**03** ③	**04** ④	**05** ③
06 ③	**07** 2	**08** ④	**09** 11	**10** ③

01 $\left(\frac{2^{\sqrt3}}{4}\right)^{\sqrt3+2}=(2^{\sqrt3-2})^{\sqrt3+2}$

$=2^{(\sqrt3-2)(\sqrt3+2)}$

$=2^{3-4}=2^{-1}=\frac{1}{2}$

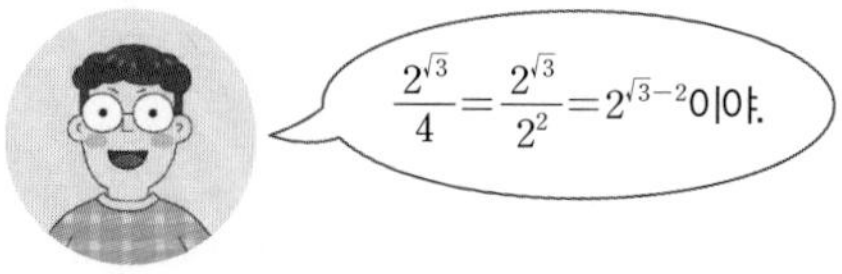

$\frac{2^{\sqrt3}}{4}=\frac{2^{\sqrt3}}{2^2}=2^{\sqrt3-2}$이야.

02 $9^{\frac{1}{2}}\times\sqrt[3]{8}=(3^2)^{\frac{1}{2}}\times(2^3)^{\frac{1}{3}}$

$=3^{2\times\frac{1}{2}}\times2^{3\times\frac{1}{3}}$

$=3\times2=6$

03 $(5^{\sqrt5})^{2\sqrt5}\div5^3\times(\sqrt[3]{5})^{15}=5^{\sqrt5\times2\sqrt5}\div5^3\times(5^{\frac{1}{3}})^{15}$

$=5^{10}\div5^3\times5^5$

$=5^{10-3+5}=5^{12}$

$\therefore k=12$

04 $(\sqrt{3\sqrt7})^4=(3\sqrt7)^2$

$=3^2\times(\sqrt7)^2$

$=9\times7=63$

다른 풀이

$(\sqrt{3\sqrt7})^4=\left(\sqrt{3\times7^{\frac{1}{2}}}\right)^4$

$=\{(3\times7^{\frac{1}{2}})^{\frac{1}{2}}\}^4$

$=(3^{\frac{1}{2}}\times7^{\frac{1}{4}})^4$

$=3^2\times7=63$

05 3의 네제곱근 중에서 실수는 $-\sqrt[4]{3}$, $\sqrt[4]{3}$이므로

$x=\sqrt[4]{3}$ ($\because x>0$)

이때 $x^n=(\sqrt[4]{3})^n=3^{\frac{n}{4}}$이 두 자리 자연수가 되려면

$3^{\frac{n}{4}}=3^3$ 또는 $3^{\frac{n}{4}}=3^4$

즉 $\frac{n}{4}=3$ 또는 $\frac{n}{4}=4$

따라서 자연수 n은 12, 16이므로 그 합은

$12+16=28$

06 $5\log b=3\log a$에서

$\log b^5=\log a^3$이므로 $b^5=a^3$

$\therefore (ab^3)^5=a^5b^{15}=a^5(b^5)^3$

$=a^5(a^3)^3=a^5a^9$

$=a^{14}=(a^7)^2$

$=(\sqrt{2})^2=2\ (\because a^7=\sqrt{2})$

07 $\dfrac{2^x+2^{-x}}{2^x-2^{-x}}$의 분모, 분자에 2^x을 각각 곱하면

$\dfrac{2^x(2^x+2^{-x})}{2^x(2^x-2^{-x})}=\dfrac{4^x+1}{4^x-1}$

이때 $4^{x+1}=12$에서 $4\times4^x=12$ $\quad\therefore 4^x=3$

$\therefore \dfrac{2^x+2^{-x}}{2^x-2^{-x}}=\dfrac{4^x+1}{4^x-1}$

$=\dfrac{3+1}{3-1}=\dfrac{4}{2}=2$

08 $(\sqrt[3]{8^2})^{\frac{1}{6}}=(\sqrt[3]{2^6})^{\frac{1}{6}}=\left(2^{\frac{6}{3}}\right)^{\frac{1}{6}}=2^{\frac{1}{3}}$이 어떤 자연수의 n제곱근이 되려면 $2^{\frac{n}{3}}$이 자연수이어야 하므로 n은 3의 배수이어야 한다.

따라서 $2\le n<10$인 자연수 n은 3, 6, 9이므로 그 합은

$3+6+9=18$

09 $2^{-a+1}+2^{-b+1}=\dfrac{15}{4}$에서

$2(2^{-a}+2^{-b})=\dfrac{15}{4}$이므로 $2^{-a}+2^{-b}=\dfrac{15}{8}$

이때

$2^{-a}+2^{-b}=\dfrac{1}{2^a}+\dfrac{1}{2^b}$

$=\dfrac{2^a+2^b}{2^a\times2^b}=\dfrac{2^a+2^b}{2^{a+b}}$

$=\dfrac{5}{2^{a+b}}=\dfrac{15}{8}$

이므로 $3\times2^{a+b}=8$ $\quad\therefore 2^{a+b}=\dfrac{8}{3}$

따라서 $p=3$, $q=8$이므로

$p+q=3+8=11$

10 $2\le n<10$인 자연수 n에 대하여

(i) n이 홀수이고 $n^2-6n<0$일 때

$n(n-6)<0$이므로 $0<n<6$

이때 조건을 만족시키는 n의 값의 범위는

$2\le n<6$

즉 n의 값은 3, 5이다.

(ii) n이 짝수이고 $n^2-6n>0$일 때

$n(n-6)>0$이므로

$n<0$ 또는 $n>6$

이때 조건을 만족시키는 n의 값의 범위는

$6<n<10$

즉 n의 값은 8이다.

(i), (ii)에서 n의 값은 3, 5, 8이므로 그 합은

$3+5+8=16$

LECTURE n제곱근

n이 2 이상의 정수일 때, 실수 a의 n제곱근 중에서 실수인 것은 다음과 같다.

	$a>0$	$a=0$	$a<0$
n이 홀수	$\sqrt[n]{a}$	0	$\sqrt[n]{a}$
n이 짝수	$\sqrt[n]{a}$, $-\sqrt[n]{a}$	0	없다.

DAY 3 필수 체크 전략 ①

20~23쪽

1-1 3	**1-2** ①	**2-1** ⑤	**2-2** ⑤
3-1 ③	**3-2** ①	**4-1** ①	**4-2** ①
5-1 ⑤	**5-2** 21	**6-1** ④	**6-2** 12
7-1 ①	**7-2** 48	**8-1** ①	**8-2** ⑤

1-1 $\log_2\dfrac{4}{3}+\log_2 6=\log_2\left(\dfrac{4}{3}\times6\right)$

$=\log_2 8=\log_2 2^3$

$=3$

1-2 $\log_5 6-2\log_5 5\sqrt{3}+\log_5 \frac{1}{2}$

$=\log_5 6-\log_5 (5\sqrt{3})^2+\log_5 \frac{1}{2}$

$=\log_5 \frac{6\times\frac{1}{2}}{(5\sqrt{3})^2}$

$=\log_5 \frac{1}{25}$

$=\log_5 5^{-2}=-2$

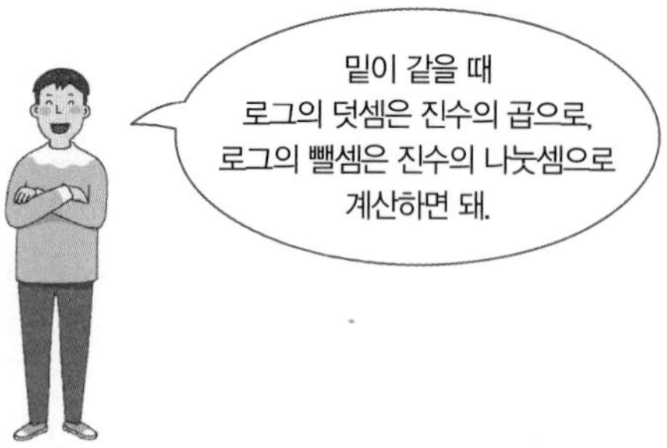
밑이 같을 때
로그의 덧셈은 진수의 곱으로,
로그의 뺄셈은 진수의 나눗셈으로
계산하면 돼.

2-1 $a=\sqrt[3]{5^2}$, $b=\sqrt[4]{5^3}$에서 $a=5^{\frac{2}{3}}$, $b=5^{\frac{3}{4}}$

따라서 $a^3b^4=(5^{\frac{2}{3}})^3\times(5^{\frac{3}{4}})^4=5^2\times5^3=5^5$이므로

$\log_5 a^3b^4=\log_5 5^5=5$

2-2 $\log_a 2=3$, $\log_b 4=2$에서 $a^3=2$, $b^2=4$

따라서 $a=2^{\frac{1}{3}}$, $b=4^{\frac{1}{2}}=2$이므로

$\log_a b=\log_{2^{\frac{1}{3}}} 2$

$=\frac{1}{\frac{1}{3}}\log_2 2=3$

3-1 밑의 조건에서 $x-1>0$, $x-1\neq1$

즉 $x>1$, $x\neq2$이므로

$1<x<2$ 또는 $x>2$ …… ㉠

또 진수의 조건에서 $6-x>0$

$x<6$ …… ㉡

㉠, ㉡에서 $1<x<2$ 또는 $2<x<6$

따라서 정수 x는 3, 4, 5로 그 개수는 3이다.

3-2 밑의 조건에서 $|x|>0$, $|x|\neq1$

즉 $x\neq-1, 0, 1$이므로

$x<-1$ 또는 $-1<x<0$ 또는 $0<x<1$ 또는 $x>1$

…… ㉠

또 진수의 조건에서 $-x^2+x+6>0$

$x^2-x-6<0$, $(x+2)(x-3)<0$

$-2<x<3$ …… ㉡

㉠, ㉡에서

$-2<x<-1$ 또는 $-1<x<0$ 또는 $0<x<1$ 또는 $1<x<3$

따라서 정수 x는 2로 그 개수는 1이다.

4-1 $\log_2 \frac{a}{2}=3$에서 $\frac{a}{2}=2^3$, $a=16$

$\log_{\sqrt{2}} b=4$에서 $b=(\sqrt{2})^4=(2^{\frac{1}{2}})^4=2^2=4$

$\therefore \log_a b=\log_{16} 4=\frac{1}{2}$

4-2 $\log_5 \frac{a}{2}=b$에서 $\frac{a}{2}=5^b$

$\log_{\sqrt{2}} a=4$에서 $a=(\sqrt{2})^4=(2^{\frac{1}{2}})^4=2^2=4$

따라서 $5^b=\frac{4}{2}=2$이므로

$\log_2 5^b=\log_2 2=1$

5-1 $\frac{\log a}{2}=\frac{\log b}{3}$에서 $\frac{\log b}{\log a}=\frac{3}{2}$, $\log_a b=\frac{3}{2}$

$\therefore \log_{\sqrt{a}} b^3=2\log_a b^3=6\log_a b=6\times\frac{3}{2}=9$

5-2 $3\log a=5\log b$에서 $\frac{\log b}{\log a}=\frac{3}{5}$, $\log_a b=\frac{3}{5}$

$\therefore 10\log_a b+9\log_b a=10\times\frac{3}{5}+9\times\frac{5}{3}=21$

오답 피하기

$\log_a b=\frac{\log b}{\log a}$, $\log_b a=\frac{\log a}{\log b}$이므로 $\log_a b$와 $\log_b a$는 서로 역수이다.

6-1 이차방정식 $x^2-4x+1=0$의 두 근이 $\log_2 a$, $\log_2 b$이므로 이차방정식의 근과 계수의 관계에 의하여

$\log_2 a+\log_2 b=4$

$\log_2 ab=4$ $\quad\therefore ab=2^4=16$

6-2 이차방정식 $x^2-mx+1=0$의 두 근이 $\log a$, $\log b$이므로 이차방정식의 근과 계수의 관계에 의하여

$\log a+\log b=m$, $\log a\times\log b=1$

따라서

$$\log_a b+\log_b a=\frac{\log b}{\log a}+\frac{\log a}{\log b}$$
$$=\frac{(\log a)^2+(\log b)^2}{\log a\log b}$$
$$=\frac{(\log a+\log b)^2-2\log a\log b}{\log a\log b}$$
$$=\frac{m^2-2}{1}=10$$

이므로 $m^2=12$

7-1 두 점 $(1,\ \log_5 2)$, $(3,\ \log_5 50)$을 지나는 직선의 기울기는

$$\frac{\log_5 50-\log_5 2}{3-1}=\frac{\log_5\frac{50}{2}}{2}=\frac{\log_5 5^2}{2}=\frac{2}{2}=1$$

7-2 세 점 $(1,\ \log_2 3)$, $(2,\ \log_2 12)$, $(3,\ \log_2 a)$가 한 직선 위에 존재하므로

$$\frac{\log_2 12-\log_2 3}{2-1}=\frac{\log_2 a-\log_2 12}{3-2}$$

$\log_2 4=\log_2\frac{a}{12}$, $4=\frac{a}{12}$

$\therefore\ a=48$

오답 피하기

세 점이 한 직선 위에 존재하면 세 점 중 임의의 두 점을 잇는 직선의 기울기는 서로 같다.

8-1 $2^{a+b}=3$에서

$a+b=\log_2 3=\frac{\log 3}{\log 2}$

$9^{a-b}=16$에서 $a-b=\log_9 16=\frac{\log 16}{\log 9}$

$$\therefore\ a^2-b^2=(a+b)(a-b)$$
$$=\frac{\log 3}{\log 2}\times\frac{\log 16}{\log 9}$$
$$=\frac{\log 3}{\log 2}\times\frac{4\log 2}{2\log 3}=2$$

8-2 $3^{x-y}=7$에서 $x-y=\log_3 7$

$\therefore\ 5^{x^2-y^2}=(5^{x+y})^{x-y}=3^{\log_3 7}=7$

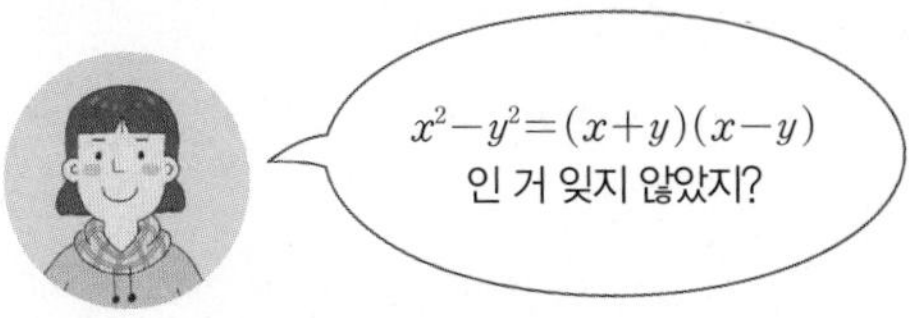

DAY **3** 필수 체크 전략 ② | 24~25쪽

01 ③	**02** ④	**03** ③	**04** ②	**05** ⑤
06 ③	**07** 24	**08** 4	**09** ②	**10** ③

01 $\log_{\sqrt{2}}10+\log_2\frac{4}{25}=\log_{(\sqrt{2})^2}10^2+\log_2\frac{4}{25}$

$$=\log_2\left(100\times\frac{4}{25}\right)$$
$$=\log_2 16=\log_2 2^4=4$$

02 $\frac{1}{\log_3 5}+\frac{1}{\log_4 5}=\frac{1}{\log_k 5}$에서 $\log_5 3+\log_5 4=\log_5 k$

$\log_5 12=\log_5 k$

$\therefore\ k=12$

03 밑의 조건에서 $x-3>0$, $x-3\neq1$

즉 $x>3$, $x\neq4$이므로

$3<x<4$ 또는 $x>4$ …… ㉠

또 진수의 조건에서 $-x^2+10x-16>0$

$x^2-10x+16<0$, $(x-2)(x-8)<0$

$2<x<8$ …… ㉡

㉠, ㉡에서 $3<x<4$ 또는 $4<x<8$

따라서 정수 x는 5, 6, 7이므로 $a=5$, $b=7$

$\therefore\ a+b=5+7=12$

04 (i) $k=1$이면 $0 \le \log_5 n < 1$, $1 \le n < 5$

이때 $\log_2 n$이 정수가 되려면 $n=2^0, 2^1, 2^2$

$\therefore N(1)=3$

(ii) $k=3$이면 $0 \le \log_5 n < 3$, $1 \le n < 5^3$

이때 $2^6 < 5^3 < 2^7$이므로

$\log_2 n$이 정수가 되려면 $n=2^0, 2^1, 2^2, \cdots, 2^6$

$\therefore N(3)=7$

(i), (ii)에서 $N(3)-N(1)=7-3=4$

05 $k=10^{0.4}$에서 $0.4=\log k$

$$\begin{aligned}\therefore \log k^3 - \log \frac{k}{\sqrt{10}} &= \log\left(k^3 \times \frac{\sqrt{10}}{k}\right)\\ &= \log(\sqrt{10}k^2)\\ &= \log\sqrt{10}+2\log k\\ &= 0.5+2\times 0.4=1.3\end{aligned}$$

06 $\log_a \frac{a}{b^2}=-2$에서 $\frac{a}{b^2}=a^{-2}$, $a^3=b^2$

$$\begin{aligned}\therefore 6\log_b a &= \log_b a^6 = \log_b (a^3)^2\\ &= \log_b (b^2)^2 = \log_b b^4 = 4\end{aligned}$$

07 $\log_3 a=3$에서 $\frac{\log a}{\log 3}=3$, $\log a = 3\log 3$

즉 $\log b = 8\log a = 8\times 3\log 3 = 24\log 3$

$\therefore m=\log_3 b = \frac{\log b}{\log 3} = \frac{24\log 3}{\log 3} = 24$

08 $\frac{\log_b 5}{\log_a 5}=\frac{1}{3}$에서 $\frac{\log_5 a}{\log_5 b}=\log_b a = \frac{1}{3}$

$b^{\frac{1}{3}}=a \qquad \therefore a^3=b$

$a+b=a+a^3=10$에서 $a(a^2+1)=10$

이때 a는 1보다 큰 10의 약수이므로

$a=2$ ($\because a^2+1=5$)

따라서 $a=2$, $b=8$이므로

$\log_2 ab = \log_2 16 = \log_2 2^4 = 4$

오답 피하기

$a(a^2+1)=10$에서 a는 1보다 큰 10의 약수이므로 $a^2+1<10$이어야 한다.

즉 $a^2<9$에서 $1<a<3$

$\therefore a=2$

09 이차방정식 $x^2-36x+3=0$의 두 근이 α, β이므로

이차방정식의 근과 계수의 관계에 의하여

$\alpha+\beta=36$, $\alpha\beta=3$

$$\begin{aligned}\therefore \log_2(\alpha+\beta)-2\log_2\alpha\beta &= \log_2 36 - 2\log_2 3\\ &= \log_2 36 - \log_2 3^2\\ &= \log_2 \frac{36}{9} = \log_2 4\\ &= \log_2 2^2 = 2\end{aligned}$$

다른 풀이

$$\begin{aligned}\log_2(\alpha+\beta)-2\log_2\alpha\beta &= \log_2\frac{\alpha+\beta}{(\alpha\beta)^2}\\ &= \log_2\frac{36}{3^2} = \log_2 4 = \log_2 2^2 = 2\end{aligned}$$

10 $ab=64$에서 $\log_2 ab = \log_2 64 = \log_2 2^6 = 6$

$$\begin{aligned}\therefore \log_a 2 + \log_b 2 &= \frac{1}{\log_2 a}+\frac{1}{\log_2 b}\\ &= \frac{\log_2 a + \log_2 b}{\log_2 a \times \log_2 b}\\ &= \frac{\log_2 ab}{\log_2 a\times\log_2 b}\\ &= \frac{6}{-2}=-3\end{aligned}$$

누구나 합격 전략 | 26~27쪽

1 ③	2 ④	3 ②	4 예나
5 ②	6 ②	7 ⑤	8 ①
9 ①	10 41		

1 $\sqrt[3]{3}\times 9^{\frac{1}{3}}=3^{\frac{1}{3}}\times 9^{\frac{1}{3}}=3^{\frac{1}{3}}\times 3^{\frac{2}{3}}$

$=3^{\frac{1}{3}+\frac{2}{3}}=3$

다른 풀이

$\sqrt[3]{3}\times 9^{\frac{1}{3}}=\sqrt[3]{3}\times\sqrt[3]{9}=\sqrt[3]{3\times 9}=\sqrt[3]{3^3}=3$

2 16의 세제곱근 중 실수인 것은

$\sqrt[3]{16}=\sqrt[3]{2^4}=2^{\frac{4}{3}}$

따라서 $p=3$, $q=4$이므로

$p+q=3+4=7$

오답 피하기

16의 세제곱근은 복소수 범위에서 3개이지만 실수 범위에서는 1개이다.

3 $\frac{\sqrt[3]{4}\times\sqrt[3]{2}}{\sqrt{2}}=\frac{\sqrt[3]{4\times 2}}{\sqrt{2}}=\frac{\sqrt[3]{2^3}}{\sqrt{2}}=\frac{2}{\sqrt{2}}=\sqrt{2}=2^{\frac{1}{2}}$

$\therefore k=\frac{1}{2}$

4 $(\sqrt{3\sqrt{2}})^4=(3\sqrt{2})^2=3^2\times(\sqrt{2})^2=9\times 2=18$

따라서 주어진 값을 바르게 구한 학생은 예나이다.

5 $2^x=5$, $16^y=25$에서 $(2^x)^2=16^y$

$2^{2x}=2^{4y}$이므로 $2x=4y$

$\therefore \frac{x}{y}=2$

6 $\log_2 3+\log_2\frac{8}{3}=\log_2\left(3\times\frac{8}{3}\right)=\log_2 2^3=3$

7 $\log_2 2+\log_2 4+\log_2 8=\log_2 2+\log_2 2^2+\log_2 2^3$

$=1+2+3=6$

다른 풀이

$\log_2 2+\log_2 4+\log_2 8=\log_2(2\times 4\times 8)$

$=\log_2 64$

$=\log_2 2^6=6$

8 $\log_2 a=3$에서 $a=2^3=8$

$\log_3 b=1$에서 $b=3^1=3$

$\therefore a+b=8+3=11$

9 $3^{x+y}=3^x\times 3^y=5\times\frac{27}{5}=27=3^3$

따라서 $x+y=3$이므로

$\log_3(x+y)=\log_3 3=1$

10 조건 (가)의 $5^\alpha=5^{5-\beta}$에서 $\alpha=5-\beta$

$\therefore \alpha+\beta=5$

또 조건 (나)의 $\log_2\alpha+\log_2\beta=2$에서 $\log_2\alpha\beta=2$

$\therefore \alpha\beta=2^2=4$

이차방정식 $x^2+ax+b=0$의 근과 계수의 관계에 의하여 $\alpha+\beta=-a$, $\alpha\beta=b$이므로

$a=-5$, $b=4$

$\therefore a^2+b^2=(-5)^2+4^2=41$

창의·융합·코딩 전략 ① | 28~29쪽

1 32	2 ①	3 ③	4 943

1 (나)에 알맞은 수를 x라 하면 연산 ●에서

$3^x=9$이므로 $x=2$

이때 (가)에 알맞은 수를 a라 하면 연산 ◆에서

$\sqrt[5]{a}=2 \qquad \therefore a=2^5=32$

따라서 (가)에 알맞은 수는 32이다.

2 주어진 설명에서 $a^3=2$, $b^3=\frac{1}{2}$이므로

$a=2^{\frac{1}{3}}=\sqrt[3]{2}$, $b=\left(\frac{1}{2}\right)^3=\frac{1}{\sqrt[3]{2}}$

처음 지도의 크기를 S라 하면 두 학생 A, B가 각각 클릭하여 얻은 지도의 크기는

A: $(abbbaa)S=a^3b^3S=2\times\frac{1}{2}\times S=S$

B: $(baa)S=a^2bS=(\sqrt[3]{2})^2\times\frac{1}{\sqrt[3]{2}}\times S=\sqrt[3]{2}S$

따라서 학생 B가 클릭하여 얻은 지도의 크기는 학생 A가 클릭하여 얻은 지도의 크기의 $\sqrt[3]{2}=2^{\frac{1}{3}}$(배)이므로

$k=2^{\frac{1}{3}}$

3 (연평균 성장률)$=\left(\frac{b}{a}\right)^{\frac{1}{n}}-1$에 $a=100$, $b=200$, $n=10$을 대입하면

$k=\left(\frac{200}{100}\right)^{\frac{1}{10}}-1=2^{\frac{1}{10}}-1$

$=2^{\frac{11}{10}-1}-1=2^{\frac{11}{10}}\div 2-1$

$=\frac{2.14}{2}-1=0.07$

$\therefore$ $100k=7$

4 정육각형 안에 쓰여 있는 식의 값을 각각 구하면

$\frac{\log_2 9}{\log_4 3}=\frac{2\log_2 3}{\frac{1}{2}\log_2 3}=4$

$2^{\log_2 3}=3^{\log_2 2}=3$

$3^{11}\div 3^9=3^{11-9}=3^2=9$

따라서 (가)에 올려놓아야 하는 돌에 적힌 수는 4, 3, 9를 큰 수부터 차례로 나열하여 얻은 세 자리 자연수이므로 943이다.

창의·융합·코딩 전략 ②

30~31쪽

5 ②	**6** 627	**7** ③	**8** ⑤

5 $n=128$일 때, 이 컴퓨터의 운영 체제가 인식하는 실제 용량은

$128\times\left(\frac{1000}{1024}\right)^3=2^7\times\left(\frac{2^3\times 5^3}{2^{10}}\right)^3=2^7\times\left(\frac{5^3}{2^7}\right)^3$

$=2^7\times\frac{5^9}{2^{21}}=2^{-14}\times 5^9$ (GB)

따라서 $p=-14$, $q=9$이므로

$p+q=-14+9=-5$

6 세 장의 카드가 나타내는 수를 각각 구하면

$\sqrt[3]{8}=(2^3)^{\frac{1}{3}}=2$

$\log_3 27=\log_3 3^3=3$

$\sum_{k=1}^{3}k=1+2+3=6$

즉 2, 3, 6을 모두 나열하여 만들 수 있는 가장 큰 세 자리 자연수는 632이다.

따라서 문제의 답은

$632-5=627$

7 무대 위의 스피커로부터 떨어진 거리가 3 m인 방청석에서 들리는 소리의 크기가 100 dB일 때, 같은 스피커로부터 떨어진 거리가 12 m인 방청석에서 들리는 소리의 크기를 S dB이라 하면

$S-100=20\log\frac{3}{12}=20\log 2^{-2}=-40\log 2$

$=-40\times 0.3=-12$

이므로 $S=100-12=88$

따라서 스피커로부터 떨어진 거리가 12 m인 방청석에서 들리는 소리의 크기는 88 dB이다.

8 냉장고의 내부 온도가 20 °C일 때의 소비 전력이 64 W이므로

$\log 64=\log 16+k\log\frac{20}{10}$

$6\log 2=4\log 2+k\log 2$

$k\log 2=2\log 2$ $\quad\therefore$ $k=2$

즉 $\log P=\log 16+2\log\frac{T}{10}$이므로

$\log P=\log\left\{16\times\left(\frac{T}{10}\right)^2\right\}$

$\therefore$ $P=16\times\left(\frac{T}{10}\right)^2$

따라서 내부 온도가 15 °C일 때의 소비 전력은

$16\times\left(\frac{15}{10}\right)^2=16\times\frac{9}{4}=36$ (W)

수학 I (전편)

WEEK

2

지수함수와 로그함수

DAY 1 개념 돌파 전략 ②

38~39쪽

1 ③ 2 ③ 3 ② 4 ⑤ 5 ④ 6 ④

1 $f(x)=2^{x+1}$에 $x=0$을 대입하면

$f(0)=2^{0+1}=2^1=2$

2 $f(x)=\log_2 x$에 $x=16$을 대입하면

$f(16)=\log_2 16=\log_2 2^4=4$

$\therefore (f\circ f)(16)=f(f(16))=f(4)$

$=\log_2 4=\log_2 2^2$

$=2$

3 함수 $f(x)=2^{x-1}+a$의 그래프의 점근선의 방정식이

$y=a$이므로 $a=1$

이때 $f(x)=2^{x-1}+1$에서

$f(1)=2^0+1=1+1=2$

$\therefore a+f(1)=1+2=3$

4 함수 $y=\log_3 x$의 그래프를 x축의 방향으로 1만큼, y축의 방향으로 2만큼 평행이동한 그래프의 식은

$y-2=\log_3(x-1)$

즉

$y=\log_3(x-1)+2$

$=\log_3(x-1)+\log_3 3^2$

$=\log_3 9(x-1)$

이 그래프가 함수 $g(x)=\log_3 a(x+b)$의 그래프와 일치하므로 $a=9$, $b=-1$

$\therefore a-b=9-(-1)=10$

LECTURE 도형의 평행이동

방정식 $f(x, y)=0$이 나타내는 도형을 x축의 방향으로 m만큼, y축의 방향으로 n만큼 평행이동한 도형의 방정식은 방정식 $f(x, y)=0$에 x 대신 $x-m$, y 대신 $y-n$을 대입하여 구한다.

5 $(2^x-2)(2^x-16)=0$에서

$2^x=2$ 또는 $2^x=16$

$2^x=2^1$에서 $x=1$

$2^x=2^4$에서 $x=4$

따라서 방정식의 모든 해의 합은

$1+4=5$

오답 피하기

$2^x=t\ (t>0)$라 하면 $(t-2)(t-16)=0$

$\therefore t=2$ 또는 $t=16$

즉 $2^x=2$ 또는 $2^x=16$

6 $(\log_3 x+1)(\log_3 x-2)<0$에서

$-1<\log_3 x<2$

$\log_3 3^{-1}<\log_3 x<\log_3 3^2$

이때 밑 3이 1보다 크므로

$\frac{1}{3}<x<9$

따라서 정수 x의 최솟값은 1, 최댓값은 8이므로 그 합은

$1+8=9$

$\frac{1}{3}<x<9$는 $\log_3 x$의
진수의 조건 $x>0$을
만족해.

오답 피하기

$\log_3 x=t$라 하면 $(t+1)(t-2)<0$

$\therefore -1<t<2$

즉 $-1<\log_3 x<2$

DAY

2 필수 체크 전략 ①

40~43쪽

1-1 ②	1-2 8	2-1 ⑤	2-2 14
3-1 25	3-2 3	4-1 ③	5-1 ②
6-1 ①	6-2 25	7-1 ①	7-2 ③
8-1 ②	8-2 31		

1-1 $f(x)=2^{2x-1}$에 $x=0$을 대입하면

$f(0)=2^{-1}=\frac{1}{2}=a$

또 $f(b)=2^{2b-1}=8$

즉 $2^{2b-1}=2^3$이므로

$2b-1=3 \quad \therefore b=2$

$\therefore ab=\frac{1}{2}\times 2=1$

1-2 $f(x)=2^{ax+b}$에 $x=0$을 대입하면

$f(0)=2^b=2 \quad \therefore b=1$

또 $(f\circ f)(0)=f(f(0))=f(2)=32$이므로

$f(x)=2^{ax+1}$에 $x=2$를 대입하면

$f(2)=2^{2a+1}=32$

즉 $2^{2a+1}=2^5$이므로

$2a+1=5 \quad \therefore a=2$

따라서 $f(x)=2^{2x+1}$이므로

$f(1)=2^3=8$

2-1 함수 $y=2^x$의 그래프를 x축의 방향으로 -1만큼, y축의 방향으로 2만큼 평행이동한 그래프의 식은

$y-2=2^{x-(-1)}$

$\therefore y=2^{x+1}+2$

이 그래프가 점 $(1, k)$를 지나므로

$k=2^{1+1}+2=4+2=6$

2-2 함수 $y=3^{2x}$의 그래프를 x축의 방향으로 -1만큼, y축의 방향으로 n만큼 평행이동한 그래프의 식은

$y-n=3^{2(x+1)}$

$\therefore y=3^2\times 3^{2x}+n=9\times 9^x+n$

이 그래프가 함수 $y=a\times 9^x+5$의 그래프와 일치하므로 $a=9$, $n=5$

$\therefore a+n=9+5=14$

3-1 함수 $y=5^{x-2}$은 밑 5가 1보다 크므로 x의 값이 증가하면 y의 값도 증가한다.

즉 $x=5$일 때 최댓값 $M=5^{5-2}=5^3=125$

$x=1$일 때 최솟값 $m=5^{1-2}=5^{-1}=\frac{1}{5}$

$\therefore Mm=125\times\frac{1}{5}=25$

3-2 함수 $f(x)=9^{x-1}$은 밑 9가 1보다 크므로 x의 값이 증가하면 y의 값도 증가한다.

즉 $x=2$일 때 함수 $f(x)$의 최댓값 $M=9^{2-1}=9$

함수 $g(x)=\left(\frac{1}{3}\right)^{2x+1}$은 밑 $\frac{1}{3}$이 1보다 작으므로 x의 값이 감소하면 y의 값은 증가한다.

즉 $x=0$일 때 함수 $g(x)$의 최댓값 $m=\left(\frac{1}{3}\right)^1=\frac{1}{3}$

$\therefore Mm=9\times\frac{1}{3}=3$

4-1 함수 $y=2^{3-x}+a$의 그래프의 점근선의 방정식이 $y=a$이므로 $a=-4$

이때 함수 $y=2^{3-x}-4$의 그래프와 x축의 교점이 $\mathrm{P}(b, 0)$이므로

$0=2^{3-b}-4$, $2^{3-b}=2^2$

$3-b=2 \quad \therefore b=1$

$\therefore a^2+b^2=(-4)^2+1^2=17$

오답 피하기

함수 $y=2^{3-x}+a$의 그래프는 함수 $y=2^x$의 그래프를 y축에 대하여 대칭이동한 후, x축의 방향으로 3만큼, y축의 방향으로 a만큼 평행이동한 그래프이다.

5-1 두 곡선 $y=2^x$, $y=2^{-x+2}$과 직선 $y=2^n$이 만나는 두 점을 각각 구하면

$\mathrm{A}_n(n, 2^n)$, $\mathrm{B}_n(2-n, 2^n)$

$n\ge 1$에서 $\overline{\mathrm{A}_n\mathrm{B}_n}=n-(2-n)=2n-2$이므로

$2n-2\le 20 \quad \therefore n\le 11$

따라서 구하는 모든 자연수 n의 값의 합은

$1+2+3+\cdots+11=66$

6-1 방정식 $2^{3x-1}=16$의 실근이 a이므로

$2^{3a-1}=2^4$에서 $3a-1=4$　　$\therefore a=\frac{5}{3}$

$\therefore 3(a+2)=3a+6$

$=3\times\frac{5}{3}+6=11$

6-2 $2^x=t\ (t>0)$라 하면 방정식 $4^x-7\times 2^x+12=0$의 두 근이 α, β이므로 t에 대한 이차방정식 $t^2-7t+12=0$의 두 근은 2^α, 2^β이다.

이때 이차방정식의 근과 계수의 관계에 의하여

$2^\alpha+2^\beta=7$, $2^\alpha\times 2^\beta=12$

$\therefore 2^{2\alpha}+2^{2\beta}=(2^\alpha+2^\beta)^2-2\times 2^\alpha\times 2^\beta$

$=7^2-2\times 12=25$

LECTURE 이차방정식의 근과 계수의 관계

이차방정식 $ax^2+bx+c=0$의 두 근을 α, β라 할 때

(1) $\alpha+\beta=-\frac{b}{a}$　　(2) $\alpha\beta=\frac{c}{a}$

7-1 $3^{x^2}<9\times 3^x$에서 $3^{x^2}<3^{x+2}$

이때 밑 3이 1보다 크므로

$x^2<x+2$, $x^2-x-2<0$

$(x+1)(x-2)<0$　　$\therefore -1<x<2$

따라서 $\alpha=-1$, $\beta=2$이므로

$\alpha+\beta=-1+2=1$

7-2 $\left(\frac{1}{2}\right)^{x^2+1}>4^{-x-2}$에서 $\left(\frac{1}{2}\right)^{x^2+1}>\left(\frac{1}{2}\right)^{2(x+2)}$

이때 밑 $\frac{1}{2}$이 1보다 작으므로

$x^2+1<2(x+2)$, $x^2-2x-3<0$

$(x+1)(x-3)<0$　　$\therefore -1<x<3$

따라서 $\alpha=-1$, $\beta=3$이므로

$\beta-\alpha=3-(-1)=4$

8-1 $2^x=t\ (t>0)$라 하면 $t^2-17t+16\le 0$

$(t-1)(t-16)\le 0$　　$\therefore 1\le t\le 16$

즉 $1\le 2^x\le 16$에서 $2^0\le 2^x\le 2^4$이고 밑 2가 1보다 크므로

$0\le x\le 4$

따라서 정수 x는 0, 1, 2, 3, 4로 그 개수는 5이다.

8-2 $4^x-(n+1)2^x+n\le 0$에서 $(2^x)^2-(n+1)2^x+n\le 0$

$(2^x-1)(2^x-n)\le 0$　　$\therefore 2^0\le 2^x\le n$

이 부등식을 만족시키는 정수 x의 개수가 5이므로 정수 x는 0, 1, 2, 3, 4이다.

따라서 $2^4\le n<2^5$, 즉 $16\le n<32$이므로 자연수 n의 최댓값은 31이다.

오답 피하기

$2^x=t\ (t>0)$라 하면 $t^2-(n+1)t+n\le 0$

$(t-1)(t-n)\le 0$　　$\therefore 1\le t\le n$

즉 $2^0\le 2^x\le n$

DAY 2 필수 체크 전략 ②

44~45쪽

01 ②	02 ②	03 32	04 9	05 ⑤
06 ③	07 ④	08 ③	09 100	10 ③

01 함수 $y=2^{x+a}-3$의 그래프가 점 $(-1,\ -1)$을 지나므로

$-1=2^{-1+a}-3$, $2^{-1+a}=2$

$-1+a=1$　　$\therefore a=2$

02 함수 $y=a^x$의 그래프를 y축에 대하여 대칭이동한 그래프의 식은 $y=a^{-x}$

이 그래프를 x축의 방향으로 2만큼, y축의 방향으로 3만큼 평행이동한 그래프의 식은

$y-3=a^{-(x-2)}$

$\therefore\ y=a^{-(x-2)}+3$

이 그래프가 점 $(1, 5)$를 지나므로

$5=a^{-(1-2)}+3$

$5=a+3 \qquad \therefore\ a=2$

LECTURE 지수함수의 그래프의 평행이동과 대칭이동

지수함수 $y=a^x$ $(a>0, a\neq1)$의 그래프를

(1) x축의 방향으로 m만큼, y축의 방향으로 n만큼 평행이동한 그래프의 식은

$y=a^{x-m}+n$

(2) x축에 대하여 대칭이동한 그래프의 식은

$y=-a^x$

(3) y축에 대하여 대칭이동한 그래프의 식은

$y=a^{-x}=\left(\frac{1}{a}\right)^x$

(4) 원점에 대하여 대칭이동한 그래프의 식은

$y=-a^{-x}=-\left(\frac{1}{a}\right)^x$

03 함수 $f(x)=2^x$은 밑 2가 1보다 크므로 x의 값이 증가하면 y의 값도 증가한다.

즉 $x=3$일 때 함수 $f(x)$의 최댓값 $a=f(3)=2^3=8$

함수 $g(x)=\left(\frac{1}{2}\right)^{2x}$은 밑 $\frac{1}{2}$이 1보다 작으므로 x의 값이 감소하면 y의 값은 증가한다.

즉 $x=-1$일 때

함수 $g(x)$의 최댓값 $b=g(-1)=\left(\frac{1}{2}\right)^{-2}=4$

$\therefore\ ab=8\times4=32$

04 $f(x)=x^2-6x+6=(x-3)^2-3$이므로

$1\leq x\leq4$에서 $-3\leq f(x)\leq1$

함수 $(g\circ f)(x)=g(f(x))=\left(\frac{1}{3}\right)^{f(x)}$은 밑 $\frac{1}{3}$이 1보다 작으므로

$f(x)=-3$일 때 최댓값 $M=\left(\frac{1}{3}\right)^{-3}=27$

$f(x)=1$일 때 최솟값 $m=\frac{1}{3}$

$\therefore\ Mm=27\times\frac{1}{3}=9$

05 함수 $f(x)=-3^{x+k}+9$의 그래프는 함수 $y=3^x$의 그래프를 x축에 대하여 대칭이동한 후, x축의 방향으로 $-k$만큼, y축의 방향으로 9만큼 평행이동한 그래프이다. 이때 함수 $y=f(x)$의 그래프가 제3사분면을 지나지 않으려면 $f(0)\geq0$이어야 한다.

$f(0)=-3^k+9\geq0$

즉 $3^k\leq9$에서 $3^k\leq3^2$

이때 밑 3이 1보다 크므로

$k\leq2$

따라서 정수 k의 최댓값은 2이다.

06 $2^x=t$ $(t>0)$라 하면 방정식 $2^{2x}-a\times2^x+b=0$의 두 근이 -1, 3이므로 t에 대한 이차방정식 $t^2-at+b=0$의 두 근은 2^{-1}, 2^3이다.

이때 이차방정식의 근과 계수의 관계에 의하여

$a=\frac{1}{2}+8=\frac{17}{2}$, $b=\frac{1}{2}\times8=4$

$\therefore\ 2a+b=2\times\frac{17}{2}+4=21$

07 $2^x=t$ $(t>0)$라 하면 $t^2-8t+12<0$

$(t-2)(t-6)<0$, $2<t<6$

$\therefore\ 2<2^x<6$

이때 부등식의 해가 $\alpha<x<\beta$이므로

$2^\alpha<2^x<2^\beta$

따라서 $2^\alpha=2$, $2^\beta=6$이므로

$2^{\alpha+\beta}=2^\alpha\times2^\beta$

$=2\times6=12$

08 $2^{f(x)+1}-4\leq 0$에서 $2^{f(x)+1}\leq 2^2$

이때 밑 2가 1보다 크므로

$f(x)+1\leq 2 \quad \therefore f(x)\leq 1$

조건 (가), (나)에서

$f(-1)=f(3-4)=f(3+4)=f(7)=1$

이고, 이차함수 $f(x)$는 최고차항의 계수가 양수이므로 그래프의 개형은 다음과 같다.

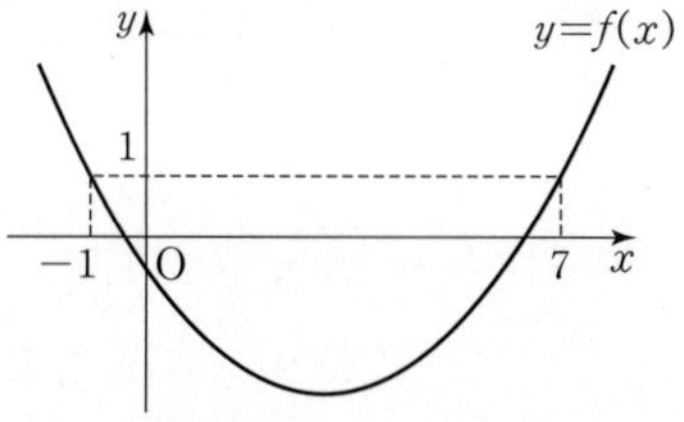

즉 $f(x)\leq 1$이면 $-1\leq x\leq 7$

따라서 $\alpha=-1$, $\beta=7$이므로

$\alpha+\beta=-1+7=6$

09 $0\leq x\leq 20$에서 함수 $y=f(x)$의 그래프는 다음과 같다.

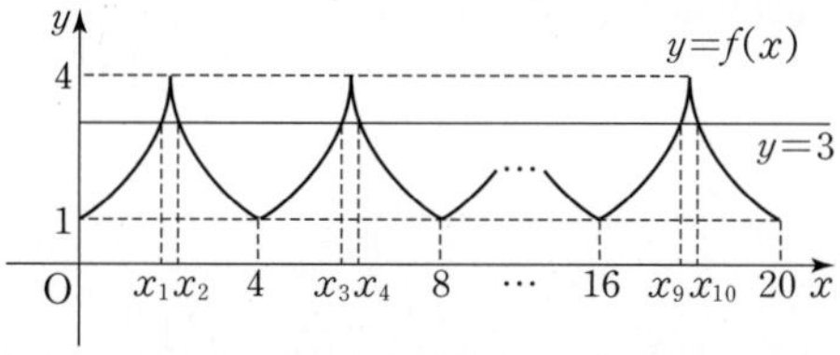

이때 함수 $y=f(x)$의 그래프와 직선 $y=3$의 교점의 x좌표를 작은 수부터 차례로 x_1, x_2, $\cdots$, x_{10}이라 하면

$x_3=x_1+4$, $x_5=x_1+8$, $x_7=x_1+12$, $x_9=x_1+16$,

$x_4=x_2+4$, $x_6=x_2+8$, $x_8=x_2+12$, $x_{10}=x_2+16$

이고, $x_1+x_2=4$이다.

즉

$$\begin{aligned}x_1+x_2+\cdots+x_{10}&=5x_1+40+5x_2+40\\&=5(x_1+x_2)+80\\&=5\times4+80\\&=100\end{aligned}$$

이므로 방정식의 모든 실근의 합은 100이다.

오답 피하기

함수 $y=f(x)$의 그래프와 직선 $y=3$의 교점의 x좌표인 x_1, x_2, $\cdots$, x_{10}은 방정식 $f(x)-3=0$의 실근이다.

10 두 함수 $y=2^x$, $y=-\left(\frac{1}{2}\right)^{x-4}+10$의 그래프의 교점의 x좌표를 구하면

$2^x=-\left(\frac{1}{2}\right)^{x-4}+10$

$2^x+\frac{16}{2^x}-10=0$

$(2^x)^2-10\times2^x+16=0$

$(2^x-2)(2^x-8)=0$

$\therefore 2^x=2$ 또는 $2^x=8$

$2^x=2$에서 $x=1$, $2^x=8$에서 $x=3$이므로

두 그래프의 교점 A, B의 좌표는 각각 $(1, 2)$, $(3, 8)$

이때 원점 O를 지나는 직선 l이 삼각형 OAB의 넓이를 이등분하려면 선분 AB의 중점을 지나야 한다.

따라서 선분 AB의 중점의 좌표는

$\left(\frac{1+3}{2}, \frac{2+8}{2}\right)=(2, 5)$

이므로 직선 l의 기울기는

$\frac{5-0}{2-0}=\frac{5}{2}$

DAY 3 필수 체크 전략 ①

46~49쪽

1-1 ④	1-2 ③	2-1 5	2-2 ③
3-1 5	3-2 ③	4-1 ⑤	4-2 5
5-1 ③	5-2 ①	6-1 ⑤	6-2 12
7-1 ④	7-2 10	8-1 ②	8-2 ④

1-1 $f(x)=3^{2x}$, $g(x)=\frac{1}{3}\log_3 x$에서

$(f\circ g)(27)=f(g(27))=f\left(\frac{1}{3}\log_3 27\right)$

$=f(1)=3^2=9$

1-2 (i) $0<k<1$일 때

$f(k)=\log_{\frac{1}{2}}k=4$에서 $k=\left(\frac{1}{2}\right)^4$

(ii) $k\geq 1$일 때

$f(k)=\log_3 k=4$에서 $k=3^4$

(i), (ii)에서 모든 실수 k의 값의 곱은 $\left(\frac{1}{2}\right)^4\times 3^4=\left(\frac{3}{2}\right)^4$

따라서 $p=2$, $q=3$이므로

$q-p=3-2=1$

2-1 함수 $y=\log_2 x$의 그래프를 x축의 방향으로 3만큼, y축의 방향으로 1만큼 평행이동한 그래프의 식은

$y-1=\log_2(x-3)$

즉

$y=\log_2(x-3)+1$

$=\log_2(x-3)+\log_2 2$

$=\log_2 2(x-3)$

이 그래프가 함수 $y=\log_2 a(x+b)$의 그래프와 일치하므로 $a=2$, $b=-3$

$\therefore a-b=2-(-3)=5$

2-2 함수 $y=\log_3 9x$의 그래프를 x축의 방향으로 a만큼 평행이동한 그래프의 식은

$y=\log_3 9(x-a)$

이때 점 $(3, 2)$는 함수 $y=\log_3 9(x-a)$의 그래프 위의 점이므로

$2=\log_3 9(3-a)$, $\log_3 3^2=\log_3 9(3-a)$

$9(3-a)=9$, $3-a=1$ $\quad\therefore a=2$

또 점 $(3, 2)$는 함수 $y=\log_b(x+1)$의 그래프 위의 점이므로

$2=\log_b(3+1)$, $b^2=4$ $\quad\therefore b=2$ ($\because b>0$)

$\therefore a+b=2+2=4$

$\log_b(x+1)$의 밑의
조건에서 $b>0$, $b\neq 1$이야.

3-1 곡선 $y=\log_2(x+k)$의 점근선의 방정식이 $x=-k$이므로 $k=5$

3-2 함수 $y=3-\log_2(x+a)$의 그래프의 점근선의 방정식이 $x=-a$이므로 $a=3$

즉 함수 $y=3-\log_2(x+3)$의 그래프가 점 $(-1, k)$를 지나므로

$k=3-\log_2(-1+3)=3-\log_2 2=2$

$\therefore a+k=3+2=5$

4-1 함수 $y=\log_{\frac{1}{2}}(5x-1)+7$은 밑 $\frac{1}{2}$이 1보다 작으므로 x의 값이 감소하면 y의 값은 증가한다.

즉 $x=1$일 때 최댓값을 가지므로 최댓값은

$\log_{\frac{1}{2}}4+7=-2+7=5$

4-2 $\log_2 x=t$라 하면 $1\leq x\leq 16$에서 $0\leq t\leq 4$

$y=(\log_2 x)(\log_{\frac{1}{2}}x)+2\log_2 x+6$

$=(\log_2 x)(-\log_2 x)+2\log_2 x+6$

$=-t^2+2t+6$

$=-(t-1)^2+7$

따라서 $t=1$일 때 최댓값 $M=7$, $t=4$일 때 최솟값 $m=-2$를 가지므로

$M+m=7+(-2)=5$

5-1 $f(x)=3^{x+1}$이라 하면 점 $(9,\ a)$가 함수 $f(x)$의 역함수의 그래프 위의 점이므로

$f^{-1}(9)=a$에서 $f(a)=9$

즉 $f(a)=3^{a+1}=9$이므로 $a+1=2$

$\therefore a=1$

5-2 함수 $y=3^x+1$의 그래프를 x축의 방향으로 m만큼 평행이동한 그래프의 식은

$y=3^{x-m}+1$ ...... ㉠

함수 $y=\log_3 3x$의 그래프를 x축의 방향으로 1만큼 평행이동한 그래프의 식은

$y=\log_3 3(x-1)$ ...... ㉡

함수 ㉡의 그래프를 직선 $y=x$에 대하여 대칭이동한 그래프의 식은

$x=\log_3 3(y-1)=1+\log_3(y-1)$

$x-1=\log_3(y-1),\ y-1=3^{x-1}$

$\therefore y=3^{x-1}+1$ ...... ㉢

이때 두 함수 ㉠, ㉢이 일치해야 하므로 $m=1$

6-1 $(\log_3 x)^2-2\log_3 x=0$에서 $(\log_3 x)(\log_3 x-2)=0$

즉 $\log_3 x=0$ 또는 $\log_3 x=2$

$\log_3 x=0$에서 $x=3^0=1$

$\log_3 x=2$에서 $x=3^2=9$

따라서 방정식의 모든 근의 합은

$1+9=10$

6-2 $\log_3(x-4)=\log_9(5x+4)$에서

$\log_3(x-4)=\frac{1}{2}\log_3(5x+4)$

$2\log_3(x-4)=\log_3(5x+4)$

$\log_3(x-4)^2=\log_3(5x+4)$

$(x-4)^2=5x+4,\ x^2-13x+12=0$

$(x-1)(x-12)=0$ $\therefore x=1$ 또는 $x=12$

이때 진수의 조건에서 $x-4>0,\ 5x+4>0$이므로

$x>4$

따라서 구하는 x의 값은 12이다.

7-1 $2\log_{\frac{1}{3}}(x-4)>\log_{\frac{1}{3}}(x-2)$에서

$\log_{\frac{1}{3}}(x-4)^2>\log_{\frac{1}{3}}(x-2)$

밑 $\frac{1}{3}$이 1보다 작으므로

$(x-4)^2<x-2,\ x^2-9x+18<0$

$(x-3)(x-6)<0$ $\therefore 3<x<6$ ...... ㉠

이때 진수의 조건에서 $x-4>0,\ x-2>0$이므로

$x>4$ ...... ㉡

㉠, ㉡의 공통 범위는 $4<x<6$이므로

$a=4,\ b=6$

$\therefore ab=4\times6=24$

7-2 $(\log_2 x)(\log_2 4x)\le8$에서 $(\log_2 x)(2+\log_2 x)\le8$

$\log_2 x=t$라 하면 $t(2+t)\le8,\ t^2+2t-8\le0$

$(t+4)(t-2)\le0$ $\therefore -4\le t\le2$

즉 $-4\le\log_2 x\le2$에서 $\log_2 2^{-4}\le\log_2 x\le\log_2 2^2$이고,

밑 2가 1보다 크므로 $\frac{1}{16}\le x\le4$

따라서 구하는 자연수 x의 값의 합은

$1+2+3+4=10$

8-1 두 곡선 $y=\log_2 x,\ y=\log_4 x$와 직선 $y=2$가 만나는 점을 각각 구하면

$2=\log_2 x$에서 $x=2^2=4$ $\therefore \mathrm{P}(4,\ 2)$

$2=\log_4 x$에서 $x=4^2=16$ $\therefore \mathrm{Q}(16,\ 2)$

$\therefore \overline{\mathrm{PQ}}=16-4=12$

8-2 두 곡선 $y=a^{-x-1},\ y=\log_a(x+2)$와 직선 $y=1$이 만나는 점을 각각 구하면

$1=a^{-x-1}$에서 $-x-1=0$이므로 $x=-1$

$\therefore \mathrm{A}(-1,\ 1)$

$1=\log_a(x+2)$에서 $x+2=a$이므로 $x=a-2$

$\therefore \mathrm{B}(a-2,\ 1)$

따라서 $\overline{\mathrm{AB}}=|(a-2)-(-1)|=a-1=6$이므로

$a=7$

오답 피하기

$a>1$이므로 $a-2>-1$

$\therefore \overline{\mathrm{AB}}=|(a-2)-(-1)|=a-2-(-1)=a-1$

DAY 3 필수 체크 전략 ②

50~51쪽

01 ②	02 ④	03 ②	04 77	05 ②
06 ⑤	07 ③	08 ②	09 ①	10 ③

01 $f(x)=3\log_3 x$에서 $f(3)=3\log_3 3=3\times1=3$
즉 $(f\circ f)(3)=f(f(3))=f(3)=3$
$\therefore f(3)+(f\circ f)(3)=3+3=6$

02 함수 $y=g(x)$가 함수 $y=f(x)$의 역함수이므로
$g(13)=16$에서 $g^{-1}(16)=13$, 즉 $f(16)=13$
따라서 $f(16)=3\log_2 16+a=12+a=13$이므로
$a=1$

LECTURE 로그함수의 역함수

$a>0$, $a\neq1$일 때, 로그함수 $f(x)=\log_a x$의 역함수를 $g(x)$라 하면
(1) $g(x)=a^x$ (2) $f(p)=q \Longleftrightarrow g(q)=p$

03 함수 $f(x)=\log_3(x-a)+b$의 그래프의 점근선의 방정식이 $x=a$이므로 $a=5$
이때 $f(8)=\log_3(8-5)+b=1+b=7$이므로
$b=6$
$\therefore a+b=5+6=11$

04 함수 $y=\log_{\frac{1}{3}}(x+a)$는 밑 $\frac{1}{3}$이 1보다 작으므로 x의 값이 감소하면 y의 값은 증가한다.
즉 $x=4$일 때 최댓값 -4를 가지므로
$-4=\log_{\frac{1}{3}}(4+a)$, $4+a=\left(\frac{1}{3}\right)^{-4}$
$4+a=81$ $\therefore a=77$

05 $\log_2 x=\log_4(12x+28)$에서
$\log_4 x^2=\log_4(12x+28)$
$x^2=12x+28$, $x^2-12x-28=0$
$(x+2)(x-14)=0$ $\therefore x=-2$ 또는 $x=14$
이때 진수의 조건에서 $x>0$
따라서 방정식의 해는 $x=14$

오답 피하기

$\log_2 x$의 진수의 조건에서 $x>0$ ...... ㉠
$\log_4(12x+28)$의 진수의 조건에서 $12x+28>0$
$12x>-28$ $\therefore x>-\frac{7}{3}$ ...... ㉡
㉠, ㉡의 공통 범위는 $x>0$

06 $\log_2 x=t$라 하면 $t^2-5t+4<0$
$(t-1)(t-4)<0$ $\therefore 1<t<4$
즉 $1<\log_2 x<4$에서 $\log_2 2<\log_2 x<\log_2 2^4$이고,
밑 2가 1보다 크므로 $2<x<16$
따라서 $\alpha=2$, $\beta=16$이므로
$\beta-\alpha=16-2=14$

07 $(f\circ f)(x)=f(f(x))=\log_2(\log_2 x)$이므로
$\log_2(\log_2 x)\leq2$
$\log_2(\log_2 x)\leq\log_2 4$이고, 밑 2가 1보다 크므로
$\log_2 x\leq4$ ...... ㉠
이때 진수의 조건에서 $\log_2 x>0$ ...... ㉡
㉠, ㉡의 공통 범위는
$0<\log_2 x\leq4$
즉 $\log_2 1<\log_2 x\leq\log_2 2^4$이고, 밑 2가 1보다 크므로
$1<x\leq16$
따라서 자연수 x는 2, 3, 4, ⋯, 16으로 그 개수는 15이다.

08 두 곡선 $y=3\log_2 x$, $y=2^{3-x}$과 직선 $x=2$의 교점을 각각 구하면
A(2, 3), B(2, 2)
따라서 삼각형 OAB의 넓이는
$\frac{1}{2}\times1\times2=1$

$y=3\log_2 x$에 $x=2$를 대입하면 $3\log_2 2=3$이므로 A(2, 3)이야.

09 두 곡선 $y=\log_3 x$, $y=\log_9 x$와 직선 $y=k$가 만나는 점을 각각 구하면

$\log_3 x=k$에서 $x=3^k$ $\quad\therefore\ \mathrm{P}(3^k,\ k)$

$\log_9 x=k$에서 $x=9^k$ $\quad\therefore\ \mathrm{Q}(9^k,\ k)$

즉 $\overline{\mathrm{PQ}}=9^k-3^k=6$이므로

$(3^k)^2-3^k-6=0$, $(3^k-3)(3^k+2)=0$

$3^k=3$ ($\because\ 3^k>0$) $\quad\therefore\ k=1$

10 $y=2^{x+k}+1$에서 $x=2^{y+k}+1$

$x-1=2^{y+k}$, $y+k=\log_2(x-1)$

$y=\log_2(x-1)-k$

$\therefore\ f^{-1}(x)=\log_2(x-1)-k$

이 그래프를 x축의 방향으로 k만큼 평행이동한 곡선이 $y=g(x)$이므로

$g(x)=\log_2(x-k-1)-k$

이때 곡선 $y=f(x)$의 점근선의 방정식은 $y=1$이고, 곡선 $y=g(x)$의 점근선의 방정식은 $x=k+1$이므로

두 점근선의 교점의 좌표는 $(k+1,\ 1)$

이 점이 직선 $y=2x-5$ 위에 있으므로

$1=2(k+1)-5$, $2k=4$

$\therefore\ k=2$

함수 $y=f(x)$의 그래프와
함수 $y=g(x)$의 그래프가
직선 $y=x$에 대하여
대칭임을 이용해 $g(x)$를
구할 수 있어.

누구나 합격 전략 | 52~53쪽

01 ③	02 ④	03 ④	04 ⑤
05 ①	06 ②	07 ④	08 ③
09 ①	10 ⑤		

01 함수 $f(x)=3^{x+1}+a$의 그래프가 원점을 지나므로

$f(0)=0$

따라서 $3^1+a=0$이므로 $a=-3$

02 함수 $f(x)=\left(\frac{1}{2}\right)^{x-2}$은 밑 $\frac{1}{2}$이 1보다 작으므로 x의 값이 감소하면 y의 값은 증가한다.

따라서 $x=0$일 때 최댓값 $f(0)=\left(\frac{1}{2}\right)^{-2}=4$를 갖는다.

03 함수 $f(x)=-3^{x+1}+a$의 그래프의 점근선의 방정식이 $y=a$이므로 $a=5$

즉 $f(x)=-3^{x+1}+5$이므로

$f(1)=-3^2+5=-4$

$\therefore\ a+f(1)=5+(-4)=1$

$-3^2=-3\times3=-9$야.
$-3^2\neq(-3)^2$임에 주의해.

04 $(2^x-4)(3^{x-1}-27)=0$에서

$2^x=4$ 또는 $3^{x-1}=27$

$2^x=2^2$에서 $x=2$

$3^{x-1}=3^3$에서 $x-1=3$ $\quad\therefore\ x=4$

따라서 방정식의 모든 근의 합은

$2+4=6$

05 $1\le 2^{x-1}\le 16$에서 $2^0\le 2^{x-1}\le 2^4$

밑 2가 1보다 크므로

$0\le x-1\le 4$ $\quad\therefore\ 1\le x\le 5$

따라서 $\alpha=1$, $\beta=5$이므로

$\alpha+\beta=1+5=6$

06 $f(x)=\log_3(2x+1)$에 $x=4$를 대입하면

$f(4)=\log_3 9=2$

$\therefore\ (g\circ f)(4)=g(f(4))=g(2)=2^{2-1}=2$

07 함수 $f(x)=2^x$의 역함수는 $g(x)=\log_2 x$

$\therefore\ g(3)+g\left(\frac{16}{3}\right)=\log_2 3+\log_2 \frac{16}{3}$

$=\log_2\left(3\times\frac{16}{3}\right)$

$=\log_2 16$

$=\log_2 2^4=4$

08 함수 $f(x)=\log_3(x-2)+5$의 그래프의 점근선의 방정식이 $x=2$이므로

직선 $x=2$와 곡선 $g(x)=2^{x+1}-5$의 교점을 구하면

$g(2)=2^{2+1}-5=3\qquad\therefore\ \mathrm{P}(2,\ 3)$

따라서 $a=2$, $b=3$이므로

$a+b=2+3=5$

09 $(\log_2 x)^2-3\log_2 x<0$에서 $(\log_2 x)(\log_2 x-3)<0$

$\log_2 x=t$라 하면 $t(t-3)<0\qquad\therefore\ 0<t<3$

즉 $0<\log_2 x<3$에서 $\log_2 1<\log_2 x<\log_2 2^3$이고,

밑 2가 1보다 크므로 $1<x<8$

따라서 $\alpha=1$, $\beta=8$이므로

$\alpha+\beta=1+8=9$

10 두 곡선 $y=2^{x+1}$, $y=\log_{\frac{1}{3}}(2x+1)$과 직선 $x=1$의 교점을 각각 구하면

$y=2^{1+1}=4\qquad\therefore\ \mathrm{A}(1,\ 4)$

$y=\log_{\frac{1}{3}}(2+1)=-\log_3 3=-1\qquad\therefore\ \mathrm{B}(1,\ -1)$

$\therefore\ \overline{\mathrm{AB}}=4-(-1)=5$

창의·융합·코딩 전략 ①

54~55쪽

1 ④ **2** ③ **3** ② **4** ⑤

1 $M(t)\geq\frac{4}{5}M_0$에서 $M_0(1-5^{-t})\geq\frac{4}{5}M_0$

$1-5^{-t}\geq\frac{4}{5}$ ($\because\ M_0>0$)

즉 $-\left(\frac{1}{5}\right)^t\geq-\frac{1}{5}$이므로 $\left(\frac{1}{5}\right)^t\leq\frac{1}{5}$

이때 밑 $\frac{1}{5}$이 1보다 작으므로 $t\geq1$

따라서 최소 1시간 충전해야 한다.

2 주어진 표에서 $Q(0)=208$, $Q(1)=108$

$Q(0)=a+8=208$에서 $a=200\qquad\cdots\cdots$ ㉠

$Q(1)=200r+8=108$ ($\because$ ㉠)에서 $r=\frac{1}{2}$

$\therefore\ Q(t)=200\left(\frac{1}{2}\right)^t+8$

이때 $Q(t)$가 감소함수이므로 $Q(n+1)<10<Q(n)$에서

$200\left(\frac{1}{2}\right)^{n+1}+8<10<200\left(\frac{1}{2}\right)^n+8$

$200\left(\frac{1}{2}\right)^{n+1}<2<200\left(\frac{1}{2}\right)^n$

$\left(\frac{1}{2}\right)^{n+1}<\frac{1}{100}<\left(\frac{1}{2}\right)^n$

따라서 $2^n<100<2^{n+1}$이고 $2^6<100<2^7$이므로 구하는 자연수 n의 값은 6이다.

3 $M(h)=\log_8 h$에 대하여 $M(2)=\frac{2}{3}M(a)$이므로

$\log_8 2=\frac{2}{3}\log_8 a$, $\frac{1}{3}=\frac{2}{3}\log_8 a$

$\frac{1}{2}=\log_8 a\qquad\therefore\ a=8^{\frac{1}{2}}=2^{\frac{3}{2}}=2\sqrt{2}$

4 $p=100-2^n-28\log_5 t$에 $n=5$, $t=5$를 대입하면

$p=100-2^5-28\log_5 5=100-32-28=40\,(\%)$

따라서 구하는 학생의 수는

$200\times0.4=80$

창의·융합·코딩 전략 ②

56~57쪽

5 ③　**6** ④　**7** ①　**8** ②

5 $W=\frac{W_0}{3}10^{at}(1+10^{at})$에서 $\frac{W}{W_0}=\frac{1}{3}\times10^{at}(1+10^{at})$

이때 $t=10$, $W=2W_0$이므로 $2=\frac{1}{3}\times10^{10a}(1+10^{10a})$

$(10^{10a})^2+10^{10a}-6=0$

$(10^{10a}+3)(10^{10a}-2)=0$

$\therefore 10^{10a}=2$ ($\because 10^{10a}>0$)

따라서 $10a=\log 2=0.3$이므로

$100a=10\times0.3=3$

6 두 선팅 필름 A, B의 선팅 농도가 각각 1, 3이고, 두 선팅 필름 A, B에 입사하는 빛의 세기 Q가 같으므로

$1=\log Q-\log R_A$, $3=\log Q-\log R_B$

즉 $\log R_A=\log Q-1$, $\log R_B=\log Q-3$

따라서

$$\log\frac{R_A}{R_B}=\log R_A-\log R_B$$
$$=(\log Q-1)-(\log Q-3)$$
$$=2$$

이므로 $\frac{R_A}{R_B}=10^2=100$

다른 풀이

$\log R_A=\log Q-1=\log\frac{Q}{10}$이므로 $R_A=\frac{Q}{10}$

$\log R_B=\log Q-3=\log\frac{Q}{1000}$이므로 $R_B=\frac{Q}{1000}$

$\therefore \frac{R_A}{R_B}=\frac{\frac{Q}{10}}{\frac{Q}{1000}}=100$

7 K씨의 올해 명목 소득을 a원이라 하면 n년 후 K씨의 명목 소득은 $a\times1.1^n$(원)이고, 소비자 물가 지수는 100×1.03^n이다.

올해 K씨의 실질 소득은

$\frac{a}{100}\times100=a$(원)

n년 후 K씨의 실질 소득은

$\frac{a\times1.1^n}{100\times1.03^n}\times100=\frac{a\times1.1^n}{1.03^n}$(원)

이때 $\frac{a\times1.1^n}{1.03^n}\ge2a$에서 $\log\frac{1.1^n}{1.03^n}\ge\log2$

$n\log1.1-n\log1.03\ge\log2$

$n(0.0414-0.0128)\ge0.3010$

$\therefore n\ge\frac{0.3010}{0.0286}=10.5\cdots$

따라서 K씨의 실질 소득이 처음으로 올해 실질 소득의 2배 이상이 되는 해는 올해로부터 11년 후이다.

8 도로 구간의 교통량이 도로 용량의 2배이므로

$V=2C$

통행 시간은 기준 통행 시간의 $\frac{7}{2}$배이므로

$t=\frac{7}{2}t_0$

즉 $\frac{V}{C}=2$, $\frac{t}{t_0}=\frac{7}{2}$이므로

$\log\left(\frac{7}{2}-1\right)=k+4\log2$

$k=\log\frac{5}{2}-\log2^4=\log\left(\frac{5}{2}\times\frac{1}{2^4}\right)=\log\frac{5}{32}$

$\therefore 10^k=\frac{5}{32}$

전편 마무리 전략

신유형·신경향 전략

60~63쪽

01 (1) $A=\{2, 4, 32\}$ (2) $B=\{0, 1, 2, \cdots, 6\}$ (3) 32
02 12500원
03 (1) $p=3$, $q=2$ (2) 20 (3) 15
04 681
05 1250 m
06 윤기
07 2034년
08 50

01 (1) $A=\{n\,|\,\log_n 2^{10}$은 자연수$\}$를 구하면

$\log_n 2^{10}=10\log_n 2=\dfrac{10}{\log_2 n}$이 자연수이므로

$\log_2 n$은 10의 양의 약수이다.

즉 $\log_2 n=1, 2, 5, 10$이고 $1\le n\le 1000$이므로

$n=2, 4, 32$

$\therefore A=\{2, 4, 32\}$

(2) $B=\{x\,|\,x=\log_3 n$은 정수$\}$를 구하면

$x=\log_3 n$이 정수이므로

$n=3^m$ (m은 정수)

즉 $1\le n\le 1000$에서 $n=1, 3, 3^2, \cdots, 3^6$이므로

$x=0, 1, 2, \cdots, 6$

$\therefore B=\{0, 1, 2, \cdots, 6\}$

$x=\log_3 n$이 정수이므로
n은 3의 거듭제곱이야.

(3) $A=\{2, 4, 32\}$, $B=\{0, 1, 2, \cdots, 6\}$이므로

$A-B=\{32\}$

따라서 집합 $A-B$의 모든 원소의 합은 32

LECTURE 차집합 $A-B$

두 집합 A, B에 대하여 집합 A에는 속하지만 집합 B에는 속하지 않는 모든 원소로 이루어진 집합

⇨ $A-B=A-(A\cap B)$

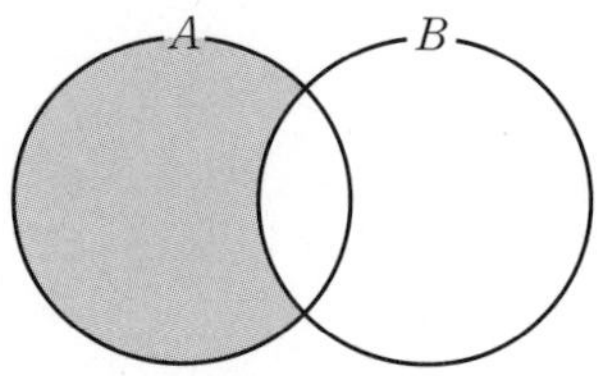
A
B

02 $3000\times\sqrt[3]{\dfrac{27}{8}}=3000\times\sqrt[3]{\left(\dfrac{3}{2}\right)^3}$

$=3000\times\dfrac{3}{2}=4500$(원)

$2000\times\log_4 32=2000\times\log_{2^2}2^5$

$=2000\times\dfrac{5}{2}=5000$(원)

$\left(\log_2\dfrac{3}{2}+\log_2\dfrac{16}{3}\right)\times1000=\log_2\left(\dfrac{3}{2}\times\dfrac{16}{3}\right)\times1000$

$=\log_2 8\times1000$

$=\log_2 2^3\times1000$

$=3\times1000=3000$(원)

따라서 세 도서의 가격의 총합은

$4500+5000+3000=12500$(원)

03 (1) $a=\sqrt[3]{2}$, $b=\sqrt[4]{9}=\sqrt[4]{3^2}=\sqrt{3}$

따라서 $a=2^{\frac{1}{3}}$, $b=3^{\frac{1}{2}}$이므로

$p=3$, $q=2$

(2) $\sqrt[5]{(ab^2)^n}=a^{\frac{n}{5}}b^{\frac{2n}{5}}$

$=(2^{\frac{1}{3}})^{\frac{n}{5}}(3^{\frac{1}{2}})^{\frac{2n}{5}}$

$=2^{\frac{n}{15}}3^{\frac{n}{5}}$

따라서 $\alpha=15$, $\beta=5$이므로

$\alpha+\beta=15+5=20$

(3) $\sqrt[5]{(ab^2)^n}=2^{\frac{n}{15}}3^{\frac{n}{5}}$이 자연수가 되려면

$\dfrac{n}{15}$, $\dfrac{n}{5}$이 모두 자연수이어야 하므로

n은 15와 5의 공배수, 즉 15의 배수이다.

따라서 자연수 n의 최솟값은 15이다.

04 $\log P=a+\dfrac{b}{c+T}$에 $T=0$, $P=4.8$을 대입하면

$\log 4.8=a+\dfrac{b}{c}$

$\therefore 1000\left(a+\dfrac{b}{c}\right)=1000\log 4.8$

$=1000\log\dfrac{48}{10}$

$=1000\log\dfrac{16\times3}{10}$

$=1000(4\log 2+\log 3-1)$

$=1000(4\times0.301+0.477-1)$

$=681$

05 출발 지점인 150 m에서 100 m씩 n번 높아진 고도는

$(150+100n)$ m

이때 고도 $(150+100n)$ m에서 측정한 공기 중 산소 농도는

$20(1-0.01)^n$ %

즉 $20(1-0.01)^n \le 18$이므로 $0.99^n \le \frac{9}{10}$

양변에 상용로그를 취하면

$n\log 0.99 \le \log 0.9$

$n\log\left(9.9\times\frac{1}{10}\right) \le \log\left(9\times\frac{1}{10}\right)$

$n(\log 9.9-1) \le 2\log 3-1$

$0.0044n \ge 0.0458$

$\therefore n \ge \frac{0.0458}{0.0044}=10.4\cdots$

따라서 처음으로 산소 농도가 18 % 이하로 측정되는 지점의 고도는 $n=11$일 때이므로

$150+100\times 11=1250$(m)

오답 피하기

양수 N의 상용로그 $\log_{10}N$은 보통 밑 10을 생략하여 기호로 $\log N$으로 나타낸다.

06 $\log_2\{\log_2(\log_2 k)\}=\log_2(\log_2 b_3)$

$=\log_2(\log_2 2^{a_3})$

$=\log_2 a_3=b_2$

따라서 $\log_2\{\log_2(\log_2 k)\}$의 값을 바르게 구한 학생은 윤기이다.

07 정책을 추진하기 시작하여 n년 후 이산화탄소 배출량은

$6(1-0.05)^n$억 톤

즉 $6(1-0.05)^n \le 3$이므로 $0.95^n \le \frac{1}{2}$

양변에 상용로그를 취하면

$n\log 0.95 \le \log\frac{1}{2}$

$n\log\left(9.5\times\frac{1}{10}\right) \le \log 2^{-1}$

$n(\log 9.5-1) \le -\log 2$

$0.022n \ge 0.301$

$\therefore n \ge \frac{0.301}{0.022}=13.6\cdots$

따라서 이산화탄소 배출량이 처음으로 3억 톤 이하가 되는 해는 $n=14$일 때이므로 2034년이다.

08 $1 \le x \le 2$일 때 정사각형의 개수는 0

$2 \le x \le 4$일 때 정사각형의 개수는 $2\times 1=2$

$4 \le x \le 8$일 때 정사각형의 개수는 $4\times 2=8$

$8 \le x \le 16$일 때 정사각형의 개수는 $8\times 3=24$

$16 \le x \le 20$일 때 정사각형의 개수는 $4\times 4=16$

따라서 정사각형의 최대 개수는

$2+8+24+16=50$

1·2등급 확보 전략 1회

64~67쪽

01 ③	02 ④	03 ②	04 ③
05 ③	06 ③	07 ①	08 ③
09 ②	10 ⑤	11 ④	12 ④
13 ⑤	14 ④	15 ①	16 ④

01 $\frac{\sqrt[4]{(\sqrt{3})^{12}}}{\sqrt{3}\times\sqrt[3]{9}}=\frac{\sqrt[4]{3^6}}{\sqrt{3}\times\sqrt[3]{9}}$

$=\frac{\sqrt{3^3}}{\sqrt{3}\times\sqrt[3]{9}}$

$=\frac{3}{\sqrt[3]{3^2}}=3^{1-\frac{2}{3}}=3^{\frac{1}{3}}$

$\therefore a=\frac{1}{3}$

다른 풀이

$\frac{\sqrt[4]{(\sqrt{3})^{12}}}{\sqrt{3}\times\sqrt[3]{9}}=\frac{\sqrt[4]{3^6}}{\sqrt{3}\times\sqrt[3]{9}}=\frac{3^{\frac{3}{2}}}{3^{\frac{1}{2}}\times 3^{\frac{2}{3}}}=3^{\frac{3}{2}-\frac{1}{2}-\frac{2}{3}}=3^{\frac{1}{3}}$

02 $\dfrac{a+b}{3}=\dfrac{b+c}{5}=\dfrac{c+a}{6}=k\ (k\neq 0)$라 하면

$a+b=3k$, $b+c=5k$, $c+a=6k$

위의 식의 각 변을 더하면

$2(a+b+c)=14k$, $a+b+c=7k$

즉 $a=2k$, $b=k$, $c=4k$

$\therefore\ (2^a\times 2^b)^{\frac{1}{c}}=2^{\frac{a+b}{c}}=2^{\frac{3k}{4k}}$

$=2^{\frac{3}{4}}=\sqrt[4]{2^3}$

$=\sqrt[4]{8}$

03 $a=\sqrt[3]{16}$이므로 $a^3=16=4^2$

$\therefore\ \log_4 a^9=\log_4(a^3)^3$

$=\log_4(4^2)^3$

$=\log_4 4^6$

$=6$

04 $\dfrac{3^a+3^{-a}}{3^a-3^{-a}}$의 분모, 분자에 3^a을 각각 곱하면

$\dfrac{3^a(3^a+3^{-a})}{3^a(3^a-3^{-a})}=\dfrac{9^a+1}{9^a-1}=\dfrac{13}{5}$

$5(9^a+1)=13(9^a-1)$

$8\times 9^a=18$

$\therefore\ 9^a=\dfrac{9}{4}$

$3^a\times 3^{-a}=3^{a+(-a)}=3^0=1$이야.

05 $(\sqrt[6]{4^5})^{\frac{1}{4}}=(2^{\frac{10}{6}})^{\frac{1}{4}}=2^{\frac{5}{12}}$이 어떤 자연수의 n제곱근이 되려면 $2^{\frac{5n}{12}}$이 자연수이어야 하므로 n은 12의 배수이다.

따라서 n의 최솟값은 12이다.

06 조건 (가)에서 $x=\log_6 2$, $y=\log_a 4$

조건 (나)에서 $\dfrac{y-2x}{xy}=\dfrac{1}{x}-\dfrac{2}{y}=3$

즉

$3=\dfrac{1}{x}-\dfrac{2}{y}$

$=\dfrac{1}{\log_6 2}-\dfrac{2}{\log_a 4}$

$=\log_2 6-2\log_4 a$

$=\log_2 6-\log_2 a$

$=\log_2\dfrac{6}{a}$

이므로 $\dfrac{6}{a}=2^3=8$

$\therefore\ a=\dfrac{6}{8}=\dfrac{3}{4}$

07 2의 네제곱근 중에서 실수는 $-\sqrt[4]{2}$, $\sqrt[4]{2}$이므로

$x=\sqrt[4]{2}$

이때 $x^n=(\sqrt[4]{2})^n=2^{\frac{n}{4}}$이 세 자리 자연수가 되려면

$2^{\frac{n}{4}}=2^7$ 또는 $2^{\frac{n}{4}}=2^8$ 또는 $2^{\frac{n}{4}}=2^9$

따라서 자연수 n은 28, 32, 36이므로 그 합은

$28+32+36=96$

2의 거듭제곱 중
세 자리 자연수는
128, 256, 512뿐이야.

08 (i) $a=4$이면 $(\sqrt[n]{4})^3=4^{\frac{3}{n}}=2^{\frac{6}{n}}$

이때 $2^{\frac{6}{n}}$의 값이 자연수가 되려면

$\dfrac{6}{n}$이 자연수이어야 하므로 n은 6의 약수이다.

$\therefore\ f(4)=6$

(ii) $a=27$이면 $(\sqrt[n]{27})^3=27^{\frac{3}{n}}=3^{\frac{9}{n}}$

이때 $3^{\frac{9}{n}}$의 값이 자연수가 되려면

$\frac{9}{n}$가 자연수이어야 하므로 n은 9의 약수이다.

$\therefore f(27)=9$

(i), (ii)에서 $f(4)+f(27)=6+9=15$

09 $\log_a \frac{b^2}{a}=\log_a b^2-\log_a a$

$=2\log_a b-1=2$

에서 $2\log_a b=3$

즉 $\log_a b=\frac{3}{2}$이므로 $\log_b a=\frac{2}{3}$

$\therefore 2\log_a b+3\log_b a=2\times\frac{3}{2}+3\times\frac{2}{3}$

$=3+2=5$

다른 풀이

$\log_a \frac{b^2}{a}=2$에서 $a^2=\frac{b^2}{a}$

즉 $a^3=b^2$이므로 $a=b^{\frac{2}{3}}$

$\therefore 2\log_a b+3\log_b a=2\log_{b^{\frac{2}{3}}} b+3\log_b b^{\frac{2}{3}}$

$=2\times\frac{3}{2}\log_b b+3\times\frac{2}{3}\log_b b$

$=3+2=5$

10 세 수 a, b, ab가 이 순서대로 등비수열을 이루므로

$b^2=a\times ab$

이때 $b>0$이므로 $b=a^2$

$\therefore \log_{\sqrt{a}} b+\log_{\sqrt{b}} a=\log_{\sqrt{a}} a^2+\log_{\sqrt{a^2}} a$

$=\log_{\sqrt{a}}(\sqrt{a})^4+\log_a a$

$=4+1=5$

11 세 점 $(1, 0)$, $(2, \log_4 a)$, $(3, \log_2 b)$가 한 직선 위에 있으므로

$\frac{\log_4 a}{2-1}=\frac{\log_2 b-\log_4 a}{3-2}$

$2\log_4 a=\log_2 b$

즉 $\log_2 a=\log_2 b$에서 $a=b$

$\therefore \log_a b=\log_a a=1$

12 $\frac{1}{a}+\frac{1}{b}=\frac{a+b}{ab}=\frac{\log_3 5}{\log_{27} 5}$

$=\frac{\frac{1}{\log_5 3}}{\frac{1}{\log_5 27}}=\frac{\log_5 27}{\log_5 3}$

$=\frac{3\log_5 3}{\log_5 3}=3$

13 $\log a=x$, $\log b=y$라 하면

조건 (가)에서

$\log_a 10b=\frac{\log 10b}{\log a}=\frac{\log 10+\log b}{\log a}$

$=\frac{1+y}{x}=4$

$4x=1+y$, $4x-y=1$ ······ ㉠

조건 (나)에서

$\frac{\log b}{2\log\sqrt{a}+\log b}=\frac{\log b}{\log a+\log b}$

$=\frac{y}{x+y}=\frac{2}{3}$

$2(x+y)=3y$, $2x-y=0$ ······ ㉡

㉠, ㉡을 연립하여 풀면

$x=\frac{1}{2}$, $y=1$

$\therefore \log ab=\log a+\log b$

$=x+y=\frac{3}{2}$

다른 풀이

조건 (나)에서

$\frac{\log b}{2\log\sqrt{a}+\log b}=\frac{\log b}{\log a+\log b}=\frac{2}{3}$

이므로 $3\log b=2\log a+2\log b$, $\log a^2=\log b$

$\therefore a^2=b$

조건 (가)에 $a^2=b$를 대입하면

$\log_a 10b=\log_a 10a^2=\log_a 10+2=4$이므로

$\log_a 10=2$, $a^2=10$ $\quad\therefore a=10^{\frac{1}{2}}$

$\therefore \log ab=\log a^3=\log 10^{\frac{3}{2}}=\frac{3}{2}$

14 $a>1$, $b>1$, $c>1$이므로

$\log_a b>0$, $\log_b c>0$, $\log_c a>0$

$9\log_a b=3\log_b c=\log_c a=t\ (t>0)$라 하면

$\log_a b=\frac{t}{9}$, $\log_b c=\frac{t}{3}$, $\log_c a=t$

이때 $\log_a b\times\log_b c\times\log_c a=1$이므로

$\frac{t^3}{27}=1$, $t^3=27$ $\quad\therefore t=3$

$\therefore \log_a b+\log_b c+\log_c a=\frac{t}{9}+\frac{t}{3}+t$

$=\frac{13}{9}t=\frac{13}{3}$

15 밑의 조건에서 $a>0$, $a\neq1$

즉 $0<a<1$ 또는 $a>1$ ...... ㉠

또 진수의 조건에서 모든 실수 x에 대하여

$x^2+2ax+5a>0$이므로 이차방정식 $x^2+2ax+5a=0$의 판별식을 D라 하면

$\frac{D}{4}=a^2-5a<0$, $a(a-5)<0$

$\therefore 0<a<5$ ...... ㉡

㉠, ㉡에서 $0<a<1$ 또는 $1<a<5$

따라서 정수 a는 2, 3, 4이므로 그 합은

$2+3+4=9$

LECTURE 이차부등식이 항상 성립할 조건

모든 실수 x에 대하여 이차부등식 $ax^2+bx+c>0$이면 $a>0$이고 이차방정식 $ax^2+bx+c=0$의 판별식을 D라 할 때, $D=b^2-4ac<0$이어야 한다.

16 조건 (가)에서 $3^a=5^b=k^c=x$라 하면

$3=x^{\frac{1}{a}}$, $5=x^{\frac{1}{b}}$, $k=x^{\frac{1}{c}}$

조건 (나)에서 $\log c=\log\frac{2ab}{2a+b}$이므로

$c=\frac{2ab}{2a+b}$

$\frac{1}{c}=\frac{2a+b}{2ab}=\frac{1}{b}+\frac{1}{2a}$

이때 $x^{\frac{1}{c}}=x^{\frac{1}{b}+\frac{1}{2a}}$이므로

$k=5\times3^{\frac{1}{2}}=5\sqrt{3}$

$\therefore k^2=(5\sqrt{3})^2=75$

1·2등급 확보 전략 2회

68~71쪽

01 ②	02 ②	03 ①	04 ④
05 ④	06 ①	07 ⑤	08 ①
09 ④	10 ④	11 ⑤	12 ③
13 ⑤	14 ①	15 ③	16 ②

01 함수 $f(x)=5^{a-2x}=\left(\frac{1}{5}\right)^{2x-a}$은 밑 $\frac{1}{5}$이 1보다 작으므로 x의 값이 감소하면 y의 값이 증가한다.

즉 $x=1$일 때 최댓값 $5^{a-2}=5^2$이므로

$a-2=2$에서 $a=4$

$x=3$일 때 최솟값 $m=5^{4-6}=5^{-2}=\frac{1}{25}$

$\therefore \frac{a}{m}=\frac{4}{\frac{1}{25}}=100$

02 $2^x=t\ (t>0)$라 하면

$t-10+\frac{16}{t}=0$, $t^2-10t+16=0$

$(t-2)(t-8)=0$ $\quad\therefore t=2$ 또는 $t=8$

이때 $\alpha<\beta$이므로 $2^\alpha=2$, $2^\beta=8$

따라서 $\alpha=1$, $\beta=3$이므로

$\alpha+2\beta=1+2\times3=7$

03 두 점 A, B의 x좌표를 각각 α, β라 하면

$A(\alpha, 2^\alpha)$, $B(\beta, 2^\beta)$

선분 AB의 중점의 좌표는 $\left(\frac{\alpha+\beta}{2}, \frac{2^\alpha+2^\beta}{2}\right)$이고 선분 AB의 중점이 y축 위에 있으므로

$\alpha+\beta=0$ ...... ㉠

한편,

$2^x=-k\times\left(\frac{1}{2}\right)^x+\frac{5}{2}$에서 $2\times2^{2x}-5\times2^x+2k=0$

$2^x=t\ (t>0)$라 하면 $2t^2-5t+2k=0$

이 방정식의 두 근이 2^α, 2^β이므로 이차방정식의 근과 계수의 관계에 의하여

$2^\alpha\times2^\beta=\frac{2k}{2}$, $2^{\alpha+\beta}=k$

$\therefore k=2^0=1$ ($\because$ ㉠)

04 조건 ㈎에서 $f\left(\frac{1}{2}\right)=3^{\frac{1}{2}a+b}=27=3^3$이므로

$\frac{1}{2}a+b=3$ $\quad\cdots\cdots$ ㉠

조건 ㈏의 $f(x+y)=9f(x)f(y)$에 $x=0$, $y=0$을 대입하면

$f(0)=9f(0)f(0)$

이때 $f(0)>0$이므로 $f(0)=\frac{1}{9}$

즉 $f(0)=3^b=\frac{1}{9}$이므로

$b=-2$

㉠에 $b=-2$를 대입하여 풀면

$a=10$

$\therefore\ 3a+b=3\times10+(-2)=28$

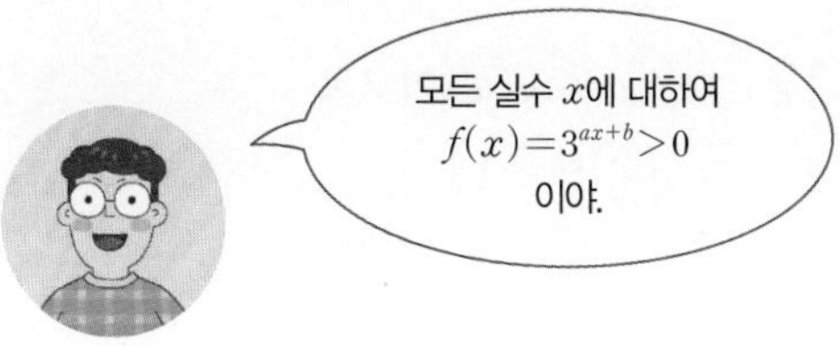

05 함수 $f(x)=-2^{4-3x}+k$의 그래프가 제2사분면을 지나지 않으려면 $f(0)\le0$이어야 한다.

$f(0)=-2^4+k\le0$, $k\le16$

따라서 자연수 k의 최댓값은 16이다.

오답 피하기

함수 $y=-2^{4-3x}+k$의 그래프는 함수 $y=2^{-3x}$의 그래프를 x축의 방향으로 $\frac{4}{3}$만큼, y축의 방향으로 $-k$만큼 평행이동한 후, x축에 대하여 대칭이동한 그래프이다.

06 함수 $y=2^x$의 그래프를 x축의 방향으로 m만큼 평행이동한 그래프의 식은

$f(x)=2^{x-m}$

함수 $y=f(x)$의 그래프와 그 역함수의 그래프의 교점이 직선 $y=x$ 위에 있으므로 교점 중 한 점의 좌표는 $(4,\ 4)$이다.

즉 $f(4)=2^{4-m}=4$이므로

$2^{4-m}=2^2$, $4-m=2$

$\therefore\ m=2$

오답 피하기

함수 $y=f(x)$의 그래프와 그 역함수 $y=f^{-1}(x)$의 그래프는 직선 $y=x$에 대하여 대칭이다. 즉 두 함수의 그래프의 교점은 직선 $y=x$ 위에 있다.

07 두 곡선 $y=\log_2 x$, $y=-\log_2(5-x)$와 직선 $x=1$의 교점을 각각 구하면

$\mathrm{A}(1,\ 0)$, $\mathrm{B}(1,\ -2)$

두 곡선 $y=\log_2 x$, $y=-\log_2(5-x)$와 직선 $x=4$의 교점을 각각 구하면

$\mathrm{C}(4,\ 2)$, $\mathrm{D}(4,\ 0)$

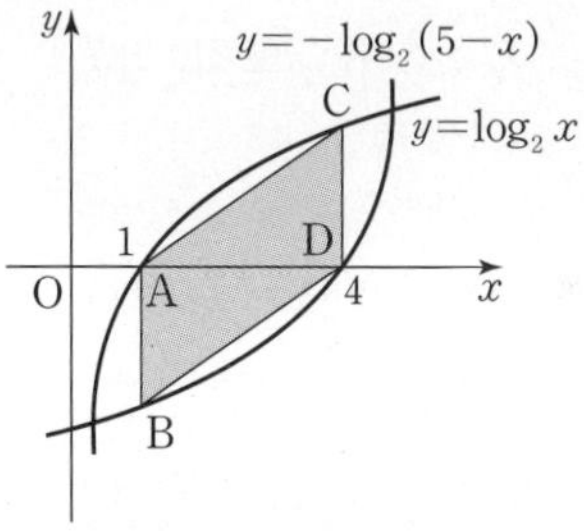

$$\therefore\ \square\mathrm{ABDC}=\frac{1}{2}\times\overline{\mathrm{AD}}\times\overline{\mathrm{AB}}+\frac{1}{2}\times\overline{\mathrm{AD}}\times\overline{\mathrm{CD}}$$
$$=\frac{1}{2}\times3\times2+\frac{1}{2}\times3\times2=6$$

08 조건 ㈎, ㈏를 만족시키는 함수 $y=f(x)$의 그래프는 다음과 같다.

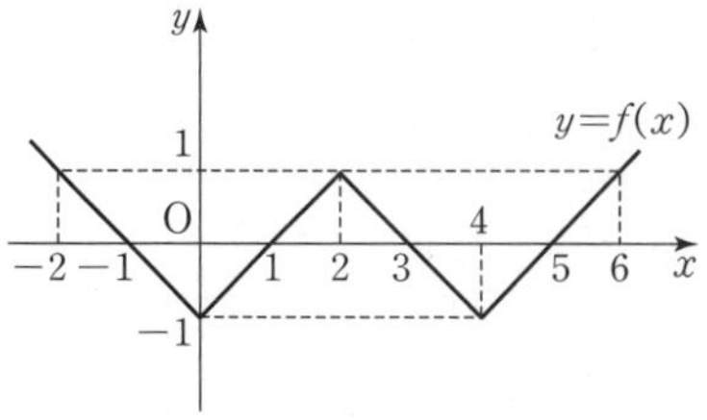

$n=1$, 3일 때, 두 함수 $y=f(x)$, $y=\left(\frac{1}{2}\right)^x-n$의 그래프는 다음과 같다.

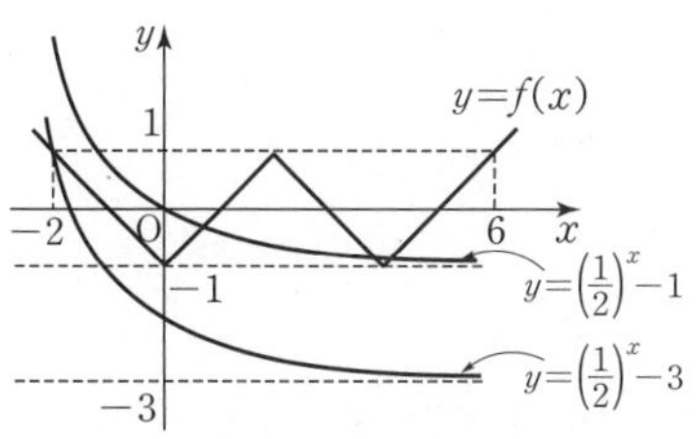

따라서 $g(1)=3$, $g(3)=1$이므로

$g(1)+g(3)=3+1=4$

09 $f(x)=\log_a(5-x)+\log_a(x+3)$

$=\log_a(5-x)(x+3)$

진수의 조건에서 $5-x>0$, $x+3>0$이므로

$-3<x<5$

$g(x)=(5-x)(x+3)$이라 하면

$g(x)=-x^2+2x+15=-(x-1)^2+16$

즉 함수 $y=g(x)$는 $x=1$일 때 최댓값 16을 갖는다.

이때 $a>1$이므로 함수 $y=f(x)$의 최댓값은

$f(1)=\log_a g(1)=\log_a 16=8$

$\therefore a^8=16$

LECTURE 함수 $y=\log_a f(x)$ $(a>0, a\neq1)$의 최대 · 최소

(1) $a>1$일 때

$f(x)$가 최대이면 y도 최대이다.

$f(x)$가 최소이면 y도 최소이다.

(2) $0<a<1$일 때

$f(x)$가 최대이면 y는 최소이다.

$f(x)$가 최소이면 y는 최대이다.

10 $\log_{\sqrt{2}}x<\log_2(12x+28)$에서 $\log_2 x^2<\log_2(12x+28)$

이때 밑 2가 1보다 크므로

$x^2<12x+28$

$x^2-12x-28<0$, $(x-14)(x+2)<0$

$\therefore -2<x<14$ ······ ㉠

진수의 조건에서 $x>0$, $12x+28>0$이므로

$x>0$ ······ ㉡

㉠, ㉡의 공통 범위는 $0<x<14$

따라서 자연수 x는 1, 2, 3, ⋯, 13으로 그 개수는 13이다.

11 (i) $\log_3|x-3|<2$에서 $\log_3|x-3|<\log_3 9$

이때 밑 3이 1보다 크므로

$|x-3|<9$, $-9<x-3<9$

$\therefore -6<x<12$ ······ ㉠

또 진수의 조건에서 $|x-3|>0$

즉 $x\neq3$인 모든 실수 ······ ㉡

㉠, ㉡에서 $-6<x<3$ 또는 $3<x<12$

(ii) $\log_2 x+\log_2(x-2)>3$에서

$\log_2 x(x-2)>\log_2 8$

이때 밑 2가 1보다 크므로

$x(x-2)>8$, $x^2-2x-8>0$

$(x-4)(x+2)>0$

$\therefore x<-2$ 또는 $x>4$ ······ ㉢

또 진수의 조건에서 $x>0$, $x-2>0$이므로

$x>2$ ······ ㉣

㉢, ㉣에서 $x>4$

(i), (ii)에서 $4<x<12$이므로

$a=5$, $b=11$

$\therefore a+b=5+11=16$

12 $f^{-1}(x)=g(x)$이므로

$g^{-1}(x)=f(x)$

즉 $(g\circ g)(k)=82$에서

$k=(g^{-1}\circ g^{-1})(82)$

$=(f\circ f)(82)$

$=f(-7)$

$=3-(-7)$

$=10$

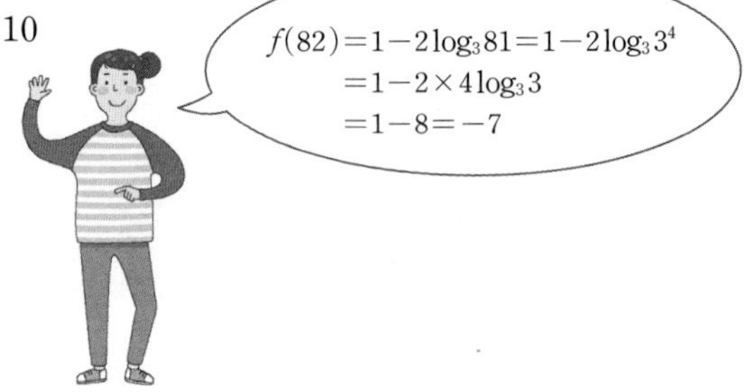

13 조건 (가), (나)를 만족시키는 함수 $y=f(x)$의 그래프는 다음과 같다.

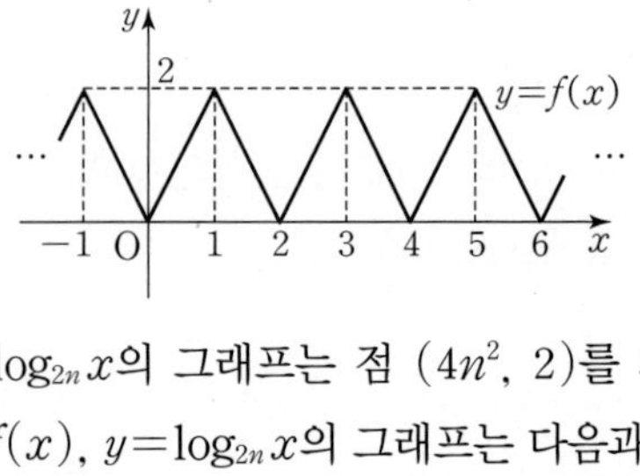

함수 $y=\log_{2n}x$의 그래프는 점 $(4n^2, 2)$를 지나고 두 함수 $y=f(x)$, $y=\log_{2n}x$의 그래프는 다음과 같다.

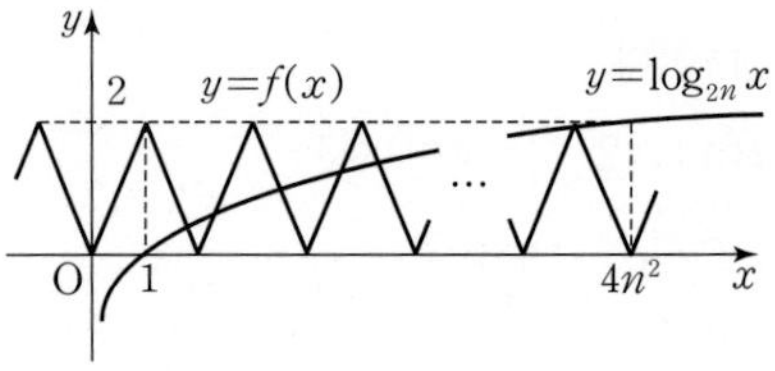

이때 자연수 k $(1\le k\le 4n^2-1)$에 대하여 $k\le x\le k+1$에서 두 함수 $y=f(x)$, $y=\log_{2n}x$의 그래프가 만나는 점의 개수는 1이다.

따라서 $a_n=4n^2-1$이므로

$a_1+a_5=3+99=102$

오답 피하기

$k\ge 4n^2$인 자연수 k에 대하여 $k\le x\le k+1$에서 두 함수 $y=f(x)$, $y=\log_{2n}x$의 그래프는 만나지 않으므로 $a_n=4n^2-1$

14 함수 $y=5-\log_2(x+a)$의 그래프가 점 $(-1,\ k)$를 지나므로

$k=5-\log_2(-1+a)$ ······ ㉠

이때 점근선의 방정식이 $x=-a$이므로 $a=3$

㉠에 $a=3$을 대입하면

$k=5-\log_2(-1+3)=5-\log_2 2=4$

$\therefore\ a^k=3^4=81$

15 함수 $y=2^x+2$의 그래프를 x축의 방향으로 m만큼 평행이동한 그래프의 식은

$y=2^{x-m}+2$ ······ ㉠

함수 $y=\log_2 8x$의 그래프를 x축의 방향으로 2만큼 평행이동한 그래프의 식은

$y=\log_2 8(x-2)$ ······ ㉡

㉡을 직선 $y=x$에 대하여 대칭이동한 그래프의 식은

$x=\log_2 8(y-2)=3+\log_2(y-2)$

$x-3=\log_2(y-2)$, $y-2=2^{x-3}$

$y=2^{x-3}+2$ ······ ㉢

이때 ㉠과 ㉢이 일치해야 하므로

$m=3$

오답 피하기

함수 $y=f(x)$의 그래프와 함수 $y=g(x)$의 그래프가 직선 $y=x$에 대하여 대칭이면 두 함수는 서로 역함수 관계이다.

16 두 열차 A, B의 속력을 각각 v_A, v_B라 하면

$$L_A=80+28\log\frac{v_A}{100}-14\log\frac{75}{25}$$

$$L_B=80+28\log\frac{v_B}{100}-14\log\frac{75}{25}$$

$$\therefore\ L_B-L_A=28\log\frac{v_B}{100}-28\log\frac{v_A}{100}$$

$$=28\log\frac{\frac{v_B}{100}}{\frac{v_A}{100}}=28\log\frac{v_B}{v_A}$$

$$=28\log\frac{v_B}{0.9v_B}\ (\because\ v_A=0.9v_B)$$

$$=28\log\frac{1}{0.9}=28\log\frac{10}{9}$$

$$=28(1-\log 9)=28-56\log 3$$

수학 I (후편)

WEEK

1

삼각함수

DAY

1 개념 돌파 전략 ②

12~13쪽

1 ③ 2 ① 3 ① 4 ④ 5 ④ 6 7

1 점 $P(-1, \sqrt{3})$에 대하여

$\overline{OP}=\sqrt{(-1)^2+(\sqrt{3})^2}=2$이므로

$\cos\theta=\frac{-1}{2}=-\frac{1}{2}$

2 $\sin^2\theta+\cos^2\theta=1$이므로

$\cos^2\theta=1-\sin^2\theta$

$=1-\left(\frac{\sqrt{5}}{3}\right)^2$

$=\frac{4}{9}$

이때 $\frac{\pi}{2}<\theta<\pi$에서 $\cos\theta<0$이므로

$\cos\theta=-\frac{2}{3}$

$\therefore \tan\theta=\frac{\sin\theta}{\cos\theta}=\frac{\frac{\sqrt{5}}{3}}{-\frac{2}{3}}=-\frac{\sqrt{5}}{2}$

LECTURE 삼각함수의 정의

각 사분면에서 θ에 대한 삼각함수의 값의 부호는 다음과 같다.

① θ가 제1사분면의 각이면 삼각함수 모두 $+$

② θ가 제2사분면의 각이면 $\sin\theta$만 $+$

③ θ가 제3사분면의 각이면 $\tan\theta$만 $+$

④ θ가 제4사분면의 각이면 $\cos\theta$만 $+$

3 함수 $f(x)=2\sin x-1$의 최댓값은 $2-1=1$, 최솟값은 $-2-1=-3$이므로 $a=1$, $b=-3$

$\therefore ab=1\times(-3)=-3$

4 함수 $f(x)=a\sin 2x$의 최댓값이 3이므로

$|a|=3$ $\quad\therefore a=3\ (\because a>0)$

또 주기는 $\frac{2\pi}{2}=\pi$이므로

$b\pi=\frac{1}{2}\times\frac{3}{2}\pi=\frac{3}{4}\pi$ $\quad\therefore b=\frac{3}{4}$

$\therefore a+b=3+\frac{3}{4}=\frac{15}{4}$

5 삼각형 ABC의 외접원의 반지름의 길이를 R라 하면 사인법칙에 의하여

$\frac{\overline{AC}}{\sin B}=2R$, $\frac{12}{\frac{2}{3}}=18=2R$

$\therefore R=9$

따라서 삼각형 ABC의 외접원의 반지름의 길이는 9이다.

6 삼각형 ABC에서 코사인법칙에 의하여

$c^2=5^2+3^2-2\times5\times3\times\cos\frac{2}{3}\pi$

$=25+9-30\times\left(-\frac{1}{2}\right)=49$

$\therefore c=7\ (\because c>0)$

DAY

2 필수 체크 전략 ①

14~17쪽

1-1 3	1-2 128	2-1 $-\frac{4}{3}$	2-2 0
3-1 ④	3-2 ②	4-1 23	
5-1 8	5-2 2	6-1 32	6-2 9
7-1 ①	8-1 2	8-2 ⑤	

1-1 중심각의 크기가 $135°=\frac{3}{4}\pi$이므로 부채꼴의 호의 길이는

$4\times\frac{3}{4}\pi=3\pi$ $\quad\therefore k=3$

오답 피하기

$1°=\frac{\pi}{180}$라디안이므로 $135°=135\times\frac{\pi}{180}=\frac{3}{4}\pi$

1-2 점 C는 $\overline{OA}$를 3 : 2로 외분하므로

$\overline{OC} : \overline{AC}=3 : 2$

$(\overline{AC}+6) : \overline{AC}=3 : 2$

$3\overline{AC}=2\overline{AC}+12$

$\therefore \overline{AC}=12$

이때

(부채꼴 AOB의 넓이)$=\frac{1}{2}\times 6^2\times\frac{8}{9}\pi=16\pi$

(부채꼴 COD의 넓이)$=\frac{1}{2}\times 18^2\times\frac{8}{9}\pi=144\pi$

이므로 도형 CABD의 넓이는

$144\pi-16\pi=128\pi$

$\therefore k=128$

2-1 $\sin^2\theta+\cos^2\theta=1$이므로

$\cos^2\theta=1-\sin^2\theta$

$=1-\left(\frac{4}{5}\right)^2$

$=\frac{9}{25}$

이때 θ가 제2사분면의 각이므로

$\cos\theta=-\frac{3}{5}$

$\therefore \tan\theta=\frac{\sin\theta}{\cos\theta}=\frac{\frac{4}{5}}{-\frac{3}{5}}=-\frac{4}{3}$

2-2 $\sin^2\theta+\cos^2\theta=1$이므로

$\sin^2\theta=1-\cos^2\theta$

$=1-\left(\frac{4}{5}\right)^2$

$=\frac{9}{25}$

이때 θ가 제4사분면의 각이므로

$\sin\theta=-\frac{3}{5}$

즉 $\tan\theta=\frac{\sin\theta}{\cos\theta}=\frac{-\frac{3}{5}}{\frac{4}{5}}=-\frac{3}{4}$

$\therefore 5\sin(\pi+\theta)-4\tan(\pi-\theta)$

$=-5\sin\theta+4\tan\theta$

$=-5\times\left(-\frac{3}{5}\right)+4\times\left(-\frac{3}{4}\right)$

$=0$

3-1 $\sin\theta+\cos\theta=\frac{1}{3}$의 양변을 제곱하면

$\sin^2\theta+\cos^2\theta+2\sin\theta\cos\theta=\frac{1}{9}$

$1+2\sin\theta\cos\theta=\frac{1}{9}$

$\therefore \sin\theta\cos\theta=-\frac{4}{9}$

$\therefore -9\sin\theta\cos\theta=-9\times\left(-\frac{4}{9}\right)=4$

3-2 $\sin\theta+\cos\theta=\frac{1}{2}$의 양변을 제곱하면

$\sin^2\theta+\cos^2\theta+2\sin\theta\cos\theta=\frac{1}{4}$

$1+2\sin\theta\cos\theta=\frac{1}{4}$

$\therefore \sin\theta\cos\theta=-\frac{3}{8}$

이때

$(\sin\theta-\cos\theta)^2=\sin^2\theta+\cos^2\theta-2\sin\theta\cos\theta$

$=1-2\sin\theta\cos\theta$

$=1-2\times\left(-\frac{3}{8}\right)=\frac{7}{4}$

이고 $\cos\theta>0$, $\tan\theta<0$에서 θ는 제4사분면의 각이므로 $\sin\theta<0$

즉 $\sin\theta-\cos\theta<0$이므로

$\sin\theta-\cos\theta=-\frac{\sqrt{7}}{2}$

$\therefore \sin^2\theta-\cos^2\theta=(\sin\theta+\cos\theta)(\sin\theta-\cos\theta)$

$=\frac{1}{2}\times\left(-\frac{\sqrt{7}}{2}\right)=-\frac{\sqrt{7}}{4}$

4-1 $\theta+8\theta=2n\pi$ (n은 정수)

$9\theta=2n\pi \qquad \therefore \theta=\frac{2n}{9}\pi$

이때 $\frac{\pi}{2}<\theta<\pi$이므로

$\frac{\pi}{2}<\frac{2n}{9}\pi<\pi \qquad \therefore \frac{9}{4}<n<\frac{9}{2}$

n은 정수이므로 $n=3, 4$

$\therefore \theta=\frac{2}{3}\pi$ 또는 $\theta=\frac{8}{9}\pi$

따라서 모든 각 θ의 크기의 합은 $\frac{2}{3}\pi+\frac{8}{9}\pi=\frac{14}{9}\pi$

이므로 $p=9$, $q=14$

$\therefore p+q=9+14=23$

5-1 이차방정식 $2x^2-kx+1=0$의 두 근이 $\sin\theta$, $\cos\theta$이므로 이차방정식의 근과 계수의 관계에 의하여

$\sin\theta+\cos\theta=\frac{k}{2}$, $\sin\theta\cos\theta=\frac{1}{2}$

따라서 $k=2(\sin\theta+\cos\theta)$이므로

$$\begin{aligned} k^2&=4(\sin\theta+\cos\theta)^2 \\ &=4(\sin^2\theta+\cos^2\theta+2\sin\theta\cos\theta) \\ &=4\times\left(1+2\times\frac{1}{2}\right)=8 \end{aligned}$$

5-2 이차방정식 $2x^2+2(k-1)x-k+2=0$의 두 근이 $\sin\theta$, $\cos\theta$이므로 이차방정식의 근과 계수의 관계에 의하여

$\sin\theta+\cos\theta=1-k$, $\sin\theta\cos\theta=\frac{-k+2}{2}$

이고

$$\begin{aligned} (\sin\theta+\cos\theta)^2&=\sin^2\theta+\cos^2\theta+2\sin\theta\cos\theta \\ &=1+2\sin\theta\cos\theta \end{aligned}$$

이므로 $(1-k)^2=1+2\times\frac{-k+2}{2}$

$k^2-2k+1=3-k$, $k^2-k-2=0$

$(k-2)(k+1)=0$　　$\therefore k=-1$ 또는 $k=2$

이때 k가 양수이므로 $k=2$

6-1 함수 $y=a\sin2x-4$의 최댓값이 0이므로

$|a|-4=0$　　$\therefore a=4$ ($\because a>0$)

즉 함수 $y=4\sin2x-4$의 최솟값은 $-4-4=-8$,

주기는 $\frac{2\pi}{2}=\pi$이므로

$m=-8$, $p=1$

$\therefore |amp|=|4\times(-8)\times1|=32$

6-2 $f(x)=3\sin2\left(x+\frac{\pi}{2}\right)=3\sin(2x+\pi)=-3\sin2x$

이므로 함수 $y=f(x)$의 그래프와 직선 $y=-3$은 다음과 같다.

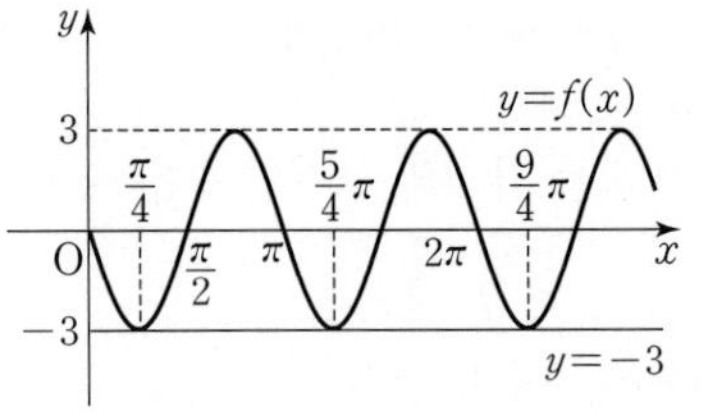

즉 $0\le x\le a\pi$에서 함수 $y=f(x)$의 그래프와 직선 $y=-3$이 두 점에서 만나려면 $\frac{5}{4}\le a<\frac{9}{4}$이어야 하므로 a의 최솟값은 $\frac{5}{4}$이다.

따라서 $p=4$, $q=5$이므로

$p+q=4+5=9$

오답 피하기

함수 $f(x)=-3\sin2x$의 그래프는 $y=3\sin2x$의 그래프를 x축에 대하여 대칭이동한 그래프이다.

7-1 함수 $y=\sin\frac{\pi}{6}x$의 주기는 $\frac{2\pi}{\frac{\pi}{6}}=12$이므로

함수 $y=\sin\frac{\pi}{6}x$의 그래프는 직선 $x=3$에 대하여 대칭이다.

이때 $\overline{BC}=4$이므로 $B(1, 0)$, $C(5, 0)$

또 $x=1$일 때 $y=\sin\frac{\pi}{6}=\frac{1}{2}$이므로

$A\left(1, \frac{1}{2}\right)$

따라서 직사각형 ABCD의 둘레의 길이는

$2\left(\frac{1}{2}+4\right)=9$

8-1 (i) $n=1$일 때

함수 $y=\cos x$의 최댓값이 1, 주기가 2π이므로 $0<x\le10\pi$에서 한 주기의 그래프가 5번 반복된다.

즉 함수 $y=\cos x$의 그래프와 직선 $y=1$이 만나는 점의 개수는 5이므로 $f(1)=5$

(ii) $n=2$일 때

함수 $y=2\cos\frac{x}{2}$의 최댓값이 2, 주기가 4π이므로 $0<x\le10\pi$에서 그래프는 다음과 같다.

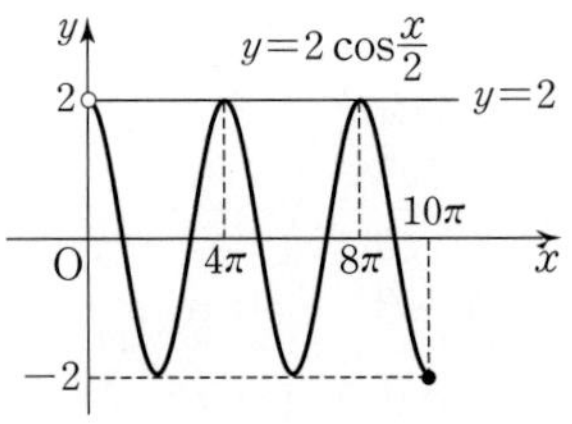

즉 함수 $y=2\cos\frac{x}{2}$의 그래프와 직선 $y=2$가 만나는 점의 개수는 2이므로 $f(2)=2$

(iii) $n=3$일 때

함수 $y=3\cos\frac{x}{3}$의 최댓값이 3, 주기가 6π이므로 $0<x\le10\pi$에서 그래프는 다음과 같다.

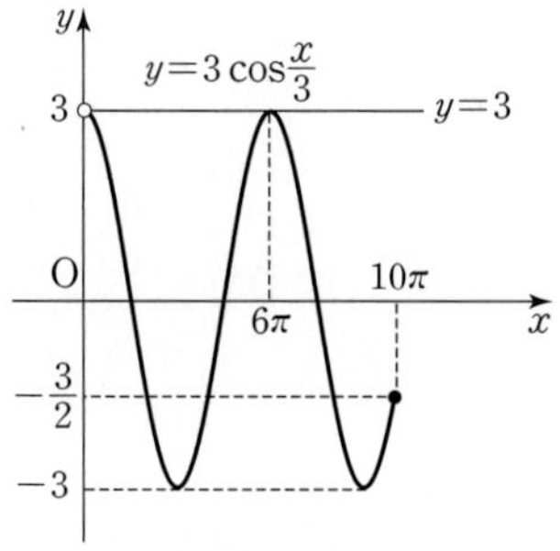

즉 함수 $y=3\cos\frac{x}{3}$의 그래프와 직선 $y=3$이 만나는 점의 개수는 1이므로 $f(3)=1$

(iv) 같은 방법으로 $n=4$일 때 $f(4)=1$,

$n=5$일 때 $f(5)=1$이고,

$n\ge6$일 때 $f(n)=0$이다.

(i)~(iv)에서 $f(n)=2$를 만족시키는 자연수 n의 값은 2이다.

오답 피하기

함수 $y=n\cos\frac{x}{n}$의 최댓값은 n, 주기는 $\frac{2\pi}{\frac{1}{n}}=2n\pi$이다.

8-2 함수 $f(x)=\frac{1}{n}\sin x$ $((n-1)\pi\le x<n\pi)$의 그래프는 다음과 같다.

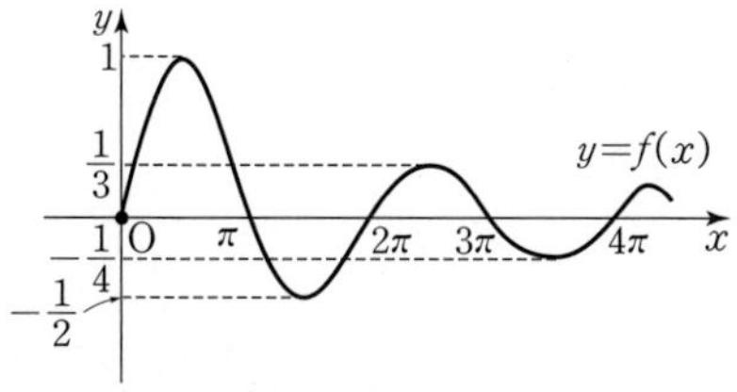

즉 함수 $f(x)$의 그래프와 직선 $y=a$가 세 점에서 만나는 경우는 다음과 같다.

(i) x축의 위쪽에서 만나는 경우 ⇨ $a=\frac{1}{3}$

(ii) x축의 아래쪽에서 만나는 경우 ⇨ $a=-\frac{1}{4}$

(i), (ii)에서 모든 상수 a의 값의 합은

$\frac{1}{3}+\left(-\frac{1}{4}\right)=\frac{1}{12}$

DAY **2** **필수 체크 전략 ②** 18~19쪽

01 ④	02 ④	03 ⑤	04 ③
05 ④	06 ②	07 ②	08 ⑤

01 반지름의 길이가 2, 호의 길이가 $\frac{2}{3}\pi$인 부채꼴의 넓이는

$\frac{1}{2}\times2\times\frac{2}{3}\pi=\frac{2}{3}\pi$

02 점 $P(-2, -\sqrt{5})$에 대하여

$\overline{OP}=\sqrt{(-2)^2+(-\sqrt{5})^2}$

$=3$

따라서 $\sin\theta=-\frac{\sqrt{5}}{3}$, $\cos\theta=-\frac{2}{3}$이므로

$9\sin\theta\cos\theta=9\times\left(-\frac{\sqrt{5}}{3}\right)\times\left(-\frac{2}{3}\right)=2\sqrt{5}$

LECTURE 시초선과 동경

오른쪽 그림에서 $\angle XOP$의 크기는 반직선 OP가 고정된 반직선 OX에서 출발하여 점 O를 중심으로 회전한 양이다. 이때 반직선 OX를 $\angle XOP$의 시초선, 반직선 OP를 $\angle XOP$의 동경이라 한다.

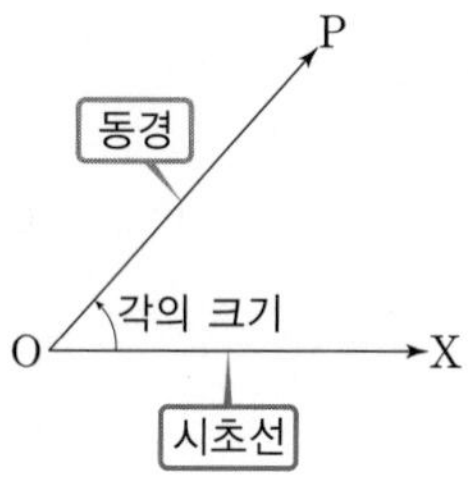

03 $\sin^2\theta+\cos^2\theta=1$이므로

$\sin^2\theta=1-\cos^2\theta$

$=1-\left(-\frac{4}{5}\right)^2$

$=\frac{9}{25}$

이때 θ가 제3사분면의 각이므로

$\sin\theta=-\frac{3}{5}$

즉 $\tan\theta=\frac{\sin\theta}{\cos\theta}=\frac{-\frac{3}{5}}{-\frac{4}{5}}=\frac{3}{4}$

$\therefore 5\sin\theta+8\tan\theta=5\times\left(-\frac{3}{5}\right)+8\times\frac{3}{4}$

$=3$

04 $\sin^2\theta+\cos^2\theta=1$이므로

$\cos^2\theta=1-\sin^2\theta$

$=1-\left(\frac{3}{5}\right)^2$

$=\frac{16}{25}$

이때 $\frac{\pi}{2}<\theta<\pi$에서 $\cos\theta<0$이므로

$\cos\theta=-\frac{4}{5}$

즉 $\tan\theta=\frac{\sin\theta}{\cos\theta}=\frac{\frac{3}{5}}{-\frac{4}{5}}=-\frac{3}{4}$

$\therefore \sin\left(\frac{\pi}{2}+\theta\right)+\tan(\pi-\theta)$

$=\cos\theta-\tan\theta$

$=-\frac{4}{5}-\left(-\frac{3}{4}\right)=-\frac{1}{20}$

$\frac{\pi}{2}<\theta<\pi$인 θ는
제2사분면의 각이므로
$\sin\theta>0$, $\cos\theta<0$,
$\tan\theta<0$이네!

05 $\overline{OA}=\overline{OB}=1$이므로

$\tan\theta=\frac{\overline{AD}}{\overline{OA}}=\overline{AD}$, $\cos\theta=\frac{\overline{OC}}{\overline{OB}}=\overline{OC}$

이때 $\overline{AD}\times\overline{OC}=\tan\theta\times\cos\theta=\sin\theta=\frac{2}{3}$이고,

$\sin^2\theta+\cos^2\theta=1$이므로

$\cos^2\theta=1-\sin^2\theta$

$=1-\left(\frac{2}{3}\right)^2$

$=\frac{5}{9}$

$\therefore \cos\theta=\frac{\sqrt{5}}{3}\left(\because 0<\theta<\frac{\pi}{2}\right)$

06 원주각의 성질에서 $\angle BDC=\angle BAC=\beta$

$\overline{AB}$가 원 O의 지름이므로 $\angle ACB=\frac{\pi}{2}$

즉 $\alpha+\beta=\frac{\pi}{2}$

$\therefore \sin(2\alpha+\beta)=\sin\left(\frac{\pi}{2}+\alpha\right)=\cos\alpha$

$=\frac{\overline{BC}}{\overline{AB}}=\frac{4}{6}=\frac{2}{3}$

07 함수 $y=3\sin x+1$의 최댓값은 $3+1=4$, 최솟값은 $-3+1=-2$이다.

즉 모든 실수 x에 대하여 $-2\le 3\sin x+1\le 4$이고

밑 2가 1보다 크므로

$2^{-2}\le 2^{3\sin x+1}\le 2^4$

$\therefore \frac{1}{4}\le 2^{3\sin x+1}\le 16$

따라서 $M=16$, $m=\frac{1}{4}$이므로

$Mm=16\times\frac{1}{4}=4$

08 $f(x)=2\sin\left(\frac{\pi}{2}-2x\right)+1=2\cos 2x+1$

ㄱ. 함수 $y=f(x)$의 최댓값은 $2+1=3$, 최솟값은 $-2+1=-1$이므로 $-1\le f(x)\le 3$

ㄴ. 함수 $f(x)=2\cos 2x+1$의 주기는 $\frac{2\pi}{2}=\pi$이므로 정수 n에 대하여 $f(x)=f(x+n\pi)$

ㄷ. $0\le x\le\pi$에서 함수 $y=f(x)$의 그래프는 다음과 같다.

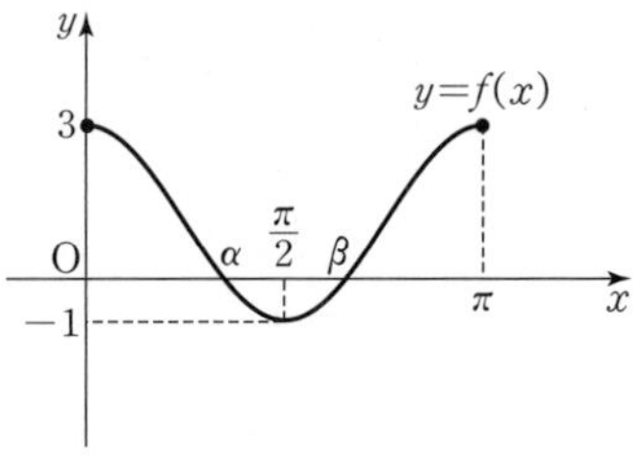
y
3
$y=f(x)$
O
α
$\frac{\pi}{2}$
β
π
x
-1

이때 함수 $y=f(x)$의 그래프와 x축의 교점의 x좌표를 α, β라 하면

$\frac{\alpha+\beta}{2}=\frac{\pi}{2}$ $\quad\therefore \alpha+\beta=\pi$

따라서 옳은 것은 ㄱ, ㄴ, ㄷ이다.

LECTURE 주기함수

상수함수가 아닌 함수 $f(x)$의 정의역에 속하는 모든 x에 대하여 $f(x+p)=f(x)$가 성립하는 0이 아닌 상수 p가 존재할 때, 함수 $f(x)$를 주기함수라 한다.

DAY

3 필수 체크 전략 ①

20~23쪽

1-1 2	**1-2** ④	**2-1** ⑤	**2-2** ④
3-1 ②	**3-2** 5	**4-1** ⑤	**4-2** ③
5-1 3	**5-2** ③	**6-1** $12+4\sqrt{3}$	**6-2** $\frac{3}{4}$
7-1 $\frac{5\sqrt{7}}{14}$	**7-2** 8	**8-1** 5	**8-2** $\frac{384}{7}$

1-1 $2\cos x-1=0$에서 $\cos x=\frac{1}{2}$

이때 $0\le x<2\pi$이므로

$x=\frac{\pi}{3}$ 또는 $x=\frac{5}{3}\pi$

즉 모든 실근의 합은

$\frac{\pi}{3}+\frac{5}{3}\pi=2\pi$

$\therefore k=2$

1-2 $0\le x\le \pi$에서 $0\le 2x\le 2\pi$이므로

$2x=\frac{\pi}{3}$ 또는 $2x=\frac{4}{3}\pi$

$\therefore x=\frac{\pi}{6}$ 또는 $x=\frac{2}{3}\pi$

따라서 모든 실근의 합은

$\frac{\pi}{6}+\frac{2}{3}\pi=\frac{5}{6}\pi$

2-1 $2\cos^2 x+\cos x-1=0$에서

$(2\cos x-1)(\cos x+1)=0$

$\therefore \cos x=-1$ 또는 $\cos x=\frac{1}{2}$

(i) $\cos x=-1$에서 $x=\pi$

(ii) $\cos x=\frac{1}{2}$에서 $x=\frac{\pi}{3}$ 또는 $x=\frac{5}{3}\pi$

(i), (ii)에서 모든 실근의 합은

$\pi+\frac{\pi}{3}+\frac{5}{3}\pi=3\pi$

2-2 $\sin^2 x+\cos^2 x=1$이므로

$\sin^2 x+\cos x-1=0$에서

$(1-\cos^2 x)+\cos x-1=0$

$\cos^2 x-\cos x=0$

$\cos x(\cos x-1)=0$

$\therefore \cos x=0$ 또는 $\cos x=1$

(i) $\cos x=0$에서 $x=\frac{\pi}{2}$ 또는 $x=\frac{3}{2}\pi$

(ii) $\cos x=1$에서 $x=2\pi$

(i), (ii)에서 모든 실근의 합은

$\frac{\pi}{2}+\frac{3}{2}\pi+2\pi=4\pi$

3-1 $0\le x<\pi$에서 함수 $y=\cos 2x$의 그래프와 직선 $y=\frac{1}{3}$은 다음과 같다.

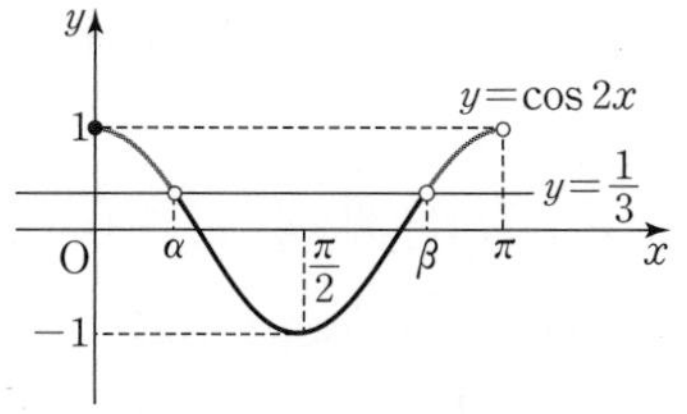

이때 두 그래프가 만나는 점의 x좌표가 α, β이므로

$\frac{\alpha+\beta}{2}=\frac{\pi}{2}$

$\therefore \alpha+\beta=\pi$

오답 피하기

함수 $y=\cos 2x$의 그래프는 직선 $x=\frac{\pi}{2}$에 대하여 대칭이므로 방정식 $\cos 2x=\frac{1}{3}$의 두 해 α, β는 직선 $x=\frac{\pi}{2}$에 대하여 대칭이다. 즉 $\frac{\alpha+\beta}{2}=\frac{\pi}{2}$이므로 $\alpha+\beta=\pi$

3-2 $\sin^2 x+\cos^2 x=1$이므로

$2\sin^2 x-3\cos x\geq 0$에서

$2(1-\cos^2 x)-3\cos x\geq 0$

$2\cos^2 x+3\cos x-2\leq 0$

$(2\cos x-1)(\cos x+2)\leq 0$

이때 $\cos x+2>0$이므로

$2\cos x-1\leq 0 \qquad \therefore \cos x\leq\frac{1}{2}$

$0\leq x\leq 2\pi$에서 함수 $y=\cos x$의 그래프와 직선 $y=\frac{1}{2}$은 다음과 같다.

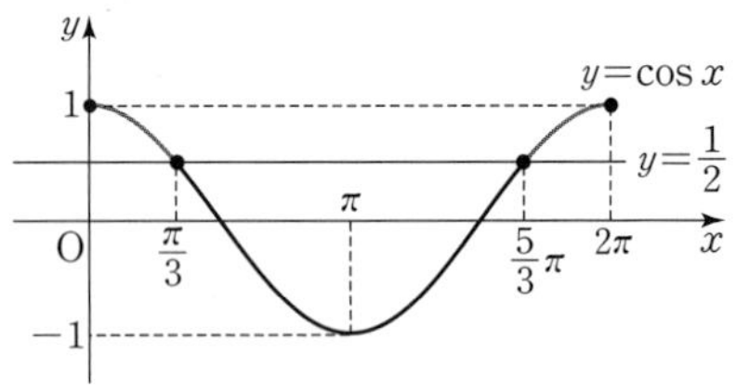

즉 x의 값의 범위는

$\frac{\pi}{3}\leq x\leq\frac{5}{3}\pi$

따라서 $\alpha=\frac{\pi}{3}$, $\beta=\frac{5}{3}\pi$이므로

$\frac{\beta}{\alpha}=\frac{\frac{5}{3}\pi}{\frac{\pi}{3}}=5$

4-1 $\sin x=t$로 놓으면 $-1\leq t\leq 1$

이때 $f(t)=t^2-t+a-3=\left(t-\frac{1}{2}\right)^2+a-\frac{13}{4}$이라 하면 함수 $y=f(t)$는 최솟값 $f\left(\frac{1}{2}\right)=a-\frac{13}{4}$을 갖는다.

즉 모든 실수 x에 대하여 부등식

$\sin^2 x-\sin x+a-3\geq 0$이 성립하려면

$a-\frac{13}{4}\geq 0 \qquad \therefore a\geq\frac{13}{4}$

따라서 실수 a의 최솟값은 $\frac{13}{4}$이다.

LECTURE 제한된 범위에서 이차함수의 최대 · 최소

$\alpha\leq x\leq\beta$에서 이차함수 $f(x)=a(x-p)^2+q$의 최댓값과 최솟값은 이차함수의 그래프의 꼭짓점의 x좌표 p가 주어진 범위에 포함되는지 조사하여 다음과 같이 구한다.

(1) $\alpha\leq p\leq\beta$인 경우: $f(\alpha)$, $f(\beta)$, $f(p)$ 중에서 가장 큰 값이 최댓값이고, 가장 작은 값이 최솟값이다.

(2) $p<\alpha$ 또는 $p>\beta$인 경우: $f(\alpha)$, $f(\beta)$ 중에서 큰 값이 최댓값이고, 작은 값이 최솟값이다.

4-2 $\tan x=t$로 놓으면 $\frac{\pi}{4}\leq x<\frac{\pi}{2}$에서 $t\geq 1$

이때 $f(t)=-t^2-4t+a=-(t+2)^2+a+4$라 하면 함수 $y=f(t)$는 최댓값 $f(1)=a-5$를 갖는다.

즉 $\frac{\pi}{4}\leq x<\frac{\pi}{2}$인 실수 x에 대하여 부등식

$-\tan^2 x-4\tan x+a<0$이 항상 성립하려면

$a-5<0 \qquad \therefore a<5$

따라서 자연수 a는 1, 2, 3, 4이므로 그 합은

$1+2+3+4=10$

5-1 삼각형 ABC에서 사인법칙에 의하여

$\frac{\overline{BC}}{\sin 30^\circ}=2\times 3$

$\therefore \overline{BC}=6\sin 30^\circ=6\times\frac{1}{2}=3$

5-2 삼각형 ABC에서 사인법칙에 의하여

$\frac{a}{\sin 60^\circ}=\frac{4\sqrt{2}}{\sin 45^\circ}=2R$

$\frac{4\sqrt{2}}{\sin 45^\circ}=\frac{4\sqrt{2}}{\frac{\sqrt{2}}{2}}=2R$에서 $8=2R \qquad \therefore R=4$

$\frac{a}{\sin 60^\circ}=8$에서

$a=8\sin 60^\circ=8\times\frac{\sqrt{3}}{2}=4\sqrt{3}$

$\therefore aR=4\sqrt{3}\times 4=16\sqrt{3}$

6-1 삼각형 ABC에서 사인법칙에 의하여

$\frac{\overline{BC}}{\sin A}=\frac{\overline{AC}}{\sin B}=\frac{\overline{AB}}{\sin C}=2\times 4=8$

∴ (삼각형 ABC의 둘레의 길이)

$=\overline{AB}+\overline{BC}+\overline{AC}$

$=8\sin A+8\sin B+8\sin C$

$=8(\sin A+\sin B+\sin C)$

$=8\times\frac{3+\sqrt{3}}{2}=12+4\sqrt{3}$

6-2 $\frac{\sin A}{3}=\frac{\sin B}{2}=\frac{\sin C}{2}=k\ (k\neq 0)$라 하면

$\sin A=3k,\ \sin B=2k,\ \sin C=2k$

이때 삼각형 ABC에서 사인법칙에 의하여

$\overline{BC}:\overline{AC}:\overline{AB}=\sin A:\sin B:\sin C$

$=3k:2k:2k$

$=3:2:2$

이므로 $\overline{BC}=3m,\ \overline{AC}=2m,\ \overline{AB}=2m\ (m>0)$으로 놓을 수 있다.

따라서 삼각형 ABC에서 코사인법칙에 의하여

$\cos C=\frac{(3m)^2+(2m)^2-(2m)^2}{2\times 3m\times 2m}=\frac{9m^2}{12m^2}=\frac{3}{4}$

7-1 점 D는 $\overline{BC}$를 3 : 1로 외분하는 점이므로

$\overline{BD}:\overline{CD}=3:1$에서 $(2+\overline{CD}):\overline{CD}=3:1$

$3\overline{CD}=2+\overline{CD}$ ∴ $\overline{CD}=1$

즉 $\overline{BD}=3,\ \overline{CD}=1$

삼각형 ABD에서 코사인법칙에 의하여

$\overline{AD}^2=2^2+3^2-2\times 2\times 3\times\cos 60°$

$=7$

이므로 $\overline{AD}=\sqrt{7}$

따라서 삼각형 ACD에서 코사인법칙에 의하여

$\cos\theta=\frac{\overline{AC}^2+\overline{AD}^2-\overline{CD}^2}{2\times\overline{AC}\times\overline{AD}}$

$=\frac{2^2+(\sqrt{7})^2-1^2}{2\times 2\times\sqrt{7}}=\frac{5\sqrt{7}}{14}$

7-2

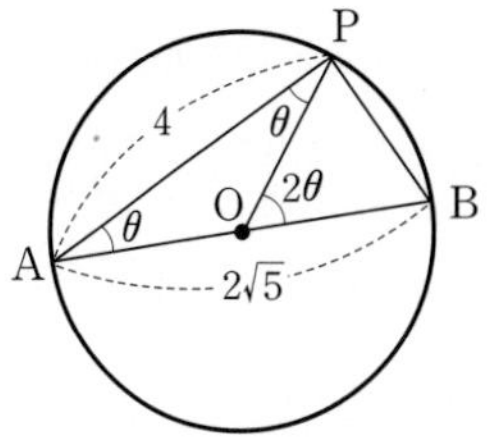

$\overline{AB}$가 원 O의 지름이므로

삼각형 PAB는 $\angle BPA=\frac{\pi}{2}$인 직각삼각형이다.

즉 $\overline{PB}=\sqrt{(2\sqrt{5})^2-4^2}=2$

한편, $\overline{AO}=\overline{OP}=\sqrt{5}$이므로

$\angle PAO=\angle APO=\theta$

이때

$\angle POB=\angle PAO+\angle APO=2\theta$

$\overline{PO}=\overline{OB}=\sqrt{5}$

이므로

삼각형 POB에서 코사인법칙에 의하여

$\cos 2\theta=\frac{(\sqrt{5})^2+(\sqrt{5})^2-2^2}{2\times\sqrt{5}\times\sqrt{5}}$

$=\frac{3}{5}$

따라서 $p=5,\ q=3$이므로

$p+q=5+3=8$

8-1 삼각형 ABC에서 $A+B+C=\pi$이므로

$\sin(B+C)=\sin(\pi-A)$

$=\sin A=\frac{1}{3}$

∴ $\triangle ABC=\frac{1}{2}\times\overline{AB}\times\overline{AC}\times\sin A$

$=\frac{1}{2}\times 6\times 5\times\frac{1}{3}=5$

8-2

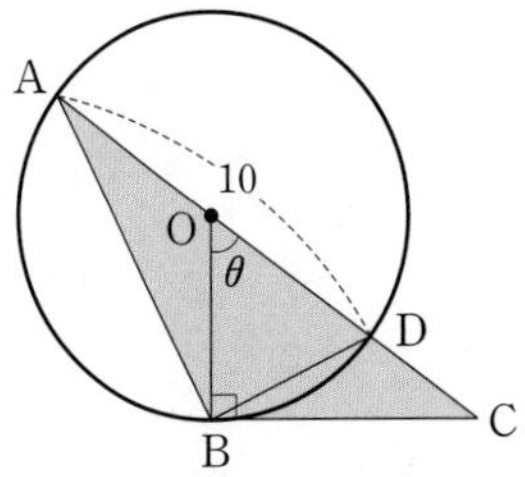

$\overline{AD}$는 원 O의 지름이므로

삼각형 ABD는 $\angle ABD=\frac{\pi}{2}$인 직각삼각형이다.

즉 $\overline{AD}=10,\ \cos(\angle OAB)=\frac{4}{5}$이므로

$\overline{AB}=\overline{AD}\times\cos(\angle OAB)=10\times\frac{4}{5}=8$

$\sin(\angle CAB)=\sin(\angle OAB)=\frac{6}{10}=\frac{3}{5}$

$\angle BOC=\theta$라 하면 $\angle AOB=\pi-\theta$

또 $\overline{AO}=\overline{OB}=5$이므로

삼각형 ABO에서 코사인법칙에 의하여

$\cos(\pi-\theta)=\frac{5^2+5^2-8^2}{2\times5\times5}=-\frac{7}{25}$

$-\cos\theta=-\frac{7}{25}$ $\quad\therefore \cos\theta=\frac{7}{25}$

이때 $\cos\theta=\frac{5}{\overline{OC}}$이므로

$\overline{OC}=\frac{5}{\cos\theta}=\frac{125}{7}$

$\therefore \triangle ABC=\frac{1}{2}\times\overline{AB}\times\overline{AC}\times\sin(\angle CAB)$

$=\frac{1}{2}\times8\times\left(5+\frac{125}{7}\right)\times\frac{3}{5}=\frac{384}{7}$

DAY

3 필수 체크 전략 ②

24~25쪽

01 ③	**02** 4	**03** ⑤	**04** 18	**05** ④
06 ④	**07** ⑤	**08** 8	**09** ⑤	**10** 244

01 $0\le x<2\pi$에서 함수 $y=|\sin 2x|$의 그래프와 직선 $y=\frac{1}{3}$은 다음과 같다.

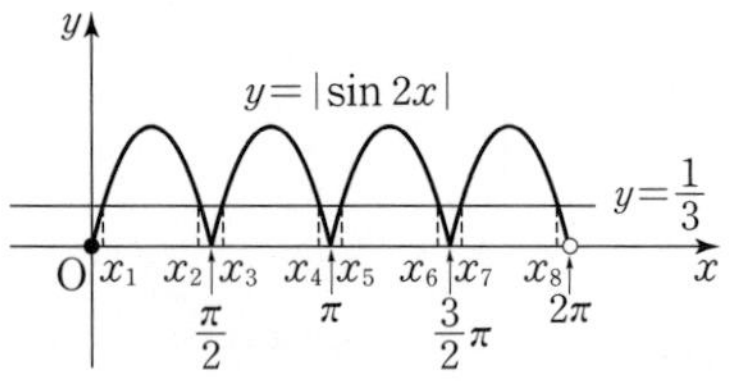

이때 함수 $y=|\sin 2x|$의 그래프는 직선 $x=\pi$에 대하여 대칭이므로 함수 $y=|\sin 2x|$의 그래프와 직선 $y=\frac{1}{3}$이 만나는 점의 x좌표를 작은 수부터 차례로 x_1, x_2, $\cdots$, x_8이라 하면

$\frac{x_1+x_8}{2}=\frac{x_2+x_7}{2}=\frac{x_3+x_6}{2}=\frac{x_4+x_5}{2}=\pi$

$x_1+x_8=x_2+x_7=x_3+x_6=x_4+x_5=2\pi$

따라서 구하는 모든 실근의 합은

$2\pi+2\pi+2\pi+2\pi=8\pi$

02 $\sin^2x+\cos^2x=1$이므로

$6\cos^2x+\sin x-5=0$에서

$6(1-\sin^2x)+\sin x-5=0$

$6\sin^2x-\sin x-1=0$

$(2\sin x-1)(3\sin x+1)=0$

$\therefore \sin x=\frac{1}{2}$ 또는 $\sin x=-\frac{1}{3}$

$0\le x<2\pi$에서 함수 $y=\sin x$의 그래프와 두 직선 $y=\frac{1}{2}$, $y=-\frac{1}{3}$은 다음과 같다.

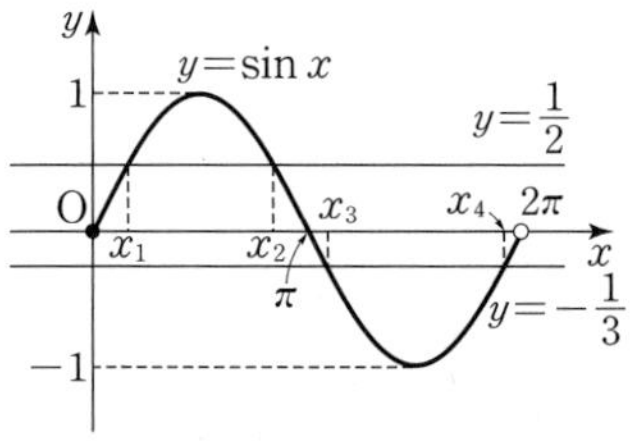

이때 함수 $y=\sin x$의 그래프와 두 직선 $y=\frac{1}{2}$, $y=-\frac{1}{3}$이 만나는 점의 x좌표를 작은 수부터 차례로 x_1, x_2, x_3, x_4라 하면

$\frac{x_1+x_2}{2}=\frac{\pi}{2}$에서 $x_1+x_2=\pi$

$\frac{x_3+x_4}{2}=\frac{3}{2}\pi$에서 $x_3+x_4=3\pi$

즉 모든 실근의 합은 $\pi+3\pi=4\pi$

$\therefore k=4$

03 $\log_{\sin x}\left(\frac{1}{2}\cos x+\frac{1}{2}\right)=2$에서

$\sin^2x=\frac{1}{2}\cos x+\frac{1}{2}$, $2\sin^2x=\cos x+1$

이때 $\sin^2x+\cos^2x=1$이므로

$2(1-\cos^2x)=\cos x+1$, $2\cos^2x+\cos x-1=0$

$(2\cos x-1)(\cos x+1)=0$

$\therefore \cos x=-1$ 또는 $\cos x=\frac{1}{2}$

이때 밑의 조건에서 $\sin x>0$, $\sin x\ne1$ $\quad\therefore x\ne\frac{\pi}{2}$

진수의 조건에서 $\frac{1}{2}\cos x+\frac{1}{2}>0$

즉 $\cos x>-1$이므로 $\cos x=\frac{1}{2}$

따라서 $0<x<\pi$에서 방정식의 해는 $x=\frac{\pi}{3}$이므로

$\theta=\frac{\pi}{3}$

$\therefore \sin\theta=\sin\frac{\pi}{3}=\frac{\sqrt{3}}{2}$

04 $\sqrt{2}\sin x<1$에서 $\sin x<\frac{\sqrt{2}}{2}$

$0\le x<2\pi$에서 함수 $y=\sin x$의 그래프와 직선 $y=\frac{\sqrt{2}}{2}$는 다음과 같다.

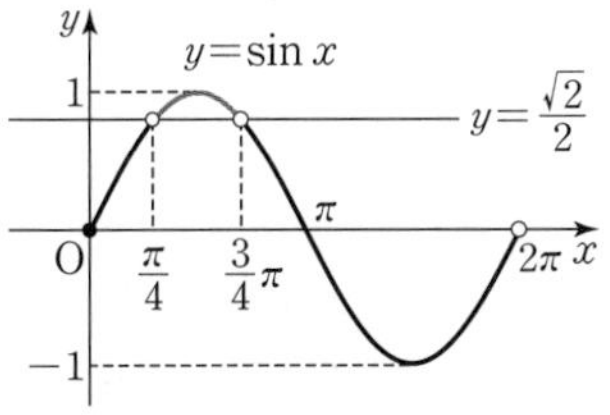

즉 x의 값의 범위는

$0\le x<\frac{\pi}{4}$ 또는 $\frac{3}{4}\pi<x<2\pi$

따라서 정수 x는 0, 3, 4, 5, 6이므로 그 합은

$0+3+4+5+6=18$

05 삼각형 ABC의 외접원의 반지름의 길이를 R라 하면 사인법칙에 의하여

$\frac{2\sqrt{2}}{\sin 45^\circ}=2R$, $\frac{2\sqrt{2}}{\frac{\sqrt{2}}{2}}=4=2R$ $\quad\therefore R=2$

따라서 삼각형 ABC의 외접원의 넓이는

$\pi\times 2^2=4\pi$

06 $2\sin A=3\sin B=2\sin C=k$ $(k\ne 0)$라 하면

$\sin A=\frac{k}{2}$, $\sin B=\frac{k}{3}$, $\sin C=\frac{k}{2}$

이때 삼각형 ABC에서 사인법칙에 의하여

$\overline{BC}:\overline{AC}:\overline{AB}=\sin A:\sin B:\sin C$

$=\frac{k}{2}:\frac{k}{3}:\frac{k}{2}$

$=3:2:3$

이므로 $\overline{BC}=3m$, $\overline{AC}=2m$, $\overline{AB}=3m$ $(m>0)$으로 놓을 수 있다.

따라서 삼각형 ABC에서 코사인법칙에 의하여

$\cos B=\frac{(3m)^2+(3m)^2-(2m)^2}{2\times 3m\times 3m}=\frac{14m^2}{18m^2}=\frac{7}{9}$

07 삼각형 ABC에서 코사인법칙에 의하여

$\overline{BC}^2=\overline{AB}^2+\overline{AC}^2-2\times\overline{AB}\times\overline{AC}\times\cos A$

이므로 조건 (나)에서 $\cos A=\frac{1}{2}$

이때 $\sin^2 A+\cos^2 A=1$이므로

$\sin^2 A=1-\left(\frac{1}{2}\right)^2=\frac{3}{4}$에서

$\sin A=\frac{\sqrt{3}}{2}$ $(\because \sin A>0)$

즉 삼각형 ABC에서 사인법칙에 의하여

$\frac{\overline{BC}}{\sin A}=2\times 4$ $\quad\therefore \overline{BC}=8\sin A=8\times\frac{\sqrt{3}}{2}=4\sqrt{3}$

오답 피하기

삼각형 ABC의 내각의 크기는 0°와 180° 사이이므로 $\sin A>0$, $\sin B>0$, $\sin C>0$이다.

08 삼각형 ABC에서 $A+B+C=\pi$이므로

$\sin A=2\sin\left(\frac{A-B+C}{2}\right)\sin C$

$=2\sin\left(\frac{\pi}{2}-B\right)\sin C$

$=2\cos B\sin C$ $\quad\cdots\cdots$ ㉠

삼각형 ABC의 외접원의 반지름의 길이를 R라 하면 사인법칙과 코사인법칙에 의하여

$\sin A=\frac{\overline{BC}}{2R}$, $\sin C=\frac{\overline{AB}}{2R}$

$\cos B=\frac{\overline{BC}^2+\overline{AB}^2-\overline{AC}^2}{2\times\overline{BC}\times\overline{AB}}$

이므로 ㉠에 대입하면

$\dfrac{\overline{BC}}{2R}=2\times\dfrac{\overline{BC}^2+\overline{AB}^2-\overline{AC}^2}{2\times\overline{BC}\times\overline{AB}}\times\dfrac{\overline{AB}}{2R}$

$\overline{BC}^2=\overline{BC}^2+\overline{AB}^2-\overline{AC}^2$, $\overline{AC}^2=\overline{AB}^2=4^2$

즉 $\overline{AB}=\overline{AC}=4$이므로

$\triangle ABC=\dfrac{1}{2}\times\overline{AB}\times\overline{AC}\times\sin A=8\sin A$

따라서 삼각형 ABC의 넓이는 $A=\dfrac{\pi}{2}$일 때 최댓값

$8\sin\dfrac{\pi}{2}=8$을 갖는다.

09 삼각형 ABC에서 코사인법칙에 의하여

$\cos A=\dfrac{3^2+8^2-7^2}{2\times3\times8}=\dfrac{1}{2}$

$\therefore\ 4\sin^2 A=4(1-\cos^2 A)=4\left(1-\dfrac{1}{4}\right)=3$

10 $\angle ABC=\theta$라 하면 삼각형 ABC에서 $\cos\theta=\dfrac{5}{13}$

삼각형 DEB에서 $\angle DBE=\pi-\theta$, $\overline{DB}=5$, $\overline{BE}=13$

이므로 코사인법칙에 의하여

$\overline{DE}^2=5^2+13^2-2\times5\times13\times\cos(\pi-\theta)$

$=5^2+13^2-2\times5\times13\times(-\cos\theta)$

$=25+169-130\times\left(-\dfrac{5}{13}\right)=244$

따라서 구하는 정사각형의 넓이는 244이다.

누구나 합격 전략 | 26~27쪽

01 ③	02 ②	03 ④	04 ④
05 ⑤	06 ⑤	07 ④	08 ①
09 ①	10 ④		

01 $\sin\left(\dfrac{\pi}{2}+\dfrac{\pi}{3}\right)=\cos\dfrac{\pi}{3}=\dfrac{1}{2}$

02 점 P(3, −4)에 대하여

$\tan\theta=\dfrac{-4}{3}=-\dfrac{4}{3}$

03 부채꼴 모양의 피자의 호의 길이는

$10\times\left(2\pi-\dfrac{8}{5}\pi\right)=10\times\dfrac{2}{5}\pi=4\pi$

04 $\sin^2\theta+\cos^2\theta=1$이므로

$\cos^2\theta=1-\sin^2\theta$

$=1-\left(\dfrac{4}{5}\right)^2=\dfrac{9}{25}$

$\therefore\ 9\tan^2\theta=9\times\dfrac{\sin^2\theta}{\cos^2\theta}$

$=9\times\dfrac{\frac{16}{25}}{\frac{9}{25}}=16$

05 $5(\sin\theta+\cos\theta)^2=5(\sin^2\theta+\cos^2\theta+2\sin\theta\cos\theta)$

$=5\left(1+2\times\dfrac{2}{5}\right)$

$=9$

06 함수 $y=-2\cos ax+3$의 주기가 π이므로

$\dfrac{2\pi}{|a|}=\pi$ $\quad\therefore\ a=2\ (\because\ a>0)$

또 최댓값은 $b=|-2|+3=5$

$\therefore\ a+b=2+5=7$

07 $2|\tan x|-1=0$에서 $|\tan x|=\dfrac{1}{2}$

$0\le x<2\pi$에서 함수 $y=|\tan x|$의 그래프와 직선

$y=\dfrac{1}{2}$은 다음과 같다.

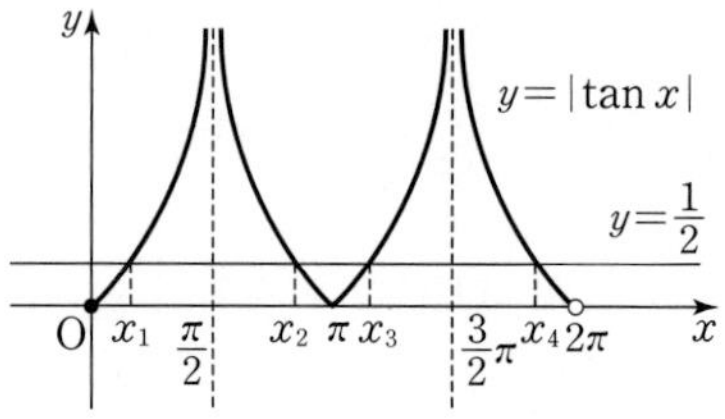

함수 $y=|\tan x|$의 그래프와 직선 $y=\frac{1}{2}$이 만나는 점의 x좌표를 작은 수부터 차례로 x_1, x_2, x_3, x_4라 하면

$\frac{x_1+x_4}{2}=\frac{x_2+x_3}{2}=\pi$

$x_1+x_4=x_2+x_3=2\pi$

즉 모든 실근의 합은 $2\pi+2\pi=4\pi$

$\therefore k=4$

08 삼각형 ABC에서 사인법칙에 의하여

$\frac{10}{\sin B}=\frac{10\sqrt{2}}{\frac{1}{3}}$, $\frac{10}{\sin B}=30\sqrt{2}$

$\therefore \sin B=\frac{10}{30\sqrt{2}}=\frac{\sqrt{2}}{6}$

09 삼각형 ABC에서 코사인법칙에 의하여

$\overline{AC}^2=3^2+(\sqrt{2})^2-2\times3\times\sqrt{2}\times\cos\frac{\pi}{4}$

$=9+2-6\sqrt{2}\times\frac{\sqrt{2}}{2}=5$

$\therefore \overline{AC}=\sqrt{5}$

10 $\triangle ABC=\frac{1}{2}\times\overline{AC}\times\overline{AB}\times\sin(\angle A)$

$=\frac{1}{2}\times6\times4\times\sin\theta=6$

이므로 $\sin\theta=\frac{1}{2}$

이때 $0<\theta<\pi$에서

$\theta=\frac{\pi}{6}$ 또는 $\theta=\frac{5}{6}\pi$

따라서 모든 θ의 값의 합은

$\frac{\pi}{6}+\frac{5}{6}\pi=\pi$

창의·융합·코딩 전략 ①

28~29쪽

1 ⑤	2 ①	3 ③	4 ④

1 와이퍼의 전체 길이를 r cm라 하면

고무판이 회전하면서 닦는 부분의 넓이가 $1500\pi\,\text{cm}^2$이므로

$\frac{1}{2}r^2\times\frac{2}{3}\pi-\frac{1}{2}(r-50)^2\times\frac{2}{3}\pi=1500\pi$

$\frac{1}{3}\{r^2-(r-50)^2\}=1500$, $\frac{1}{3}(100r-2500)=1500$

$100r=7000 \qquad \therefore r=70$

즉 고무판이 회전하면서 닦는 부분의 둘레의 길이는

$50\times2+20\times\frac{2}{3}\pi+70\times\frac{2}{3}\pi=100+60\pi\,(\text{cm})$

따라서 $p=100$, $q=60$이므로

$p+q=100+60=160$

2 $\theta=\frac{2\pi}{10}=\frac{\pi}{5}$이고 $\cos(\pi+\theta)=-\cos\theta$이므로

$\cos\theta+\cos2\theta+\cos3\theta+\cdots+\cos10\theta$

$=\cos\frac{\pi}{5}+\cos\frac{2}{5}\pi+\cos\frac{3}{5}\pi+\cdots+\cos\frac{10}{5}\pi$

$=\left(\cos\frac{\pi}{5}+\cos\frac{6}{5}\pi\right)+\left(\cos\frac{2}{5}\pi+\cos\frac{7}{5}\pi\right)+\cdots+\left(\cos\frac{5}{5}\pi+\cos\frac{10}{5}\pi\right)$

$=\left(\cos\frac{\pi}{5}-\cos\frac{\pi}{5}\right)+\left(\cos\frac{2}{5}\pi-\cos\frac{2}{5}\pi\right)+\cdots+\left(\cos\frac{5}{5}\pi-\cos\frac{5}{5}\pi\right)$

$=0$

다른 풀이

두 점 P_k, P_{5+k} $(k=0, 1, 2, 3, 4)$는 원점에 대하여 대칭이므로

$\angle P_0OP_{5+k}=\pi+\angle P_0OP_k$

즉 $(5+k)\theta=\pi+k\theta$이므로

$\cos k\theta+\cos(5+k)\theta=\cos k\theta+\cos(\pi+k\theta)$

$=\cos k\theta-\cos k\theta$

$=0$

$\therefore \cos\theta+\cos2\theta+\cos3\theta+\cdots+\cos10\theta$

$=(\cos\theta+\cos6\theta)+(\cos2\theta+\cos7\theta)$

$+(\cos3\theta+\cos8\theta)+(\cos4\theta+\cos9\theta)$

$+(\cos5\theta+\cos10\theta)$

$=0$

3 함수 $h(x)=5+4.8\sin\frac{\pi}{6}x$ $(0\le x<12)$의 주기는

$\frac{2\pi}{\frac{\pi}{6}}=12$이므로 함수 $y=h(x)$의 그래프와 직선 $y=7.4$

는 다음과 같다.

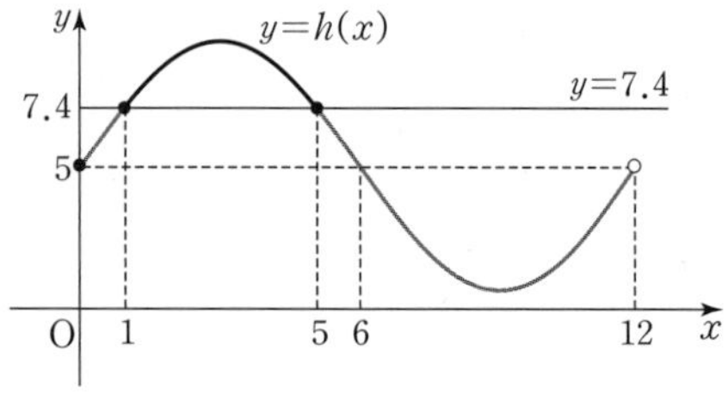

$5+4.8\sin\frac{\pi}{6}x=7.4$에서

$\sin\frac{\pi}{6}x=\frac{1}{2}$

$\therefore$ $x=1$ 또는 $x=5$ $(\because 0\le x<12)$

즉 부등식 $h(x)\ge 7.4$를 만족시키는 x의 값의 범위는

$1\le x\le 5$

따라서 $a=1$, $b=5$이므로

$b-a=5-1=4$

4 삼각형 ABQ에서 $\angle AQB=45°$이므로

사인법칙에 의하여

$\frac{340}{\sin 45°}=\frac{\overline{BQ}}{\sin 60°}$

$\frac{340}{\frac{\sqrt{2}}{2}}=\frac{\overline{BQ}}{\frac{\sqrt{3}}{2}}$

$\therefore \overline{BQ}=\frac{340}{\frac{\sqrt{2}}{2}}\times\frac{\sqrt{3}}{2}$

$=170\sqrt{6}\,(\text{m})$

이때 삼각형 PBQ는 직각삼각형이므로

$\overline{PQ}=\overline{BQ}\tan 30°$

$=170\sqrt{6}\times\frac{\sqrt{3}}{3}$

$=170\sqrt{2}\,(\text{m})$

창의·융합·코딩 전략 ②

30~31쪽

5 1	**6** ②	**7** ③	**8** ②

5

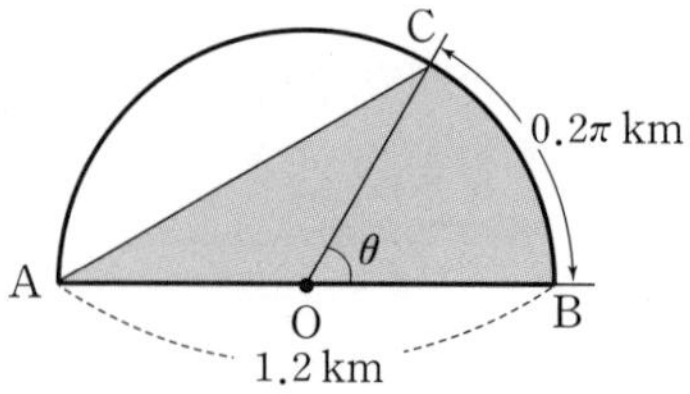

반원의 중심을 O, 부채꼴 BOC의 중심각의 크기를 θ라 하자.

반원의 반지름의 길이는 0.6 km, 호 BC의 길이는 0.2π km이므로

$0.2\pi=0.6\theta$에서 $\theta=\frac{\pi}{3}$

이때 삼각형 AOC는 $\angle AOC=\frac{2}{3}\pi$인 이등변삼각형이므로 코사인법칙에 의하여

$\overline{AC}^2=0.6^2+0.6^2-2\times0.6\times0.6\times\cos\frac{2}{3}\pi$

$=1.08$

$\therefore$ $\overline{AC}=0.6\sqrt{3}$ (km)

즉 동욱이가 산책로를 한 바퀴 도는 데 걸리는 시간은

$\frac{1.2}{3}+\frac{0.2\pi}{\frac{\pi}{2}}+\frac{0.6\sqrt{3}}{3}=0.8+0.2\sqrt{3}$ (시간)

따라서 $a=0.8$, $b=0.2$이므로

$a+b=0.8+0.2=1$

6 사각형 PBCA는 $\overline{PC}$에 대하여 대칭이므로 $\overline{AB}$, $\overline{PC}$는 서로 수직이다.

$\overline{AB}$, $\overline{PC}$의 교점을 H라 하면 직각삼각형 APH에서

$\overline{AH}=2\sqrt{3}$ cm, $\overline{PH}=2$ cm이므로

$\overline{CH}=1$ cm

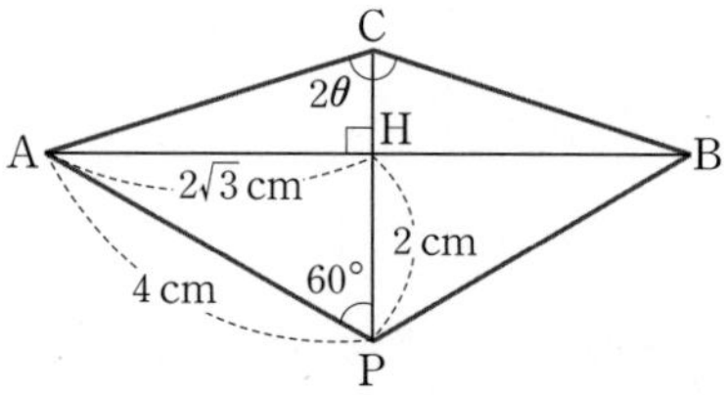

또 직각삼각형 AHC에서

$\overline{AC}=\sqrt{(2\sqrt{3})^2+1^2}=\sqrt{13}\,(cm)$

이때 $\angle ACB=2\theta$, $\overline{AC}=\overline{BC}=\sqrt{13}\,cm$, $\overline{AB}=4\sqrt{3}\,cm$ 이므로

삼각형 ABC에서 코사인법칙에 의하여

$$\cos 2\theta=\frac{(\sqrt{13})^2+(\sqrt{13})^2-(4\sqrt{3})^2}{2\times\sqrt{13}\times\sqrt{13}}=-\frac{11}{13}$$

다른 풀이

삼각형 APC에서 코사인법칙에 의하여

$\overline{AC}^2=4^2+3^2-2\times4\times3\times\cos 60^\circ=13$

$\therefore\ \overline{AC}=\sqrt{13}\,cm$

사각형 PBCA는 $\overline{PC}$에 대하여 대칭이므로

$\overline{BC}=\overline{AC}=\sqrt{13}\,cm$, $\overline{AP}=\overline{BP}=4\,cm$

삼각형 APB에서 코사인법칙에 의하여

$\overline{AB}^2=4^2+4^2-2\times4\times4\times\cos 120^\circ=48$

$\therefore\ \overline{AB}=4\sqrt{3}\,cm$

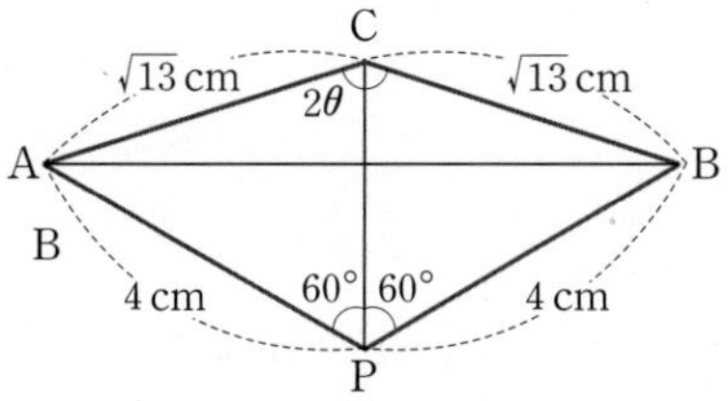

$\angle ACB=2\theta$이므로 삼각형 ABC에서 코사인법칙에 의하여

$$\cos 2\theta=\frac{(\sqrt{13})^2+(\sqrt{13})^2-(4\sqrt{3})^2}{2\times\sqrt{13}\times\sqrt{13}}=-\frac{11}{13}$$

7 삼각형 ABC에서 코사인법칙에 의하여

$\overline{AC}^2=3^2+5^2-2\times3\times5\times\cos 120^\circ$

$=9+25-30\times\left(-\frac{1}{2}\right)=49$

이므로 $\overline{AC}=7\,cm$

이때 원형 그릇의 반지름의 길이를 $R\,cm$라 하면 삼각형 ABC에서 사인법칙에 의하여

$$\frac{7}{\sin 120^\circ}=2R$$

$$\therefore\ 2R=\frac{7}{\frac{\sqrt{3}}{2}}=\frac{14\sqrt{3}}{3}$$

따라서 출토된 원형 그릇의 지름의 길이는 $\frac{14\sqrt{3}}{3}\,cm$이다.

8 주어진 원뿔의 전개도는 다음과 같다.

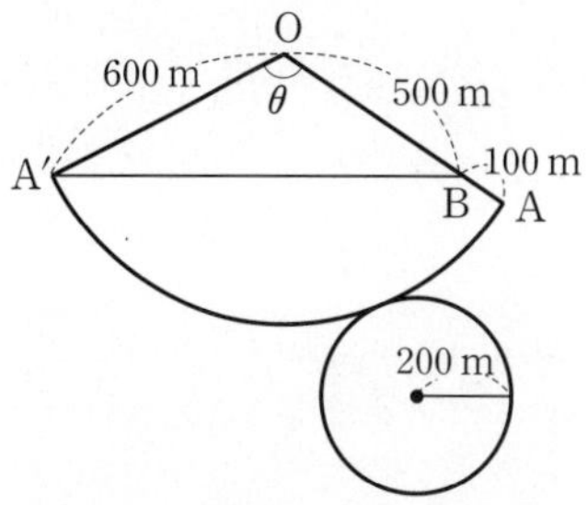

$\angle AOA'=\theta$라 하면 호 AA′의 길이는

$2\pi\times200=400\pi\,(m)$이므로

$400\pi=600\theta \qquad \therefore\ \theta=\frac{2}{3}\pi$

이때 삼각형 A′BO에서 코사인법칙에 의하여

$\overline{A'B}^2=600^2+500^2-2\times600\times500\times\cos\frac{2}{3}\pi$

$=910000$

$\therefore\ \overline{A'B}=100\sqrt{91}\,m$

따라서 구하는 선로의 길이는 $100\sqrt{91}\,m$이다.

수학 I (후편)

WEEK

2 등차수열과 등비수열

DAY

1 개념 돌파 전략 ②

38~39쪽

1 ②	**2** ③	**3** ③	**4** ④	**5** ④	**6** ⑤

1 수열 $\{n(n+1)\}$의 제4항은 $4\times(4+1)=20$

2 등차수열 $\{a_n\}$의 공차를 d라 하면

$d=a_3-a_2=2$

이때 $a_1=4$이므로

$a_7=a_1+6d=4+6\times2=16$

3 첫째항이 32, 공비가 $\frac{1}{2}$인 등비수열 $\{a_n\}$에서 제5항은

$a_5=32\times\left(\frac{1}{2}\right)^4=2$

4 $S_n=3n^2+1$이므로 $a_1=S_1=4$

$a_3=S_3-S_2=28-13=15$

$\therefore a_1+a_3=4+15=19$

LECTURE 수열의 합과 일반항 사이의 관계

수열 $\{a_n\}$의 첫째항부터 제n항까지의 합을 S_n이라 하면

$a_1=S_1,\ a_n=S_n-S_{n-1}\ (n\geq2)$

5 $\sum_{k=1}^{5}a_k=10,\ \sum_{k=1}^{5}b_k=15$이므로

$\sum_{k=1}^{5}(a_k+2b_k)=\sum_{k=1}^{5}a_k+2\sum_{k=1}^{5}b_k$

$=10+2\times15=40$

6 수열 $\{a_n\}$이 모든 자연수 n에 대하여

$\begin{cases}a_1=3\\a_{n+1}=a_n+5\end{cases}$

이므로

$a_4=a_3+5$

$=(a_2+5)+5$

$=(a_1+5)+10$

$=3+15$

$=18$

다른 풀이

$a_{n+1}=a_n+5$에서 $a_{n+1}-a_n=5$

즉 수열 $\{a_n\}$은 $a_1=3$, 공차가 5인 등차수열이다.

$\therefore a_4=a_1+3\times5=3+15=18$

DAY

2 필수 체크 전략 ①

40~43쪽

1-1 ③	**1-2** 17	**2-1** 7	**2-2** 20
3-1 ④	**3-2** 30	**4-1** 20	**4-2** 15
5-1 ④	**5-2** ②	**6-1** 648	**6-2** ④
7-1 ⑤	**7-2** 54	**8-1** 270	**8-2** ③

1-1 등차수열 $\{a_n\}$의 공차를 d라 하면

$a_4=a_6-4$에서 $a_1+3d=(a_1+5d)-4$

$2d=4 \quad \therefore d=2$

이때 $a_2=a_1+d=5$이므로

$a_1=3$

$\therefore a_{10}=a_1+9d=3+9\times2=21$

다른 풀이

등차수열 $\{a_n\}$의 공차를 d라 하면

$a_4=a_6-4$에서

$a_6-a_4=(a_2+4d)-(a_2+2d)$

$=2d=4$

이므로 $d=2$

$\therefore a_{10}=a_2+8d=5+8\times2=21$

1-2 등차수열 $\{a_n\}$의 공차를 d라 하면

$a_3=7$에서 $a_1+2d=7$ …… ㉠

$a_4=3a_1$에서 $a_1+3d=3a_1$, $2a_1-3d=0$ …… ㉡

㉠, ㉡을 연립하여 풀면

$a_1=3$, $d=2$

$\therefore a_8=a_1+7d=3+7\times2=17$

2-1 등차수열 $\{a_n\}$의 공차를 d라 하면

$|a_3|=a_4$에서 $a_3\le0$, $a_4\ge0$이므로

$a_3+a_4=0$

이때

$a_3+a_4=(a_1+2d)+(a_1+3d)$

$=-10+5d=0$

이므로 $d=2$

$\therefore a_7=a_1+6d=-5+6\times2=7$

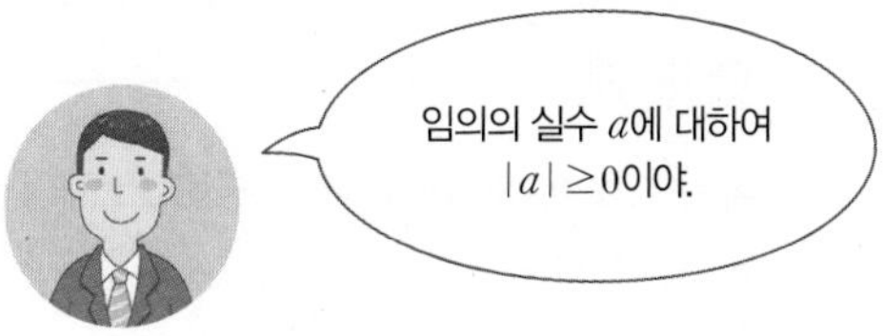

2-2 등차수열 $\{a_n\}$의 공차가 2이므로

$|a_3-1|=|a_6+1|$에서

$|a_1+2\times2-1|=|a_1+5\times2+1|$

$|a_1+3|=|a_1+11|$

즉 $a_1+3<0$, $a_1+11>0$이므로

$-a_1-3=a_1+11$, $2a_1=-14$

$\therefore a_1=-7$

이때 $a_n=-7+(n-1)\times2=2n-9$이므로

$2n-9=31$에서 $n=20$

따라서 $a_n=31$을 만족시키는 자연수 n의 값은 20이다.

오답 피하기

$a_1+3<a_1+11$이므로 $|a_1+3|=|a_1+11|$이려면

$a_1+3<0$, $a_1+11>0$이어야 한다.

3-1 등차수열 $\{a_n\}$의 공차를 d라 하면

$a_3=-2$에서 $a_1+2d=-2$ …… ㉠

$a_9=16$에서 $a_1+8d=16$ …… ㉡

㉠, ㉡을 연립하여 풀면

$a_1=-8$, $d=3$

즉 $a_n=-8+(n-1)\times3=3n-11$

따라서 $n\le3$일 때 $a_n<0$이고, $n\ge4$일 때 $a_n>0$이므로

$|a_1|+|a_2|+|a_3|+\cdots+|a_{10}|$

$=-a_1-a_2-a_3+a_4+a_5+\cdots+a_{10}$

$=-(-8-5-2)+(1+4+\cdots+19)$

$=15+\dfrac{7(1+19)}{2}=85$

3-2 등차수열 $\{a_n\}$의 공차를 d라 하면

$a_2=-3$에서 $a_1+d=-3$ …… ㉠

$a_4+a_5+a_6=0$에서

$(a_1+3d)+(a_1+4d)+(a_1+5d)=0$

$3a_1+12d=0$, $a_1+4d=0$ …… ㉡

㉠, ㉡을 연립하여 풀면

$a_1=-4$, $d=1$

즉 $a_n=-4+(n-1)\times1=n-5$

따라서 $n\le5$일 때 $a_n\le0$이고, $n\ge6$일 때 $a_n>0$이므로

$\sum_{n=1}^{10}(a_n+|a_n|)=\sum_{n=6}^{10}2a_n$

$=\dfrac{5(2a_6+2a_{10})}{2}$

$=5(a_6+a_{10})=5(1+5)=30$

오답 피하기

$n\le5$일 때, $a_n\le0$이므로 $a_n+|a_n|=0$

$n\ge6$일 때, $a_n>0$이므로 $a_n+|a_n|=2a_n$

4-1 등차수열 1, a_1, a_2, $\cdots$, a_n, 10의 항의 개수는 $n+2$이므로 모든 항의 합은

$\dfrac{(n+2)(1+10)}{2}=121$

$n+2=22$ $\quad\therefore n=20$

4-2 $\sum_{k=1}^{10} a_k + \sum_{k=1}^{10} b_k = \frac{10(a_1+a_{10})}{2} + \frac{10(b_1+b_{10})}{2}$

$= 5\{(a_1+b_1)+(a_{10}+b_{10})\}$

$= 5\{5+(a_{10}+b_{10})\}$

$= 25+5(a_{10}+b_{10}) = 100$

$\therefore a_{10}+b_{10} = 15$

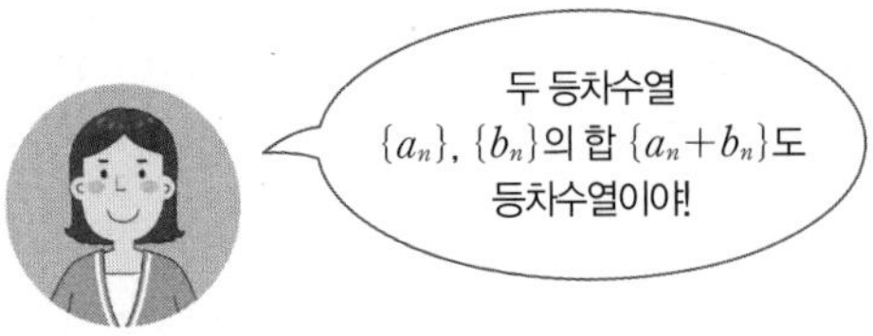
두 등차수열
$\{a_n\}$, $\{b_n\}$의 합 $\{a_n+b_n\}$도
등차수열이야!

5-1 등비수열 $\{a_n\}$의 공비를 r라 하면

$a_4 = \frac{1}{3}a_2$에서 $a_4 = a_2 r^2 = \frac{1}{3}a_2$

즉 $r^2 = \frac{1}{3}$

또 $a_1 a_3 = 12$이므로

$a_1 \times a_1 r^2 = 12$, $\frac{1}{3}a_1^{\,2} = 12$

$a_1^{\,2} = 36$ $\quad \therefore a_1 = 6$ ($\because a_1 > 0$)

5-2 등비수열 $\{a_n\}$의 공비를 r라 하면

조건 ㈏에서 $r = \frac{1}{5}a_4$

$\frac{a_4}{r} = 5$ $\quad \therefore a_3 = 5$

조건 ㈎에서

$a_3 + a_3 r^2 = a_3(1+r^2)$

$= 5(1+r^2)$

$= 15$

이므로 $1+r^2 = 3$, $r^2 = 2$

$\therefore a_7 = a_3 r^4 = 5 \times 2^2 = 20$

6-1 세 수 2, x, 14가 이 순서대로 등차수열을 이루므로

$2x = 2+14$, $x = 8$ ...... ㉠

또 세 수 3, y, 27이 이 순서대로 등비수열을 이루므로

$y^2 = 3 \times 27 = 81$ ...... ㉡

㉠, ㉡에서 $xy^2 = 8 \times 81 = 648$

6-2 세 수 a, 0, b가 이 순서대로 등차수열을 이루므로

$a+b = 0$, $a = -b$ ...... ㉠

또 세 수 $2b$, a, -7이 이 순서대로 등비수열을 이루므로

$a^2 = -14b$ ...... ㉡

㉠, ㉡에서 $a^2 = 14a$

$\therefore a = 14$ ($\because a \neq 0$)

7-1 세 수 1, a, b는 이 순서대로 등비수열을 이루므로

$a^2 = b$

이때 $\log_8 c = \log_a a^2 = 2$이므로

$c = 8^2 = 64$

따라서 $c = 1 \times r^3 = 64$이므로

$r = 4$

오답 피하기

$\log_8 c = \log_a b$에서 밑과 진수의 조건에 의하여
$a>0$, $a \neq 1$, $b>0$, $c>0$이므로 $r>0$, $r \neq 1$이다.

다른 풀이

네 수 1, a, b, c는 이 순서대로 공비가 r인 등비수열을 이루므로
$a = r$, $b = r^2$, $c = r^3$
이때 $\log_8 c = \log_{2^3} r^3 = \log_2 r$, $\log_a b = \log_r r^2 = 2$이므로
$\log_2 r = 2$ $\quad \therefore r = 4$

7-2 세 수 a^n, 4×9^3, b^n이 이 순서대로 등비수열을 이루므로

$(4 \times 9^3)^2 = a^n b^n$, $2^4 \times 3^{12} = (ab)^n$

이때 ab의 값이 최소가 되려면 자연수 n의 값은 4와 12의 최대공약수인 4이어야 한다.

따라서 $(ab)^4 = (2 \times 3^3)^4 = 54^4$이므로

ab의 최솟값은 54이다.

8-1 등비수열 $\{a_n\}$의 공비를 r라 하면

$S_4 - S_2 = a_3 + a_4$이므로

$a_3 + a_4 = (a_1+a_2)r^2 = 10r^2 = 30$ $\quad \therefore r^2 = 3$

$\therefore a_7 + a_8 = (a_1+a_2)r^6 = 10 \times 3^3 = 270$

8-2 등비수열 $\{a_n\}$의 공비를 r라 하면

$a_5+a_6+a_7+a_8=r^4(a_1+a_2+a_3+a_4)=r^4S_4$

$a_9+a_{10}+a_{11}+a_{12}=r^8(a_1+a_2+a_3+a_4)=r^8S_4$

즉 $\frac{S_{12}}{S_4}=7$에서 $\frac{S_4(1+r^4+r^8)}{S_4}=1+r^4+r^8=7$

$r^8+r^4-6=0$, $(r^4+3)(r^4-2)=0$ $\quad\therefore r^4=2$

$\therefore a_9=a_1r^8=3\times2^2=12$

DAY

2 필수 체크 전략 ②

44~45쪽

01 ③	**02** ③	**03** ④	**04** ④	**05** ①
06 2	**07** 48	**08** 3	**09** 91	**10** ⑤

01 등차수열 $\{a_n\}$의 공차를 d라 하면

$a_6-a_4=2d=6$ $\quad\therefore d=3$

$\therefore a_8=a_2+6d=4+6\times3=22$

02 $a_2=3$에서 $a+d=3$

$a_8=15$에서 $a+7d=15$

두 식을 연립하여 풀면

$a=1$, $d=2$

$\therefore a+3d=1+3\times2=7$

다른 풀이

$a_2=3$, $a_8=15$에서 $a_8-a_2=6d=12$, $d=2$

$\therefore a+3d=a_4=a_2+2d=3+2\times2=7$

03 등차수열 $\{a_n\}$의 공차가 3이므로

$|a_3-13|=|a_5-13|$에서

$|a_1+2\times3-13|=|a_1+4\times3-13|$

$|a_1-7|=|a_1-1|$

즉 $a_1-7<0$, $a_1-1>0$이므로

$-a_1+7=a_1-1$, $2a_1=8$ $\quad\therefore a_1=4$

$\therefore a_6=4+5\times3=19$

다른 풀이

$|a_3-13|=|a_5-13|$에서

$a_5-13=-(a_3-13)$, $a_3+a_5=26$

이때 $a_3+a_5=2a_4$이므로

$2a_4=26$ $\quad\therefore a_4=13$

$\therefore a_6=a_4+2\times3=13+6=19$

04 $a_4+a_5+a_6=S_6-S_3$

$=(6^2+2\times6)-(3^2+2\times3)$

$=33$

05 이차방정식 $x^2-5x+3=0$의 두 근이 a_3, a_8이므로 이차방정식의 근과 계수의 관계에 의하여

$a_3+a_8=5$

이때 등차수열 $\{a_n\}$의 공차를 d라 하면

$\sum_{n=1}^{10}a_n=\frac{10(a_1+a_{10})}{2}$

$=5\{(a_3-2d)+(a_8+2d)\}$

$=5\times5=25$

06 등비수열 $\{a_n\}$의 공비를 r라 하면

$\frac{a_3}{a_2}=r=\frac{1}{3}$

$\therefore a_5=a_1\times r^4=162\times\left(\frac{1}{3}\right)^4=2$

07 등비수열 $\{a_n\}$의 공비를 r라 하면

$a_1+a_2=a_1+a_1r=a_1(1+r)$

$a_5+a_6=a_1r^4+a_1r^5=a_1r^4(1+r)$

$a_9+a_{10}=a_1r^8+a_1r^9=a_1r^8(1+r)$

이므로 세 수 a_1+a_2, a_5+a_6, a_9+a_{10}은 이 순서대로 공비가 r^4인 등비수열을 이룬다.

즉 $(a_5+a_6)^2=(a_1+a_2)(a_9+a_{10})$, $12^2=3(a_9+a_{10})$

$\therefore a_9+a_{10}=48$

08 세 점 A, B, C의 좌표는 각각 $A(k, 3\sqrt{k})$, $B(k, \sqrt{k})$, $C(k, 0)$이므로

$\overline{BC}=\sqrt{k}$, $\overline{OC}=k$, $\overline{AC}=3\sqrt{k}$

이때 세 수 $\sqrt{k}$, k, $3\sqrt{k}$가 이 순서대로 등비수열을 이루므로

$k^2=\sqrt{k}\times3\sqrt{k}=3k$, $k^2-3k=0$

$k(k-3)=0$ $\quad\therefore k=3$ $(\because k>0)$

09 세 양수 a, b, c가 이 순서대로 등비수열을 이루므로

$b^2=ac$

조건 (나)에서 $abc=b^3=1$ $\quad\therefore b=1$

이 등비수열의 공비를 r라 하면

$a<1<c$이므로 $a=\frac{1}{r}$, $c=r$

조건 (가)에서 $\frac{1}{r}+1+r=\frac{13}{3}$이므로

$3r^2-10r+3=0$

$(r-3)(3r-1)=0$ $\quad\therefore r=3$ ($\because r>1$)

따라서 $a=\frac{1}{3}$, $b=1$, $c=3$이므로

$9(a^2+b^2+c^2)=9\left\{\left(\frac{1}{3}\right)^2+1^2+3^2\right\}=91$

10 세 항 a_3, a_6, a_9는 이 순서대로 등차수열을 이루므로

$a_3+a_9=2a_6$

조건 (가)에서 $2a_6=0$ $\quad\therefore a_6=0$

조건 (나)에서 $|a_4|=0+4=4$이고 공차가 양수이므로

$a_4<a_6=0$ $\quad\therefore a_4=-4$

등차수열 $\{a_n\}$의 공차를 d라 하면

$a_6=0$에서 $a_1+5d=0$

$a_4=-4$에서 $a_1+3d=-4$

두 식을 연립하여 풀면 $a_1=-10$, $d=2$

$\therefore a_n=-10+(n-1)\times2=2n-12$

조건 (다)에서

$$\begin{aligned}\sum_{n=1}^{4}(a_n+|b_n|)&=\sum_{n=1}^{4}(2n-12)+\sum_{n=1}^{4}|b_n|\\&=2\times\frac{4\times5}{2}-48+\sum_{n=1}^{4}|b_n|\\&=-28+\sum_{n=1}^{4}|b_n|=17\end{aligned}$$

이므로 $\sum_{n=1}^{4}|b_n|=45$

이때 등비수열 $\{b_n\}$의 공비를 r라 하면

b_1이 자연수, r가 음의 정수이므로

$\frac{b_1(|r|^4-1)}{|r|-1}=b_1(|r|+1)(|r|^2+1)=45$

즉 두 자연수 b_1, $|r|$의 값은 각각 $b_1=3$, $|r|=2$

따라서 $b_1=3$, $r=-2$이므로

$b_2=b_1r=3\times(-2)=-6$

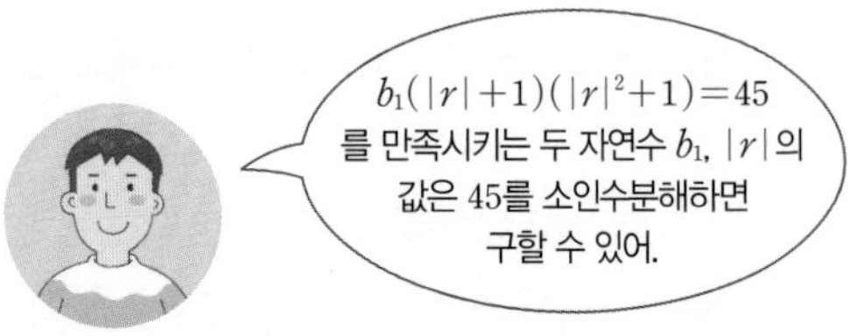
$b_1(|r|+1)(|r|^2+1)=45$
를 만족시키는 두 자연수 b_1, $|r|$의
값은 45를 소인수분해하면
구할 수 있어.

DAY
3 필수 체크 전략 ①
46~49쪽

1-1 40	1-2 ③	2-1 ②	2-2 ③
3-1 ③	3-2 ②	4-1 ①	4-2 2
5-1 2	5-2 98	6-1 ③	6-2 256
7-1 ④	7-2 ②		

1-1 $\sum_{k=1}^{5}a_k=20$, $\sum_{k=1}^{5}b_k=5$이므로

$\sum_{k=1}^{5}(a_k+4b_k)=\sum_{k=1}^{5}a_k+4\sum_{k=1}^{5}b_k=20+4\times5=40$

1-2 $$\begin{aligned}\sum_{k=1}^{10}(2a_k+1)^2&=\sum_{k=1}^{10}(4a_k^2+4a_k+1)\\&=4\sum_{k=1}^{10}a_k^2+4\sum_{k=1}^{10}a_k+\sum_{k=1}^{10}1\\&=4\sum_{k=1}^{10}a_k^2+4\times10+1\times10=170\end{aligned}$$

$4\sum_{k=1}^{10}a_k^2=120$ $\quad\therefore \sum_{k=1}^{10}a_k^2=30$

2-1 $$\begin{aligned}\sum_{k=1}^{8}(2k-1)&=2\sum_{k=1}^{8}k-\sum_{k=1}^{8}1\\&=2\times\frac{8\times9}{2}-1\times8=64\end{aligned}$$

2-2 $$\begin{aligned}\sum_{k=1}^{6}k(k+2)&=\sum_{k=1}^{6}(k^2+2k)\\&=\sum_{k=1}^{6}k^2+2\sum_{k=1}^{6}k\\&=\frac{6\times7\times13}{6}+2\times\frac{6\times7}{2}\\&=133\end{aligned}$$

3-1 $a_{2n-1}+a_{2n}=4n+3$이므로

$$\begin{aligned}\sum_{k=1}^{10}a_k&=\sum_{k=1}^{5}(a_{2k-1}+a_{2k})\\&=\sum_{k=1}^{5}(4k+3)\\&=4\times\frac{5\times6}{2}+3\times5=75\end{aligned}$$

3-2 $a_n+a_{n+1}=2n+1$의 n에 1, 3, 5, 7, 9를 차례로 대입하면

$a_1+a_2=3$, $a_3+a_4=7$, $a_5+a_6=11$

$a_7+a_8=15$, $a_9+a_{10}=19$

$\therefore \sum_{k=1}^{10} a_k=3+7+11+15+19=55$

다른 풀이

$$\begin{aligned}\sum_{k=1}^{10} a_k&=a_1+a_2+\cdots+a_9+a_{10}\\&=(a_1+a_2)+(a_3+a_4)+\cdots+(a_9+a_{10})\\&=(2\times1+1)+(2\times3+1)+(2\times5+1)\\&\quad+(2\times7+1)+(2\times9+1)\\&=2(1+3+5+7+9)+5\\&=2\times25+5=55\end{aligned}$$

4-1
$$\begin{aligned}&\sum_{k=1}^{99}\frac{100}{k(k+1)}\\&=100\sum_{k=1}^{99}\left(\frac{1}{k}-\frac{1}{k+1}\right)\\&=100\left\{\left(1-\frac{1}{2}\right)+\left(\frac{1}{2}-\frac{1}{3}\right)+\cdots+\left(\frac{1}{99}-\frac{1}{100}\right)\right\}\\&=100\left(1-\frac{1}{100}\right)=99\end{aligned}$$

4-2 $S_n=n^2+2n$이므로 $a_1=S_1=3$

$n\geq2$에서

$$\begin{aligned}a_n&=S_n-S_{n-1}\\&=(n^2+2n)-\{(n-1)^2+2(n-1)\}\\&=2n+1 \quad\cdots\cdots ㉠\end{aligned}$$

이때 $a_1=3$은 ㉠에 $n=1$을 대입한 것과 같으므로

$a_n=2n+1$

$$\begin{aligned}\therefore &\sum_{k=1}^{9}\frac{14}{a_ka_{k+1}}\\&=\sum_{k=1}^{9}\frac{14}{(2k+1)(2k+3)}\\&=\frac{14}{2}\sum_{k=1}^{9}\left(\frac{1}{2k+1}-\frac{1}{2k+3}\right)\\&=7\left\{\left(\frac{1}{3}-\frac{1}{5}\right)+\left(\frac{1}{5}-\frac{1}{7}\right)+\cdots+\left(\frac{1}{19}-\frac{1}{21}\right)\right\}\\&=7\left(\frac{1}{3}-\frac{1}{21}\right)=2\end{aligned}$$

5-1 $P_n(n, \sqrt{3n-2})$, $Q_n(n, 0)$에서 $a_n=\overline{P_nQ_n}=\sqrt{3n-2}$

$$\begin{aligned}\therefore &\sum_{n=1}^{16}\frac{1}{a_n+a_{n+1}}\\&=\sum_{n=1}^{16}\frac{1}{\sqrt{3n-2}+\sqrt{3n+1}}\\&=\sum_{n=1}^{16}\frac{\sqrt{3n-2}-\sqrt{3n+1}}{(\sqrt{3n-2}+\sqrt{3n+1})(\sqrt{3n-2}-\sqrt{3n+1})}\\&=-\frac{1}{3}\sum_{n=1}^{16}(\sqrt{3n-2}-\sqrt{3n+1})\\&=-\frac{1}{3}\{(1-\sqrt{4})+(\sqrt{4}-\sqrt{7})+\cdots+(\sqrt{46}-\sqrt{49})\}\\&=-\frac{1}{3}(1-7)=2\end{aligned}$$

5-2 세 항 a_4, a_5, a_6은 이 순서대로 등차수열을 이루므로

$a_4+a_6=2a_5$, $12=2a_5$ $\quad\therefore a_5=6$

이때 등차수열 $\{a_n\}$의 공차를 d라 하면

$a_5-a_2=3d=3$이므로 $d=1$

즉 $a_1=a_2-d=3-1=2$이므로

$a_n=2+(n-1)\times1=n+1$

따라서

$$\begin{aligned}&\sum_{k=3}^{m}\frac{1}{\sqrt{a_{k+1}}+\sqrt{a_k}}\\&=\sum_{k=3}^{m}\frac{1}{\sqrt{k+2}+\sqrt{k+1}}\\&=\sum_{k=3}^{m}\frac{\sqrt{k+2}-\sqrt{k+1}}{(\sqrt{k+2}+\sqrt{k+1})(\sqrt{k+2}-\sqrt{k+1})}\\&=\sum_{k=3}^{m}(\sqrt{k+2}-\sqrt{k+1})\\&=(\sqrt{5}-2)+(\sqrt{6}-\sqrt{5})+\cdots+(\sqrt{m+2}-\sqrt{m+1})\\&=\sqrt{m+2}-2=8\end{aligned}$$

이므로 $\sqrt{m+2}=10$, $m+2=100$

$\therefore m=98$

6-1 $a_1=4$, $a_{n+1}-a_n=5$이므로

수열 $\{a_n\}$은 첫째항이 4, 공차가 5인 등차수열이다.

$\therefore a_5=4+(5-1)\times5=24$

6-2 조건 (나)에서 수열 $\{a_n\}$은 공비가 2인 등비수열이므로

$a_n=a_1\times 2^{n-1}$

조건 (가)에서 $a_2=a_1+1$

$2a_1=a_1+1 \quad \therefore a_1=1$

$\therefore a_9=1\times 2^8=256$

7-1 $a_{n+1}=\begin{cases} a_n+1 & (a_n\text{이 홀수}) \\ \frac{1}{2}a_n & (a_n\text{이 짝수}) \end{cases}$의 n에 1, 2, 3, ⋯, 6을 차례로 대입하면 $a_1=40$에서

$a_2=\frac{1}{2}a_1=20,\ a_3=\frac{1}{2}a_2=10,\ a_4=\frac{1}{2}a_3=5$

$a_5=a_4+1=6,\ a_6=\frac{1}{2}a_5=3$

$\therefore a_7=a_6+1=4$

7-2 $a_{n+1}=\begin{cases} a_n+2 & (n\text{은 홀수}) \\ 2a_n & (n\text{은 짝수}) \end{cases}$의 n에 1, 2, 3, ⋯, 7을 차례로 대입하면

$a_2=a_1+2,\ a_3=2a_2=2a_1+4,\ a_4=a_3+2=2a_1+6$

$a_5=2a_4=4a_1+12,\ a_6=a_5+2=4a_1+14$

$a_7=2a_6=8a_1+28,\ a_8=a_7+2=8a_1+30$

이때 $a_8=22$이므로 $8a_1+30=22$

$\therefore a_1=-1$

다른 풀이

$a_8=a_7+2=22$이므로 $a_7=20$

$a_7=2a_6=20$이므로 $a_6=10$

$a_6=a_5+2=10$이므로 $a_5=8$

$a_5=2a_4=8$이므로 $a_4=4$

$a_4=a_3+2=4$이므로 $a_3=2$

$a_3=2a_2=2$이므로 $a_2=1$

$a_2=a_1+2=1$이므로 $a_1=-1$

DAY **3** 필수 체크 전략 ② | 50~51쪽

01 ②	**02** ④	**03** ④	**04** ①	**05** ④
06 51	**07** ⑤	**08** 84	**09** ⑤	**10** 119

01 $\sum_{k=1}^{10}(1+2+3+\cdots+k)$

$=\sum_{k=1}^{10}\frac{k(k+1)}{2}$

$=\frac{1}{2}\left(\sum_{k=1}^{10}k^2+\sum_{k=1}^{10}k\right)$

$=\frac{1}{2}\left(\frac{10\times11\times21}{6}+\frac{10\times11}{2}\right)$

$=220$

02 $\sum_{k=1}^{10}a_k=4,\ \sum_{k=1}^{10}a_k^2=7$이므로

$\sum_{k=1}^{10}(a_k-1)^2=\sum_{k=1}^{10}(a_k^2-2a_k+1)$

$=\sum_{k=1}^{10}a_k^2-2\sum_{k=1}^{10}a_k+\sum_{k=1}^{10}1$

$=7-2\times4+1\times10=9$

03 $\sum_{k=1}^{10}a_{2k-1}=40,\ \sum_{k=1}^{20}(-1)^k a_k=5$에서

$\sum_{k=1}^{10}a_{2k-1}=a_1+a_3+a_5+\cdots+a_{19}=40$

$\sum_{k=1}^{20}(-1)^k a_k=-a_1+a_2-a_3+\cdots-a_{19}+a_{20}=5$

두 식의 양변을 각각 더하면

$a_2+a_4+\cdots+a_{20}=\sum_{k=1}^{10}a_{2k}=45$

04 등차수열 $\{a_n\}$의 공차를 d라 하면

$a_2=6$에서 $a_1+d=6$ ⋯⋯ ㉠

$a_6=-2$에서 $a_1+5d=-2$ ⋯⋯ ㉡

㉠, ㉡을 연립하여 풀면

$a_1=8,\ d=-2$

$\therefore \sum_{n=1}^{10}a_n=\frac{10(a_1+a_{10})}{2}=5(2a_1+9d)$

$=5\{2\times8+9\times(-2)\}=-10$

오답 피하기

$\sum_{n=1}^{10}a_n$은 첫째항부터 제10항까지의 등차수열 $\{a_n\}$의 합이다.

05 $a_3=4$, $a_{n+1}=\begin{cases} a_n+1 & (a_n\text{이 홀수}) \\ \frac{1}{2}a_n & (a_n\text{이 짝수}) \end{cases}$에서

(i) a_2는 짝수, a_1은 짝수인 경우

$a_2=2a_3=8$, $a_1=2a_2=16$

(ii) a_2는 짝수, a_1은 홀수인 경우

$a_2=2a_3=8$, $a_1=a_2-1=7$

(iii) a_2는 홀수, a_1은 짝수인 경우

$a_2=a_3-1=3$, $a_1=2a_2=6$

(iv) a_2는 홀수, a_1은 홀수인 경우

$a_2=a_3-1=3$, $a_1=a_2-1=2$이므로 조건을 만족시키지 않는다.

(i)~(iv)에서 가능한 모든 a_1의 값의 합은

$16+7+6=29$

06 $S_n=2n^2-n$이므로 $a_1=S_1=1$

$n\geq 2$에서

$a_n=S_n-S_{n-1}$

$=(2n^2-n)-\{2(n-1)^2-(n-1)\}$

$=4n-3$ ······ ㉠

이때 $a_1=1$은 ㉠에 $n=1$을 대입한 것과 같으므로

$a_n=4n-3$

즉

$\sum_{k=1}^{10}\frac{1}{a_ka_{k+1}}$

$=\sum_{k=1}^{10}\frac{1}{(4k-3)(4k+1)}$

$=\frac{1}{4}\sum_{k=1}^{10}\left(\frac{1}{4k-3}-\frac{1}{4k+1}\right)$

$=\frac{1}{4}\left\{\left(1-\frac{1}{5}\right)+\left(\frac{1}{5}-\frac{1}{9}\right)+\cdots+\left(\frac{1}{37}-\frac{1}{41}\right)\right\}$

$=\frac{1}{4}\left(1-\frac{1}{41}\right)=\frac{10}{41}$

이므로 $p=41$, $q=10$

$\therefore p+q=41+10=51$

07 $S_n=\sum_{k=1}^{n}\frac{a_k}{k+1}=n^2+n$이라 하면

$\frac{a_1}{2}=S_1=1^2+1=2$

$n\geq 2$에서

$\frac{a_n}{n+1}=S_n-S_{n-1}$

$=(n^2+n)-\{(n-1)^2+(n-1)\}$

$=2n$ ······ ㉠

이때 $\frac{a_1}{2}=2$는 ㉠에 $n=1$을 대입한 것과 같으므로

$\frac{a_n}{n+1}=2n$

따라서 $a_n=2n(n+1)$이므로

$a_5=2\times5\times6=60$

$\sum_{k=1}^{n}\frac{a_k}{k+1}$는
수열 $\left\{\frac{a_k}{k+1}\right\}$의 첫째항부터
제n항까지의 합이네!

08 조건 (가)에서

$a_1=1$, $a_2=\frac{1}{2\times1+1}=\frac{1}{3}$

$a_3=\frac{\frac{1}{3}}{2\times\frac{1}{3}+1}=\frac{1}{5}$

$a_4=\frac{\frac{1}{5}}{2\times\frac{1}{5}+1}=\frac{1}{7}$

조건 (나)에서 수열 $\{a_n\}$은 처음 네 개의 항 $1, \frac{1}{3}, \frac{1}{5}, \frac{1}{7}$이 반복되는 수열이므로 수열 $\left\{\frac{1}{a_n}\right\}$은 처음 네 개의 항 1, 3, 5, 7이 반복되는 수열이다.

$\therefore \sum_{n=1}^{22}\frac{1}{a_n}=5(1+3+5+7)+1+3=84$

오답 피하기

모든 자연수 n에 대하여 $a_{n+4}=a_n$이므로

$a_1=a_5=a_9=\cdots$

$a_2=a_6=a_{10}=\cdots$

$a_3=a_7=a_{11}=\cdots$

$a_4=a_8=a_{12}=\cdots$

이다. 즉 수열 $\{a_n\}$은 a_1, a_2, a_3, a_4가 반복된다.

09 $a_1=1$, $a_2=3$이고, $a_{n+2}=a_{n+1}-a_n$ ($n=1, 2, 3, \cdots$)
이므로 $a_3=2$, $a_4=-1$, $a_5=-3$, $a_6=-2$, $a_7=1$, $\cdots$
즉 수열 $\{a_n\}$은 처음 여섯 개의 항 1, 3, 2, -1, -3, -2가 반복되는 수열이다.
ㄱ. $a_5=-3$
ㄴ. $a_{13}=a_7=a_1=1$
ㄷ. 모든 자연수 m에 대하여 $a_m=a_{m+6}$이므로

$$\sum_{k=m}^{m+5} a_k = a_m+a_{m+1}+a_{m+2}+a_{m+3}+a_{m+4}+a_{m+5} = 0$$

따라서 옳은 것은 ㄱ, ㄴ, ㄷ이다.

10 (ii) $n=k$일 때 $5^{2k}-1$이 8의 배수라고 가정하면
$5^{2k}-1=8N$ (N은 자연수)이므로

$$\begin{aligned}5^{2(k+1)}-1&=5^2\times5^{2k}-1\\&=5^2\times(\boxed{(가)\ 8N+1})-1\\&=25\times8N+24\\&=8\times(\boxed{(나)\ 25N+3})\end{aligned}$$

따라서 $n=k+1$일 때도 $5^{2n}-1$은 8의 배수이다.
$\therefore$ (가) $8N+1$ (나) $25N+3$
따라서 $f(N)=8N+1$, $g(N)=25N+3$이므로
$f(5)+g(3)=41+78=119$

누구나 합격 전략

52~53쪽

01 ②	**02** ③	**03** ④	**04** ②
05 16	**06** ①	**07** ⑤	**08** ①
09 35	**10** ③		

01 등차수열 $\{a_n\}$의 공차를 d라 하면
$2d=a_3-a_1=4$, $d=2$
$\therefore a_4=a_1+3d=4+3\times2=10$

02 네 수 2, x, 8, y가 이 순서대로 등차수열을 이루므로
$2x=2+8=10$에서 $x=5$
$16=x+y=5+y$에서 $y=11$
$\therefore xy=5\times11=55$

03 등비수열 $\{a_n\}$의 공비를 r라 하면
$a_5=a_2\times r^3$에서 $24=3r^3$
$r^3=8$ $\quad\therefore r=2$
$\therefore a_6=a_5\times r=24\times2=48$

04 세 수 $\frac{1}{2}$, a_2, 8은 이 순서대로 등비수열을 이루므로
$a_2^{\,2}=\frac{1}{2}\times8=4$ $\quad\therefore a_2=2$ ($\because a_2>0$)
또 세 수 a_1, a_2, a_3은 이 순서대로 등비수열을 이루므로
$a_2^{\,2}=a_1a_3$

$$\therefore \frac{a_1a_3}{a_2}=\frac{a_2^{\,2}}{a_2}=a_2=2$$

다른 풀이

등비수열의 공비를 r라 하면
$\frac{1}{2}\times r^4=8$, $r^4=16$
이때 a_1, a_2, a_3이 양수이므로 $r=2$

$$\therefore \frac{a_1a_3}{a_2}=\frac{\frac{1}{2}r\times\frac{1}{2}r^3}{\frac{1}{2}r^2}=\frac{1}{2}r^2=\frac{1}{2}\times4=2$$

05 $S_n=2^n-1$이므로
$a_5=S_5-S_4=(2^5-1)-(2^4-1)=16$

06 $\sum_{k=1}^{10}(2k-1)=2\sum_{k=1}^{10}k-\sum_{k=1}^{10}1$

$=2\times\frac{10\times11}{2}-10$

$=100$

07 $\sum_{k=1}^{10}(k+2)-\sum_{k=1}^{10}k=\sum_{k=1}^{10}(k+2-k)$

$=\sum_{k=1}^{10}2=20$

08 $\sum_{k=1}^{15}a_k=5$, $\sum_{k=1}^{15}b_k=8$이므로

$\sum_{k=1}^{15}(3a_k-2b_k+5)=3\sum_{k=1}^{15}a_k-2\sum_{k=1}^{15}b_k+\sum_{k=1}^{15}5$

$=3\times5-2\times8+5\times15$

$=74$

09 수열 $\{a_n\}$이 모든 자연수 n에 대하여

$\begin{cases}a_1=-1\\a_{n+1}=a_n+4\end{cases}$

이므로 수열 $\{a_n\}$은 첫째항이 -1, 공차가 4인 등차수열이다.

$\therefore\ a_{10}=-1+(10-1)\times4=35$

LECTURE 등차수열의 귀납적 정의

첫째항이 a, 공차가 d인 등차수열 $\{a_n\}$에 대하여

$a_1=a$, $a_{n+1}-a_n=d$ (일정) $\Longleftrightarrow a_{n+1}=a_n+d$

10 $a_{n+1}=\begin{cases}a_n+1 & (n\text{은 홀수})\\2a_n & (n\text{은 짝수})\end{cases}$의 n에 1, 2, 3, 4를 차례로 대입하면 $a_1=3$에서

$a_2=a_1+1=4$, $a_3=2a_2=8$, $a_4=a_3+1=9$

$\therefore\ a_5=2a_4=2\times9=18$

창의·융합·코딩 전략 ①

54~55쪽

1 ⑤ **2** ① **3** ⑤ **4** 13

1 1등부터 10등까지의 상금 액수를 차례로 나열한 것을 수열 $\{a_n\}$이라 하면 조건 (가), (나)에서 수열 $\{a_n\}$은 첫째항이 100(만 원), 공차가 -7(만 원)인 등차수열이다.

따라서 1등부터 10등까지의 참가자에게 지급할 상금 액수의 총합은

$\sum_{n=1}^{10}a_n=\frac{10\{2\times100+(10-1)\times(-7)\}}{2}$

$=685$(만 원)

2 넓이가 $2048\,\text{cm}^2$인 사진을 '넓이 조정'에서 50 %를 적용하는 과정을 n번 반복하여 얻어진 사진의 넓이를 $a_n\,\text{cm}^2$라 하면 수열 $\{a_n\}$은 첫째항이 $2048\times\frac{1}{2}=1024$, 공비가 $\frac{1}{2}$인 등비수열이다.

따라서 '넓이 조정'에서 50 %를 적용하는 과정을 10번 반복하여 얻어진 사진의 넓이는

$a_{10}=1024\times\left(\frac{1}{2}\right)^9=2\,(\text{cm}^2)$

3 [n단계] 모형은 [$n-1$단계] 모형의 오른쪽에 한 변의 길이가 1인 정사각형이 n개 추가된 모양이다. 각 단계에서 이용한 성냥개비의 개수는 다음과 같다.

$a_2=a_1+3\times2=4+6=10$

$a_3=a_2+4\times2=10+8=18$

$a_4=a_3+5\times2=18+10=28$

$a_5=a_4+6\times2=28+12=40$

$a_6=a_5+7\times2=40+14=54$

$a_7=a_6+8\times2=54+16=70$

$a_8=a_7+9\times2=70+18=88$

$a_9=a_8+10\times2=88+20=108$

이때 [n단계] 모형의 모든 선분의 길이의 합은 [n단계]에서 이용한 성냥개비의 개수와 같으므로 $a_m>100$을 만족시키는 자연수 m의 최솟값은 9이다.

4 [n단계]에서 B, C가 받은 전자 우편의 개수를 각각 b_n, c_n이라 하면

$a_{n+1}=b_n+c_n$, $b_{n+1}=a_n+c_n$, $c_{n+1}=b_n$

이때 $n\geq 2$에서

$a_{n+1}=(a_{n-1}+c_{n-1})+b_{n-1}=a_{n-1}+a_n$이고

$a_1=1$, $a_2=1$이므로

$a_3=a_1+a_2=1+1=2$, $a_4=a_2+a_3=1+2=3$

$a_5=a_3+a_4=2+3=5$, $a_6=a_4+a_5=3+5=8$

$\therefore a_7=a_5+a_6=5+8=13$

창의·융합·코딩 전략 ②

56~57쪽

5 ③ **6** ③ **7** 14 **8** 445

5 $n\times n$ 격자판의 각 칸에 1부터 25까지의 공을 모두 넣으므로

$n^2=25$ $\therefore n=5$

이때 가로 방향에 놓여 있는 공에 적힌 수들의 합이 각각 m이고, 격자판의 행의 개수가 5이므로

$$5m=1+2+3+\cdots+25=\frac{25(25+1)}{2}=325$$

즉 $m=\frac{325}{5}=65$

$\therefore m+n=65+5=70$

6 2021년 1월 1일로부터 n년 후에 적립할 금액은 (10×1.05^n)억 원이므로 각각의 적립금에 대한 2025년 12월 31일까지의 원리합계는 다음과 같다.

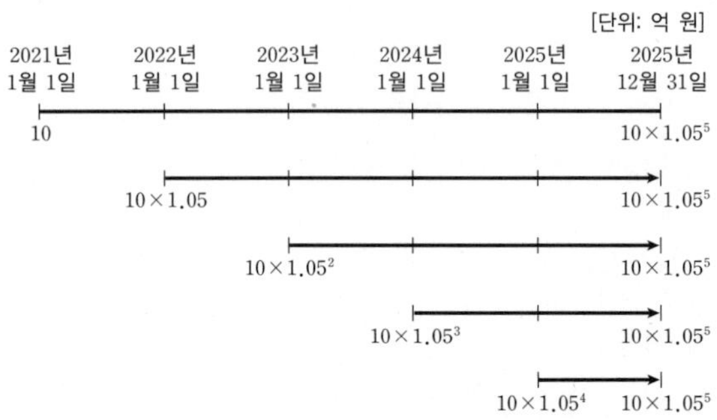

따라서 2025년 12월 31일까지의 적립금의 원리합계는

$5\times(10\times 1.05^5)=50\times 1.28=64$(억 원)

7 [단계 k]에서 찍히는 점의 개수는 k이므로

[단계 9]까지 찍힌 모든 점의 개수는

$$\sum_{k=1}^{9}k=\frac{9\times 10}{2}=45$$

즉 50번째로 찍히는 점은 [단계 10]에서 5번째로 찍히는 점이므로 그 점의 좌표는 $(10, 4)$이다.

따라서 $p=10$, $q=4$이므로

$p+q=10+4=14$

8 모든 원기둥의 밑넓이는 바로 위에 놓여 있는 원기둥 밑넓이의 1.25배이므로 위에 있는 원기둥의 밑넓이는 바로 아래에 놓여 있는 원기둥 밑넓이의 $\frac{4}{5}$배이고, 각 원기둥의 높이는 1 m로 같다.

즉 아래에서부터 차례로 n번째에 있는 원기둥의 부피를 $a_n\,\mathrm{m}^3$라 하면

수열 $\{a_n\}$은 첫째항이 $a_1=\pi\times 10^2\times 1=100\pi$, 공비가 $\frac{4}{5}$인 등비수열이다.

따라서

$$\text{(탑의 부피)}=\sum_{n=1}^{10}a_n=\sum_{n=1}^{10}100\pi\left(\frac{4}{5}\right)^{n-1}=\frac{100\pi\left\{1-\left(\frac{4}{5}\right)^{10}\right\}}{1-\frac{4}{5}}=500\pi\left\{1-\left(\frac{4}{5}\right)^{10}\right\}=500(1-0.11)\pi=445\pi\,(\mathrm{m}^3)$$

이므로 $k=445$

후편 마무리 전략

신유형·신경향 전략

60~63쪽

01 $\frac{7}{3}$초 **02** 150 **03** $20\sqrt{21}$m **04** 81

05 162 **06** 18 **07** 490 **08** $\left(-\frac{1}{2}, \frac{\sqrt{3}}{2}\right)$

01 함수 $y=a\sin bt$의 최댓값이 0.8이므로

$a=0.8$

또 주기가 4이므로

$\frac{2\pi}{b}=4$에서 $b=\frac{\pi}{2}$

$\therefore y=0.8\sin\frac{\pi}{2}t$

이때 $-0.4=0.8\sin\frac{\pi}{2}t$에서

$\sin\frac{\pi}{2}t=-\frac{1}{2}$

$0<t\le4$에서 방정식 $\sin\frac{\pi}{2}t=-\frac{1}{2}$의 실근은

$\frac{\pi}{2}t=\frac{7}{6}\pi$ 또는 $\frac{\pi}{2}t=\frac{11}{6}\pi$

즉 $t=\frac{7}{3}$ 또는 $t=\frac{11}{3}$

따라서 구하는 시간은 $\frac{7}{3}$초이다.

오답 피하기

숨을 들이쉬기 시작한 시각으로부터 처음으로 흡입률이 -0.4(리터/초)가 되는 데 걸리는 시간은 $0<t\le4$에서 방정식 $\sin\frac{\pi}{2}t=-\frac{1}{2}$의 실근 중 작은 값과 같다.

02 수면과 원기둥의 밑면이 만나 얻어지는 활꼴의 넓이는

$\frac{1}{2}\times6^2\times\frac{5}{6}\pi-\frac{1}{2}\times6^2\times\sin\frac{5}{6}\pi=15\pi-9$

이때 물통에 담겨 있는 물의 부피는

$(15\pi-9)\times25=375\pi-225$

따라서 $a=375$, $b=-225$이므로

$a+b=375+(-225)=150$

03

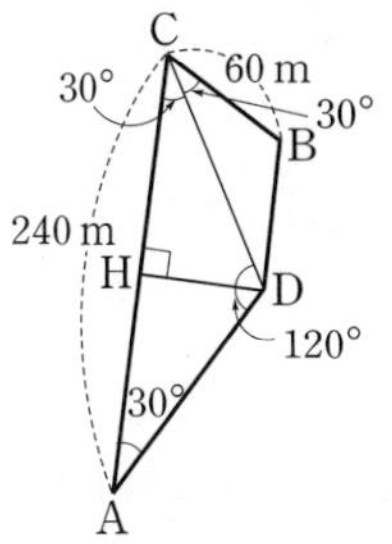

삼각형 ADC에서 $\angle CAD=\angle ACD=30°$이므로 점 D에서 $\overline{AC}$에 내린 수선의 발을 H라 하면

$\overline{AH}=120$m, $\overline{HD}=40\sqrt{3}$m

$\therefore \overline{AD}=\overline{CD}=80\sqrt{3}$m

이때 삼각형 BCD에서 코사인법칙에 의하여

$\overline{BD}^2=(80\sqrt{3})^2+60^2-2\times80\sqrt{3}\times60\times\cos30°$

$=8400$

이므로 $\overline{BD}=20\sqrt{21}$m

오답 피하기

삼각형 ADH에서

$\overline{HD}=\overline{AH}\times\tan30°=120\times\frac{\sqrt{3}}{3}=40\sqrt{3}$(m)

$\overline{AD}=\overline{CD}=\frac{\overline{HD}}{\sin30°}=\frac{40\sqrt{3}}{\frac{1}{2}}=80\sqrt{3}$(m)

04 점 P를 A_0이라 할 때, 점 A_{2n-2}에서 점 A_{2n-1}로 가는 경로의 수는 3, 점 A_{2n-1}에서 점 A_{2n}으로 가는 경로의 수는 1이다.

이때 점 A_{n-1}에서 점 A_n으로 가는 경로의 수를 a_n이라 하면

$a_n=\begin{cases}3 & (n\text{은 홀수})\\1 & (n\text{은 짝수})\end{cases}$

따라서 구하는 경로의 수는

$a_1\times a_2\times a_3\times a_4\times a_5\times a_6\times a_7=3\times1\times3\times1\times3\times1\times3$

$=81$

오답 피하기

점 A_{2n-1}에서 점 A_{2n}으로 가는 경로는 (아래 → 오른쪽), (대각선), (오른쪽 → 아래)이다. 그러나 이동 방향이 오른쪽, 위, 대각선이므로 주어진 조건에 맞는 경로는 (대각선)뿐이다.

05 $S(4, 2)$에 대응되는 9개의 수
$(25, 26, 27, 35, 36, 37, 45, 46, 47)$은 처음 9개의 수보다 각각 24만큼 큰 수이다.
즉 $S(4, 2)=S(0, 0)+9\times24$
또 $S(2, 4)$에 대응되는 9개의 수
$(43, 44, 45, 53, 54, 55, 63, 64, 65)$는 처음 9개의 수보다 각각 42만큼 큰 수이다.
즉 $S(2, 4)=S(0, 0)+9\times42$

$$\begin{aligned}\therefore\ |S(4, 2)-S(2, 4)|&=|9\times24-9\times42|\\&=|9\times(-18)|\\&=162\end{aligned}$$

06 읽기 시작한 지 n일째 되는 날 읽은 책의 페이지 수를 a_n이라 하면 수열 $\{a_n\}$은 공차가 8인 등차수열이다.
수열 $\{a_n\}$의 첫째항부터 제n항까지의 합을 S_n이라 하면 계획 마지막 날에 소설책을 모두 읽기 위해서는 $S_6<200$이고 $S_7\geq200$이어야 한다.

$$\begin{aligned}S_6&=\frac{6(a_1+a_6)}{2}\\&=3(2a_1+40)<200\end{aligned}$$

에서 $6a_1+120<200$, $6a_1<80$

$\therefore\ a_1<\frac{40}{3}$ …… ㉠

$$\begin{aligned}S_7&=\frac{7(a_1+a_7)}{2}\\&=\frac{7(2a_1+48)}{2}\geq200\end{aligned}$$

에서 $7(a_1+24)\geq200$, $7a_1\geq32$

$\therefore\ a_1\geq\frac{32}{7}$ …… ㉡

㉠, ㉡의 공통 범위는

$\frac{32}{7}\leq a_1<\frac{40}{3}$

따라서 첫날 읽은 책의 페이지 수의 최솟값은 5, 최댓값은 13이므로 그 합은
$5+13=18$

07

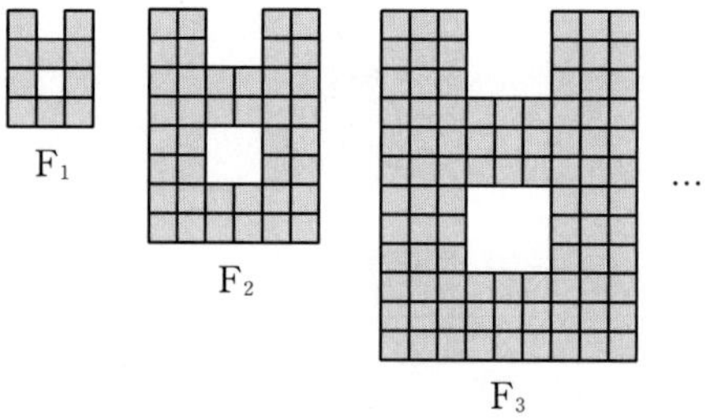

도형 F_1에서 $a_1=4\times3-1^2\times2=10$
도형 F_2에서 $a_2=(4\times2)\times(3\times2)-2^2\times2=40$
도형 F_3에서 $a_3=(4\times3)\times(3\times3)-3^2\times2=90$
⋮
도형 F_n에서
$a_n=(4\times n)\times(3\times n)-n^2\times2=12n^2-2n^2=10n^2$
$\therefore\ a_7=10\times7^2=490$

08 규칙에 따라 점 P_n $(n=1, 2, \cdots)$의 좌표를 차례로 나열하면

$P_1\left(\frac{1}{2}, \frac{\sqrt{3}}{2}\right)$, $P_2\left(-\frac{\sqrt{3}}{2}, \frac{1}{2}\right)$, $P_3\left(-\frac{\sqrt{3}}{2}, -\frac{1}{2}\right)$

$P_4\left(\frac{\sqrt{3}}{2}, -\frac{1}{2}\right)$, $P_5\left(\frac{\sqrt{3}}{2}, \frac{1}{2}\right)$, $P_6\left(-\frac{1}{2}, \frac{\sqrt{3}}{2}\right)$

$P_7\left(-\frac{1}{2}, -\frac{\sqrt{3}}{2}\right)$, $P_8\left(\frac{1}{2}, -\frac{\sqrt{3}}{2}\right)$, $P_9\left(\frac{1}{2}, \frac{\sqrt{3}}{2}\right)$, $\cdots$

즉 8개의 점 P_1, P_2, P_3, $\cdots$, P_8이 주기적으로 반복되고
$2022=8\times252+6$이므로 $P_{2022}=P_6$
따라서 점 P_{2022}의 좌표는 $\left(-\frac{1}{2}, \frac{\sqrt{3}}{2}\right)$이다.

1·2등급 확보 전략 1회

64~67쪽

01 ④	02 ①	03 ①	04 ③
05 ⑤	06 ④	07 ⑤	08 ③
09 ②	10 ②	11 ④	12 ④
13 ②	14 ⑤	15 ①	16 ③

01 중심각의 크기가 $30°=\frac{\pi}{6}$이므로 부채꼴의 호의 길이는

$6\times\frac{\pi}{6}=\pi$

02 $\log_3 \cos\theta-\log_3 \sin\theta=\log_3 \frac{\cos\theta}{\sin\theta}=\frac{1}{2}$

$\frac{\cos\theta}{\sin\theta}=3^{\frac{1}{2}}=\sqrt{3}$, $\frac{\sin\theta}{\cos\theta}=\tan\theta=\frac{1}{\sqrt{3}}$

$\therefore\ \theta=\frac{\pi}{6}\left(\because\ 0<\theta<\frac{\pi}{2}\right)$

03 $\sin\theta-\cos\theta=\frac{\sqrt{2}}{2}$의 양변을 제곱하면

$(\sin\theta-\cos\theta)^2=\frac{1}{2}$

$\sin^2\theta+\cos^2\theta-2\sin\theta\cos\theta=\frac{1}{2}$

$1-2\sin\theta\cos\theta=\frac{1}{2}$, $\sin\theta\cos\theta=\frac{1}{4}$

$$\therefore\ \frac{1-\tan\theta}{\sin\theta}=\frac{1-\frac{\sin\theta}{\cos\theta}}{\sin\theta}=\frac{\cos\theta-\sin\theta}{\sin\theta\cos\theta}=\frac{-\frac{\sqrt{2}}{2}}{\frac{1}{4}}=-2\sqrt{2}$$

LECTURE 삼각함수 사이의 관계

(1) $\sin^2\theta+\cos^2\theta=1$

(2) $\tan\theta=\frac{\sin\theta}{\cos\theta}$

04 정육각형 ABCDEF에서 두 점 A, D는 원점에 대하여 대칭이므로 동경 OA가 나타내는 각을 α라 하면

$\theta=\pi+\alpha$

이때 $\cos\alpha=\frac{(\text{점 A의 } x\text{좌표})}{\overline{\text{OA}}}=\frac{\frac{2}{3}}{1}=\frac{2}{3}$이므로

$\cos\theta=\cos(\pi+\alpha)=-\cos\alpha=-\frac{2}{3}$

05 최댓값은 $4-1=3$, 주기는 $\frac{2\pi}{\left|\frac{\pi}{3}\right|}=6$이므로

$0\le x\le 3$에서 함수 $y=4\sin\frac{\pi}{3}x-1$의 그래프는 다음과 같다.

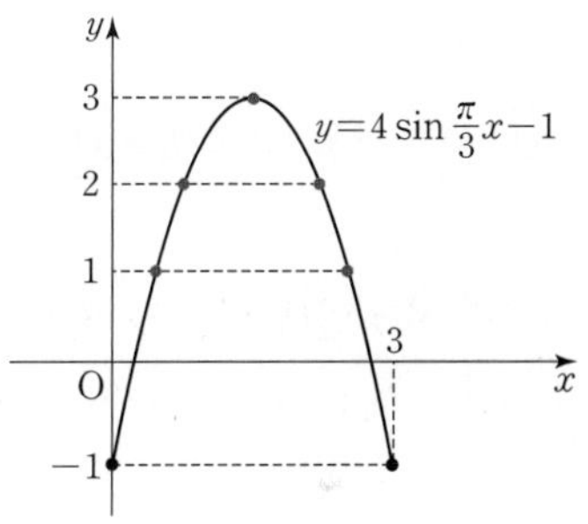

따라서 y좌표가 자연수인 점의 개수는 5이다.

06 함수 $f(x)=\sin(ax+b)$의 주기가 4이므로

$\frac{2\pi}{|a|}=4\qquad\therefore\ a=\frac{\pi}{2}\ (\because\ a>0)$

또 함수 $f(x)=\sin\left(\frac{\pi}{2}x+b\right)$의 그래프는

함수 $y=\sin\frac{\pi}{2}x$의 그래프를 x축의 방향으로 1만큼 평행이동한 것과 같으므로

$f(x)=\sin\frac{\pi}{2}(x-1)=\sin\left(\frac{\pi}{2}x-\frac{\pi}{2}\right)$

$\therefore\ b=-\frac{\pi}{2}$

$\therefore\ f\left(\frac{4}{3}\right)=\sin\left(\frac{\pi}{2}\times\frac{4}{3}-\frac{\pi}{2}\right)=\sin\frac{\pi}{6}=\frac{1}{2}$

07 함수 $f(x)=a\cos x+1$의 최댓값은 $|a|+1$, 최솟값은 $-|a|+1$이므로

$M=a+1,\ m=-a+1\ (\because a>0)$

이때

$M-m=(a+1)-(-a+1)$

$=2a=5$

이므로 $a=\frac{5}{2}$

따라서 $M=\frac{7}{2}$이므로

$4aM=4\times\frac{5}{2}\times\frac{7}{2}=35$

08 함수 $y=a\sin\frac{\pi}{b}x+1$의 최댓값이 3이므로

$|a|+1=3 \quad \therefore a=2\ (\because a>0)$

또 함수 $y=2\sin\frac{\pi}{b}x+1$의 주기가 2이므로

$\frac{2\pi}{\left|\frac{\pi}{b}\right|}=2 \quad \therefore b=1\ (\because b>0)$

따라서 $a=2,\ b=1$이므로

$a+b=2+1=3$

09 함수 $y=\tan\left(2x-\frac{\pi}{2}\right)=\tan 2\left(x-\frac{\pi}{4}\right)$의 주기는 $\frac{\pi}{2}$이고, 이 함수의 그래프는 함수 $y=\tan 2x$의 그래프를 x축의 방향으로 $\frac{\pi}{4}$만큼 평행이동한 것과 같다.

즉 $-\pi<x<\pi$에서 함수 $y=\tan\left(2x-\frac{\pi}{2}\right)$의 그래프와 직선 $y=-x$는 다음과 같다.

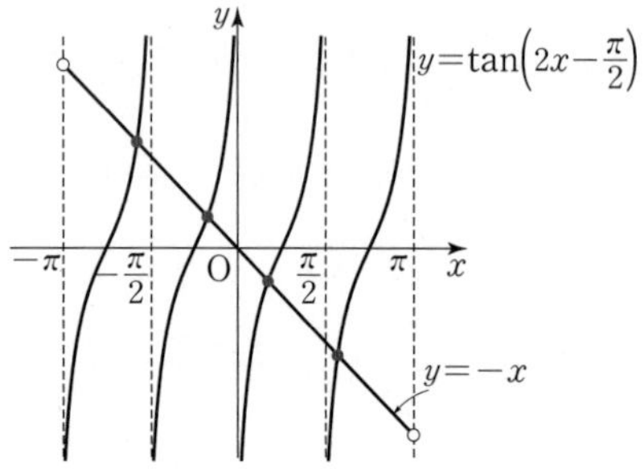

따라서 함수 $y=\tan\left(2x-\frac{\pi}{2}\right)$의 그래프와 직선 $y=-x$가 만나는 점의 개수는 4이다.

10 $2\sin^2 x-3\cos\left(\frac{\pi}{2}+x\right)-2=0$에서

$2\sin^2 x+3\sin x-2=0,\ (\sin x+2)(2\sin x-1)=0$

이때 $\sin x+2>0$이므로

$2\sin x-1=0 \quad \therefore \sin x=\frac{1}{2}$

즉 $0\le x\le 4\pi$에서

$x=\frac{\pi}{6}$ 또는 $x=\frac{5}{6}\pi$ 또는 $x=\frac{13}{6}\pi$ 또는 $x=\frac{17}{6}\pi$

따라서 구하는 모든 실근의 합은

$\frac{\pi}{6}+\frac{5}{6}\pi+\frac{13}{6}\pi+\frac{17}{6}\pi=6\pi$

오답 피하기

모든 실수 x에 대하여 $-1\le\sin x\le 1$이므로 $\sin x+2>0$이다.

11 $0\le x\le 4$에서 함수 $y=|\sin 2\pi x|$의 그래프와 직선 $y=\frac{1}{3}$은 다음과 같다.

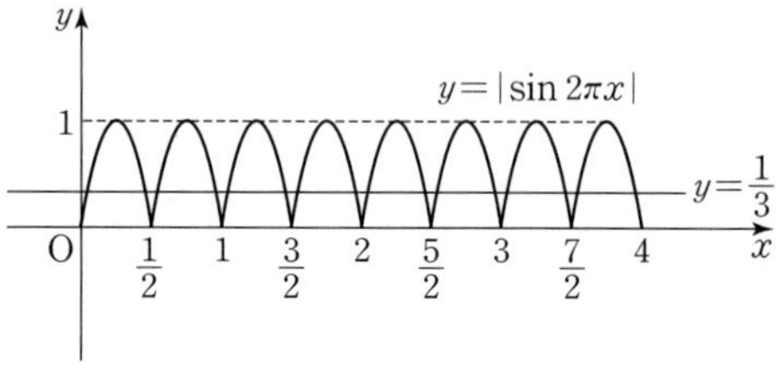

이때 함수 $y=|\sin 2\pi x|$의 그래프는 직선 $x=2$에 대하여 대칭이므로 함수 $y=|\sin 2\pi x|$의 그래프와 직선 $y=\frac{1}{3}$이 만나는 점의 x좌표를 작은 수부터 차례로 $x_1,\ x_2,\ \cdots,\ x_{16}$이라 하면

$\frac{x_1+x_{16}}{2}=\frac{x_2+x_{15}}{2}=\cdots=\frac{x_8+x_9}{2}=2$

$x_1+x_{16}=x_2+x_{15}=\cdots=x_8+x_9=4$

따라서 구하는 모든 실근의 합은

$x_1+x_2+\cdots+x_{15}+x_{16}=4\times 8=32$

LECTURE 절댓값 기호를 포함한 삼각함수의 주기

함수 $y=\sin x$의 주기가 2π이므로 함수 $y=|\sin x|$의 주기는 $\frac{2\pi}{2}=\pi$이다. 이때 함수 $y=|\sin bx|$의 주기는 $\frac{\pi}{|b|}$이다.

12 이차방정식 $2x^2+(4\sin\theta)x+\sin\theta=0$이 실근을 갖지 않아야 하므로 이차방정식의 판별식을 D라 하면

$\frac{D}{4}=(2\sin\theta)^2-2\sin\theta<0$

$2\sin\theta(2\sin\theta-1)<0 \quad \therefore 0<\sin\theta<\frac{1}{2}$

$0<\theta<2\pi$에서 함수 $y=\sin\theta$의 그래프와 직선 $y=\frac{1}{2}$은 다음과 같다.

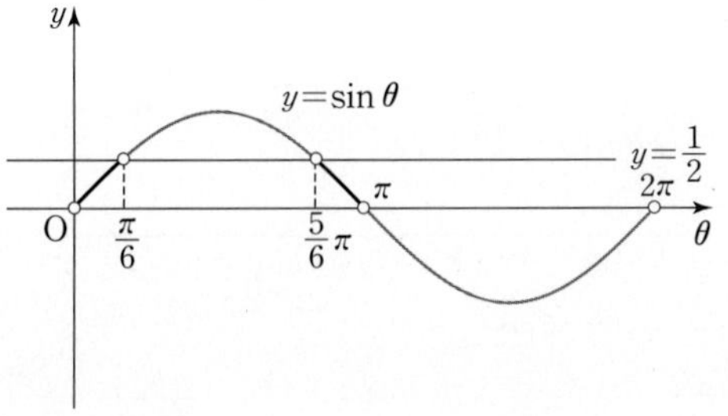

즉 $0<\theta<\frac{\pi}{6}$ 또는 $\frac{5}{6}\pi<\theta<\pi$이므로

$\alpha=\frac{\pi}{6},\ \beta=\frac{5}{6}\pi$

$\therefore 3\alpha+\beta=3\times\frac{\pi}{6}+\frac{5}{6}\pi=\frac{4}{3}\pi$

오답 피하기

이차방정식 $ax^2+bx+c=0$이 실근을 갖지 않으려면 이차방정식의 판별식 D에 대하여 $D<0$이어야 한다.

13 삼각형 ABC에서 코사인법칙에 의하여

$\overline{BC}^2=8^2+7^2-2\times8\times7\times\cos60°$

$=64+49-2\times56\times\frac{1}{2}=57$

14 $\overline{BC}=\frac{\overline{AC}}{\sqrt{3}}=\frac{\overline{AB}}{2}=k\ (k>0)$라 하면

$\overline{BC}=k,\ \overline{AC}=\sqrt{3}k,\ \overline{AB}=2k$

삼각형 ABC에서 코사인법칙에 의하여

$\cos A=\frac{(2k)^2+(\sqrt{3}k)^2-k^2}{2\times2k\times\sqrt{3}k}=\frac{6k^2}{4\sqrt{3}k^2}=\frac{\sqrt{3}}{2}$

$\therefore A=\frac{\pi}{6}\ \left(\because 0<A<\frac{\pi}{2}\right)$

15 삼각형 ABC의 외접원의 반지름의 길이가 4이므로 사인법칙에 의하여

$\frac{6}{\sin A}=8 \quad \therefore \sin A=\frac{3}{4}$

이때 $\sin A=\sin B$이므로

예각삼각형 ABC는 ∠A=∠B인 이등변삼각형이다.

$\therefore b=6$

또 점 C에서 $\overline{AB}$에 내린 수선의 발을 H라 하면

$\frac{1}{2}\overline{AB}=\overline{AH}=\overline{AC}\cos A$

$=6\times\sqrt{1-\sin^2 A}$

$=6\times\sqrt{1-\left(\frac{3}{4}\right)^2}=\frac{3\sqrt{7}}{2}$

이므로 $\overline{AB}=c=3\sqrt{7}$

삼각형 ABC에서 코사인법칙에 의하여

$\cos C=\frac{6^2+6^2-(3\sqrt{7})^2}{2\times6\times6}=\frac{1}{8}$

$\therefore 8\cos C=1$

다른 풀이

삼각형 ABC의 외접원의 반지름의 길이가 4이므로 사인법칙에 의하여 $\frac{b}{\sin B}=8$

$b=8\sin B=8\times\frac{3}{4}=6$

따라서 $\overline{AC}=\overline{BC}=6$이므로 예각삼각형 ABC는 ∠A=∠B인 이등변삼각형이다.

16 $\overline{BP}=\frac{50}{100}\overline{AB}=\frac{1}{2}\overline{AB},\ \overline{AQ}=\frac{30}{100}\overline{AC}=\frac{3}{10}\overline{AC}$

이므로

$\overline{AP}=\overline{AB}+\overline{BP}=\overline{AB}+\frac{1}{2}\overline{AB}=\frac{3}{2}\overline{AB}$

$\overline{CQ}=\overline{AC}+\overline{AQ}=\overline{AC}+\frac{3}{10}\overline{AC}=\frac{13}{10}\overline{AC}$

이때

$\triangle APC=\frac{1}{2}\times\overline{AP}\times\overline{AC}\times\sin A$

$=\frac{1}{2}\times\frac{3}{2}\overline{AB}\times\overline{AC}\times\sin A$

$=\frac{3}{2}\triangle ABC$

$=\frac{3}{2}\times40=60$

이므로

$$\triangle \mathrm{PCQ}=\frac{1}{2}\times\overline{\mathrm{CP}}\times\overline{\mathrm{CQ}}\times\sin C$$
$$=\frac{1}{2}\times\overline{\mathrm{CP}}\times\frac{13}{10}\overline{\mathrm{AC}}\times\sin C$$
$$=\frac{13}{10}\triangle \mathrm{APC}$$
$$=\frac{13}{10}\times 60=78$$

오답 피하기

$$\triangle \mathrm{APC}=\frac{1}{2}\times\overline{\mathrm{AP}}\times\overline{\mathrm{AC}}\times\sin A$$
$$=\frac{1}{2}\times\overline{\mathrm{CP}}\times\overline{\mathrm{AC}}\times\sin C$$

02 네 수 6, a, b, 12가 이 순서대로 등비수열을 이루므로

$a^2=6b$, $b^2=12a$

두 식을 변끼리 각각 곱하면

$a^2b^2=72ab$

$\therefore ab=72$ ($\because ab\neq 0$)

다른 풀이

네 수 6, a, b, 12가 이 순서대로 등비수열을 이루므로
공비를 r라 하면

$a=6r$, $b=\frac{12}{r}$

$\therefore ab=6r\times\frac{12}{r}=72$

1·2등급 확보 전략 2회

68~71쪽

01 ⑤	02 ③	03 ④	04 ②
05 ①	06 ③	07 ④	08 ⑤
09 ②	10 ⑤	11 ②	12 ①
13 ③	14 ⑤	15 ①	16 ④

01 등차수열 $\{a_n\}$의 공차를 d라 하면

$a_4+a_8=(a_2+2d)+(a_2+6d)$
$=2a_2+8d=16$

이때 $a_2=4$이므로

$8+8d=16 \qquad \therefore d=1$

$\therefore a_{14}=a_2+12d=4+12\times 1=16$

다른 풀이

등차수열 $\{a_n\}$의 공차를 d라 하면

$a_2=a_1+d$, $a_4=a_1+3d$, $a_8=a_1+7d$이므로

$a_2=4$에서 $a_1+d=4$ …… ㉠

$a_4+a_8=16$에서 $2a_1+10d=16$ …… ㉡

㉠, ㉡을 연립하여 풀면 $a_1=3$, $d=1$

$\therefore a_{14}=a_1+13d=3+13\times 1=16$

03 등차수열 $\{a_n\}$의 공차를 d라 하면

$a_2=a_1+d$, $a_5=a_1+4d$, $a_{14}=a_1+13d$

세 항 a_2, a_5, a_{14}가 이 순서대로 등비수열을 이루므로

$a_5{}^2=a_2a_{14}$

즉 $(a_1+4d)^2=(a_1+d)(a_1+13d)$이므로

$a_1{}^2+8a_1d+16d^2=a_1{}^2+14a_1d+13d^2$

$3d^2=6a_1d \qquad \therefore d=2a_1$ ($\because d\neq 0$)

이때 $a_{10}=a_1+9d=a_1+9\times 2a_1=19a_1$이고 a_1은 자연수이므로 a_{10}의 최솟값은 $19\times 1=19$이다.

등차수열 $\{a_n\}$은
서로 다른 자연수로 이루어졌으므로
공차가 0이 아니야.

04 등차수열 3, a_1, a_2, a_3, $\cdots$, a_k, 33의 공차를 d라 하면 첫째항은 3이고, 제$(k+2)$항이 33이므로

$3+\{(k+2)-1\}d=33 \qquad \therefore (k+1)d=30$

이때 $(k+1)d=30$에서 d는 30의 약수 중 1이 아닌 가장 작은 자연수이므로 $d=2$

즉 $k+1=15$이므로

$k=14$

따라서 $a_1=3+2=5$, $a_{14}=33-2=31$이므로

$$a_1+a_2+a_3+\cdots+a_k=\frac{14(5+31)}{2}=252$$

오답 피하기

3, a_1, a_2, $\cdots$, a_k, 33이 공차가 2인 등차수열이므로
a_1, a_2, $\cdots$, a_k도 공차가 2인 등차수열이다.

05 세 항 a_5, a_6, a_7은 이 순서대로 등차수열을 이루므로

$2a_6=a_5+a_7$

이때 조건 (가)에서 $a_5+a_7=0$이므로

$2a_6=0 \qquad \therefore a_6=0$

즉 조건 (나)에서 $|a_4|=6$

이때 공차가 음수이므로

$a_4>a_6=0 \qquad \therefore a_4=6$

따라서 세 항 a_2, 6, 0이 이 순서대로 등차수열을 이루므로

$a_2=2\times6=12$

공차가 음수인 등차수열
$\{a_n\}$은 모든 자연수 n에
대하여 $a_n>a_{n+1}$이야.

06 $\displaystyle\sum_{k=1}^{10}(k+5)(k-2)-\sum_{k=1}^{10}(k-5)(k+2)$

$$=\sum_{k=1}^{10}(k^2+3k-10)-\sum_{k=1}^{10}(k^2-3k-10)$$
$$=\sum_{k=1}^{10}\{(k^2+3k-10)-(k^2-3k-10)\}$$
$$=\sum_{k=1}^{10}6k$$
$$=6\sum_{k=1}^{10}k$$
$$=6\times\frac{10\times11}{2}=330$$

07 $\displaystyle\sum_{k=1}^{9}f(k+1)=f(2)+f(3)+\cdots+f(10)$

$\displaystyle\sum_{k=2}^{10}f(k-1)=f(1)+f(2)+\cdots+f(9)$

$$\therefore \sum_{k=1}^{9}f(k+1)-\sum_{k=2}^{10}f(k-1)$$
$$=f(10)-f(1)$$
$$=(4\times10-3)-(4\times1-3)$$
$$=36$$

08 다항식 $2x^2+x+1$을 $x-n$으로 나누었을 때의 나머지는 나머지정리에 의하여 $2n^2+n+1$이므로

$S_n=2n^2+n+1$

$$\therefore a_5=S_5-S_4$$
$$=(2\times5^2+5+1)-(2\times4^2+4+1)$$
$$=19$$

LECTURE 나머지정리

다항식 $f(x)$를 일차식 $x-a$로 나누었을 때의 나머지
⇨ $f(a)$

09 이차방정식 $x^2-kx+45=0$의 두 근이 α, β이므로 이차방정식의 근과 계수의 관계에 의하여

$\alpha+\beta=k$, $\alpha\beta=45$

세 수 α, $\beta-\alpha$, β가 이 순서대로 등비수열을 이루므로

$(\beta-\alpha)^2=\alpha\beta$, $(\alpha+\beta)^2-4\alpha\beta=\alpha\beta$

즉 $(\alpha+\beta)^2=5\alpha\beta$이므로

$k^2=5\times45=225$

$\therefore k=15$ ($\because k>0$)

$(\beta-\alpha)^2=(\alpha-\beta)^2$
$=(\alpha+\beta)^2-4\alpha\beta$
인 거 잊지 않았지?

10 $S_n=n^2$이므로 $a_1=S_1=1$

$n\geq2$에서

$a_n=S_n-S_{n-1}=n^2-(n-1)^2=2n-1$ ...... ㉠

이때 $a_1=1$은 ㉠에 $n=1$을 대입한 것과 같으므로

$a_n=2n-1$

즉

$$\sum_{k=1}^{50}\frac{1}{a_ka_{k+1}}$$
$$=\sum_{k=1}^{50}\frac{1}{(2k-1)(2k+1)}$$
$$=\frac{1}{2}\sum_{k=1}^{50}\left(\frac{1}{2k-1}-\frac{1}{2k+1}\right)$$
$$=\frac{1}{2}\left\{\left(1-\frac{1}{3}\right)+\left(\frac{1}{3}-\frac{1}{5}\right)+\cdots+\left(\frac{1}{99}-\frac{1}{101}\right)\right\}$$
$$=\frac{1}{2}\left(1-\frac{1}{101}\right)=\frac{50}{101}$$

이므로 $p=101$, $q=50$

$\therefore p+q=101+50=151$

11 $a_{n+1}=\begin{cases}a_n+3 & (a_n\text{이 홀수})\\ \dfrac{a_n}{2} & (a_n\text{이 짝수})\end{cases}$의 n에 1, 2, 3, ⋯을 차례로 대입하면 $a_1=50$이므로

$a_2=25$, $a_3=28$, $a_4=14$, $a_5=7$

$a_6=10$, $a_7=5$, $a_8=8$

$a_9=4$, $a_{10}=2$, $a_{11}=1$

$a_{12}=4$, $a_{13}=2$, $a_{14}=1$

$a_{15}=4$, $a_{16}=2$, $a_{17}=1$, ⋯

즉 $n\geq9$에서 수열 $\{a_n\}$은 세 개의 항 4, 2, 1이 반복되는 수열이므로 $a_n=1$을 만족시키는 100보다 작은 자연수 n은

$n=11$, 14, 17, ⋯, 98

따라서 구하는 자연수 n의 개수는 30이다.

오답 피하기

수열 11, 14, 17, ⋯, 98은 첫째항이 11, 공차가 3인 등차수열이므로 일반항은 $11+(k-1)\times3=3k+8$

즉 $3k+8=98$에서 $k=30$이므로 98은 제30항이다.

따라서 구하는 자연수 n의 개수는 30이다.

12 $a_{20}=20$이고, 조건 ㈎에서 $a_{20}=a_{10}-1$이므로

$20=a_{10}-1$ $\quad\therefore a_{10}=21$

조건 ㈎에서 $a_{10}=a_5-1$이므로

$21=a_5-1$ $\quad\therefore a_5=22$

조건 ㈏에서 $a_5=2a_2+2$이므로

$22=2a_2+2$ $\quad\therefore a_2=10$

조건 ㈎에서 $a_2=a_1-1$이므로

$10=a_1-1$ $\quad\therefore a_1=11$

따라서

$a_3=2a_1+2=2\times11+2=24$

$a_4=a_2-1=10-1=9$

이므로

$a_3+a_4=24+9=33$

13 조건 ㈏에서 $(a_n+a_{n+1})^2-4a_na_{n+1}=(a_{n+1}-a_n)^2=4$

이므로 $a_{n+1}-a_n=2$ ($\because$ 조건 ㈎)

즉 수열 $\{a_n\}$은 첫째항이 1, 공차가 2인 등차수열이므로

$a_n=1+(n-1)\times2=2n-1$

$\therefore \sum_{k=1}^{10} a_k = \sum_{k=1}^{10} (2k-1)$

$= 2\sum_{k=1}^{10} k - \sum_{k=1}^{10} 1$

$= 2 \times \frac{10 \times 11}{2} - 10 = 100$

14 $a_{n+1} = (-1)^n a_n + \sin \frac{n\pi}{2}$의 n에 1, 2, 3, …을 차례로 대입하면 $a_1 = 0$이므로

$a_2 = (-1)^1 a_1 + \sin \frac{\pi}{2} = 1$

$a_3 = (-1)^2 a_2 + \sin \pi = 1$

$a_4 = (-1)^3 a_3 + \sin \frac{3}{2}\pi = -2$

$a_5 = (-1)^4 a_4 + \sin 2\pi = -2$

$a_6 = (-1)^5 a_5 + \sin \frac{5}{2}\pi = 3$

$a_7 = (-1)^6 a_6 + \sin 3\pi = 3$

⋮

즉 $a_{2n} = \begin{cases} n & (n\text{이 홀수}) \\ -n & (n\text{이 짝수}) \end{cases}$, $a_{2n+1} = a_{2n}$ $(n \geq 1)$

$\therefore \sum_{k=1}^{11} a_k = 0+1+1-2-2+3+3-4-4+5+5$

$= 6$

15 $B_n - A_n = c_n \times \sum_{k=2}^{n} a_k$의 n에 5를 대입하면

$B_5 - A_5 = c_5 \times \sum_{k=2}^{5} a_k$

이때 등비수열 $\{a_n\}$의 공비가 2이므로

$B_5 - A_5$

$= \sum_{k=1}^{5} (a_{2k-1} + a_{2k}) - \sum_{k=1}^{5} (a_k + a_{k+1})$

$= a_1 + a_2 + a_3 + \cdots + a_{10}$

$\qquad - (a_1 + 2a_2 + 2a_3 + 2a_4 + 2a_5 + a_6)$

$= a_7 + a_8 + a_9 + a_{10} - (a_2 + a_3 + a_4 + a_5)$

$= 2^5(a_2 + a_3 + a_4 + a_5) - (a_2 + a_3 + a_4 + a_5)$

$= (2^5 - 1)(a_2 + a_3 + a_4 + a_5) = 31 \sum_{k=2}^{5} a_k$

$\therefore c_5 = 31$

오답 피하기

$a_7 = a_1 r^6 = (a_1 r) r^5 = a_2 r^5$

$a_8 = a_1 r^7 = (a_1 r^2) r^5 = a_3 r^5$

$a_9 = a_1 r^8 = (a_1 r^3) r^5 = a_4 r^5$

$a_{10} = a_1 r^9 = (a_1 r^4) r^5 = a_5 r^5$

16 $n \geq 3$일 때, $a_n = a_{n-2} + 1$

일반항 a_n을 구하면 자연수 k에 대하여

(i) $n = 2k-1$일 때

수열 $\{a_{2k-1}\}$은 첫째항이 $a_1 = 2$, 공차가 1인 등차수열이므로

$a_{2k-1} = 2 + (k-1) \times 1 = k+1$

(ii) $n = 2k$일 때

수열 $\{a_{2k}\}$는 첫째항이 $a_2 = 1$, 공차가 1인 등차수열이므로

$a_{2k} = 1 + (k-1) \times 1 = k$

(i), (ii)에서 $a_n = \begin{cases} k+1 & (n = 2k-1) \\ \boxed{(가)\ k} & (n = 2k) \end{cases}$

이때 $S_n = a_n a_{n+1}$이므로

$S_n = \begin{cases} (k+1) \times \boxed{(가)\ k} & (n = 2k-1) \\ \boxed{(나)\ k(k+2)} & (n = 2k) \end{cases}$

$\therefore$ (가) k (나) $k(k+2)$

따라서 $f(k) = k$, $g(k) = k(k+2)$이므로

$f(5) + g(8) = 5 + 80 = 85$

memo
시
험
대
박

정답은
이안에
있어!

실 전 에 강 한

수능전략

수학 영역 **수학 I**

수능에 꼭 나오는

필수 유형 ZIP 1

천재교육

수능전략

수·학·영·역

수학 I

수능에 꼭 나오는

필수 유형 ZIP 1

차례 ❶권

수능에 꼭 나오는 필수 유형 ZIP 1

꼭 나오는 유형

01 거듭제곱근의 뜻

n이 짝수일 때, -1의 n제곱근 중에서 실수인 것의 개수를 a, 16의 세제곱근의 개수를 b라 하면 $a+b$의 값은?

① -1 ② 0 ③ 1 ④ 2 ⑤ 3

Tip

$n=2$일 때 -1의 제곱근을 x라 하면

$\sqrt{-1}=x$, 즉 $x^2=$ ❶ ☐

함수 $y=x^2$의 그래프와 직선 $y=-1$의 교점이 없으므로 방정식 $x^2=-1$의 실근은 없다.

즉 -1의 제곱근 중에서 ❷ ☐인 것은 없다.

답 ❶ -1 ❷ 실수

풀이

답 ⑤

n이 ❶ ☐일 때 -1의 n제곱근 중에서 실수인 것은 없으므로

그 개수는 0

16의 세제곱근의 개수는 ❷ ☐

따라서 $a=0$, $b=3$이므로

$a+b=0+3=3$

답 ❶ 짝수 ❷ 3

꼭 알아 두기

- n이 2 이상의 정수일 때, 실수 a에 대하여 n제곱하여 a가 되는 수, 즉 방정식 $x^n=a$를 만족시키는 수 x를 a의 n제곱근이라고 한다.
- 실수 a의 n제곱근은 복소수의 범위에서 n개가 있다.

꼭 나오는 유형

02 거듭제곱근의 조건

$1<n\le 10$인 10 이하의 자연수 n에 대하여 $-n^2+9n-18$의 n제곱근 중에서 음의 실수가 존재하도록 하는 모든 n의 값의 합을 구하시오.

Tip

$-n^2+9n-18>0$의 양변에 ❶ [ ] 을 곱하면

$n^2-9n+18$ ❷ [ ] 0, $(n-3)(n-6)<0$ $\quad\therefore 3<n<6$

답 ❶ -1 ❷ $<$

풀이

답 20

(i) n이 짝수일 때

n제곱근 중에서 음의 실수가 존재하려면

$-n^2+9n-18>0$, $n^2-9n+18<0$

$(n-3)(n-6)<0$, $3<n<6$

따라서 n의 값은 ❶ [ ] 이다.

(ii) n이 홀수일 때

n제곱근 중에서 음의 실수가 존재하려면

$-n^2+9n-18<0$, $n^2-9n+18>0$

$(n-3)(n-6)>0$ $\quad\therefore n<3$ 또는 $n>$ ❷ [ ]

따라서 n의 값은 7, 9이다.

(i), (ii)에서 $1<n\le 10$인 자연수 n의 값은 4, 7, 9이므로 그 합은

$4+7+9=20$

답 ❶ 4 ❷ 6

꼭 알아 두기

- n이 2 이상의 정수일 때, a의 n제곱근 중에서 실수인 것은 다음과 같다.

	$a>0$	$a=0$	$a<0$
n이 홀수	$\sqrt[n]{a}$	0	$\sqrt[n]{a}$
n이 짝수	$\sqrt[n]{a}$, $-\sqrt[n]{a}$	0	없다.

꼭 나오는 유형

03 거듭제곱이 자연수가 되는 조건

$2\le a\le 20$인 자연수 a에 대하여 $(a^{\frac{3}{2}})^{\frac{1}{3}}$의 값이 자연수가 되도록 하는 모든 a의 값의 합은?

① 29 ② 30 ③ 31 ④ 32 ⑤ 33

Tip

- $a^{\frac{1}{2}}$이 자연수가 되려면 a는 어떤 자연수의 ❶ ☐ 이어야 한다.
- 자연수 a에 대하여 $(a^{\frac{3}{2}})^{\frac{1}{3}}=a^{❷☐}$

답 ❶ 제곱 ❷ $\frac{1}{2}$

풀이

답 ①

$(a^{\frac{3}{2}})^{\frac{1}{3}}=a^{\frac{1}{2}}$이므로 이 값이 자연수가 되려면 a는 어떤 자연수의 ❶ ☐ 이어야 한다.

따라서 $2\le a\le 20$인 자연수 a의 값은 ❷ ☐, 9, 16이므로 그 합은

$4+9+16=29$

답 ❶ 제곱 ❷ 4

꼭 알아 두기

- $a>0$, $a\ne 1$이고 p, q는 실수일 때, $(a^p)^q=a^{pq}$

꼭 나오는 유형

04 로그가 정의되는 조건

$\log_{x-2}(-x^2-2x+35)$가 정의되도록 하는 실수 x의 값의 범위를 구하시오.

Tip

$\log_{x-2}(-x^2-2x+35)$의 밑은 ❶ [ ], 진수는 $-x^2-2x+35$ 이므로 이 값이 정의되려면

$x-2>0$, $x-2\neq$ ❷ [ ], $-x^2-2x+35>0$

답 ❶ $x-2$ ❷ 1

풀이

답 $2<x<3$ 또는 $3<x<5$

$\log_{x-2}(-x^2-2x+35)$에서

밑의 조건에 의하여 $x-2>$ ❶ [ ], $x-2\neq1$

즉 $2<x<3$ 또는 $x>3$ …… ㉠

또 진수의 조건에 의하여 $-x^2-2x+35>0$

$x^2+2x-35<0$, $(x-5)(x+7)<0$

즉 $-7<x<5$ …… ㉡

㉠, ㉡의 공통 범위는

$2<x<$ ❷ [ ] 또는 $3<x<5$

답 ❶ 0 ❷ 3

꼭 알아 두기

- $\log_a N$이 정의되기 위한 조건은 다음과 같다.
  (1) 밑의 조건 ⇨ $a>0$, $a\neq1$
  (2) 진수의 조건 ⇨ $N>0$

꼭 나오는 유형

05 로그의 계산

지우네 반의 수학 동아리 학생들이 축제 기간에 운영하는 먹거리 장터의 메뉴판이 다음과 같다.

손님이 생수 3병, 김밥 2줄을 살 때, 지불해야하는 총 금액은?

① 1200원 ② 2400원 ③ 3600원
④ 4200원 ⑤ 6000원

Tip

- $\sqrt[3]{8}=\sqrt[3]{2^3}=(2^3)^{\frac{1}{3}}=$ ❶ ☐
- $\log_3 243=\log_3 3^5=$ ❷ ☐ $\log_3 3=5$

답 ❶ 2 ❷ 5

풀이

답 ④

생수 1병의 금액은 $200\times\sqrt[3]{8}=200\times(2^3)^{\frac{1}{3}}=400$(원)

김밥 1줄의 금액은 $300\times\log_3 243=300\times\log_3 3^5=$ ❶ ☐ (원)

따라서 손님이 지불해야 하는 금액은

$3\times400+2\times1500=$ ❷ ☐ (원)

답 ❶ 1500 ❷ 4200

지수, 로그
계산을 쉽게 할 수
없을까?
각각의 성질을
이용하면 계산을 빠르고
정확하게 할 수 있어~

꼭 알아 두기

- $a>0$이고 m, n이 2 이상의 정수일 때 $\sqrt[n]{a^m}=a^{\frac{m}{n}}$
- $a>0$, $a\neq1$이고 $M>0$, $N>0$일 때
$\log_a M^k=k\log_a M$ (k는 실수)

꼭 나오는 유형

06 로그의 기본 성질

$\log_5 3+\log_5 \frac{25}{3}=a$, $\log_2 28-\log_2 7=b$, $\log_4 8=c$일 때, abc의 값은?

① 1 ② 2 ③ 3 ④ 6 ⑤ 12

Tip

- $\log_5 3+\log_5 \frac{25}{3}=\log_5\left(\boxed{❶\quad}\times\frac{25}{3}\right)$
- $\log_2 28-\log_2 7=\log_2 \frac{28}{\boxed{❷\quad}}$

답 ❶ 3 ❷ 7

풀이

답 ④

$\log_5 3+\log_5 \frac{25}{3}=\log_5\left(3\times\frac{25}{3}\right)=\log_5 25=\log_5 5^2=\boxed{❶\quad}$

$\log_2 28-\log_2 7=\log_2 \frac{28}{7}=\log_2 4=\log_2 2^2=2$

$\log_4 8=\log_{2^2} 2^3=\boxed{❷\quad}\log_2 2=\frac{3}{2}$

따라서 $a=2$, $b=2$, $c=\frac{3}{2}$이므로

$abc=2\times2\times\frac{3}{2}=6$

답 ❶ 2 ❷ $\frac{3}{2}$

꼭 알아 두기

- $a>0$, $a\neq1$이고 $M>0$, $N>0$일 때
  (1) $\log_a MN=\log_a M+\log_a N$
  (2) $\log_a \frac{M}{N}=\log_a M-\log_a N$
  (3) $\log_a M^k=k\log_a M$ (k는 실수)

꼭 나오는 유형

07 로그의 여러 가지 성질

1보다 큰 세 실수 a, b, c가

$$\log_c a = \frac{\log_b c}{2} = \frac{\log_a b}{4}$$

를 만족시킬 때, $\log_a b + \log_b c + \log_c a$의 값은?

① $\frac{7}{2}$ ② 4 ③ $\frac{9}{2}$ ④ 5 ⑤ $\frac{11}{2}$

Tip

$\log_c a = \frac{\log_b c}{2} = \frac{\log_a b}{4} = k\ (k \neq 0)$라 하면

$\log_c a : \log_b c : \log_a b = k : 2k :$ ❶ $\square$ $= 1 :$ ❷ $\square$ $: 4$

답 ❶ $4k$ ❷ 2

풀이

답 ①

$\log_c a = \frac{\log_b c}{2} = \frac{\log_a b}{4} = k\ (k \neq 0)$라 하면

$\log_c a = k$, $\log_b c =$ ❶ $\square$, $\log_a b = 4k$

이때 $\log_c a = \frac{\log_b a}{\log_b c}$이고 $\log_b a = \frac{1}{\log_a b} = \frac{1}{4k}$이므로

$\log_c a = \frac{\log_b a}{\log_b c} = \frac{1}{4k} \times \frac{1}{2k} = \frac{1}{8k^2} = k$

❷ $\square$ $k^3 = 1$, $k^3 = \frac{1}{8}$ $\therefore k = \frac{1}{2}$

$\therefore \log_a b + \log_b c + \log_c a = 4k + 2k + k = 7k = 7 \times \frac{1}{2} = \frac{7}{2}$

답 ❶ $2k$ ❷ 8

꼭 알아 두기

- $a > 0$, $a \neq 1$, $b > 0$이고 $M > 0$, $N > 0$일 때
  (1) $\log_a M + \log_a N = \log_a MN$
  (2) $\log_{a^m} b^n = \frac{n}{m} \log_a b$ (m, n은 실수, $m \neq 0$)

꼭 나오는 유형

08 상용로그의 활용

별의 등급은 m, 별의 밝기를 I라 하면

$$m=-\frac{5}{2}\log I+C \ (C\text{는 상수})$$

가 성립한다고 한다. 2등급인 별의 밝기는 4등급인 별의 밝기의 몇 배인가?

$\left(\text{단, } \sqrt[5]{100}=\frac{5}{2}\text{로 계산한다.}\right)$

① $\frac{25}{4}$ ② $\frac{5}{2}$ ③ 1 ④ $\frac{2}{5}$ ⑤ $\frac{4}{25}$

Tip

2등급인 별의 밝기를 I_2라 하면

$\log I_2 = \frac{2}{5}$(❶ [   ])

$\log I_2 = \log 10^{-\frac{2}{5}(2-C)}$

밑이 ❷ [   ] 으로 같으므로 $I_2 = 10^{-\frac{2}{5}(2-C)}$

답 ❶ $2-C$ ❷ 10

풀이

답 ①

2등급인 별의 밝기를 I_2라 하면

$\log I_2 = -\frac{2}{5}$(❶ [   ] $-C$)에서

$I_2 = 10^{-\frac{2}{5}(2-C)}$

4등급인 별의 밝기를 I_4라 하면

$\log I_4 = -\frac{2}{5}(4-C)$에서

$I_4 = 10^{-\frac{2}{5}(4-C)}$

$\therefore \frac{I_2}{I_4} = \frac{10^{-\frac{2}{5}(2-C)}}{10^{-\frac{2}{5}(4-C)}} = 10^{\frac{4}{5}} = (10^{\frac{2}{5}})^2 = ($ ❷ [   ] $)^2 = \frac{25}{4}$

답 ❶ 2 ❷ $\frac{5}{2}$

꼭 알아 두기

- $a>0$, $a \neq 1$, $N>0$일 때
  $a^x = N \Longleftrightarrow x = \log_a N$
- $a>0$, $a \neq 1$, $b>0$일 때 $a^{\log_a b} = b$

꼭 나오는 유형

09 상용로그의 성질

$1 \le \log n < 2$인 자연수 n에 대하여 $\log_3 n$이 정수가 되도록 하는 n의 개수는?

① 2 ② 3 ③ 4 ④ 5 ⑤ 6

Tip

$1 \le \log n < 2$에서 밑이 10이므로

$\log$ ❶ $\le \log n < \log 10^2$, $10 \le n <$ ❷

답 ❶ 10 ❷ 100

풀이

답 ①

$1 \le \log n < 2$에서 $10 \le n < 10^2$

각 변에 밑이 ❶ 인 로그를 취하면

$\log_3 10 \le \log_3 n < \log_3 10^2$

이때

$\log_3 3^2 < \log_3 10 < \log_3 3^3$

$\log_3 3^4 < \log_3 10^2 < \log_3 3^5$

이므로 $2 < \log_3 10 < 3$, $4 < \log_3 10^2 <$ ❷

따라서 정수인 $\log_3 n$은 3, 4이므로 그 개수는 2이다.

답 ❶ 3 ❷ 5

꼭 알아 두기

- $\log_a n$이 정수가 되려면 자연수 n은 밑이 a인 거듭제곱이어야 한다.

꼭 나오는 유형

10 지수함수의 그래프

함수 $y=2^{-x}+k$의 그래프가 제1사분면을 지나지 않도록 하는 상수 k의 최댓값은?

① -1 ② 0 ③ 1 ④ 2 ⑤ 3

Tip

함수 $y=2^{-x}+k$의 그래프가 제1사분면을 지나지 않으려면 오른쪽 그림과 같이 y절편이 ❶ ☐ 이거나 ❷ ☐ 이어야 한다.

답 ❶ 0 ❷ 음수

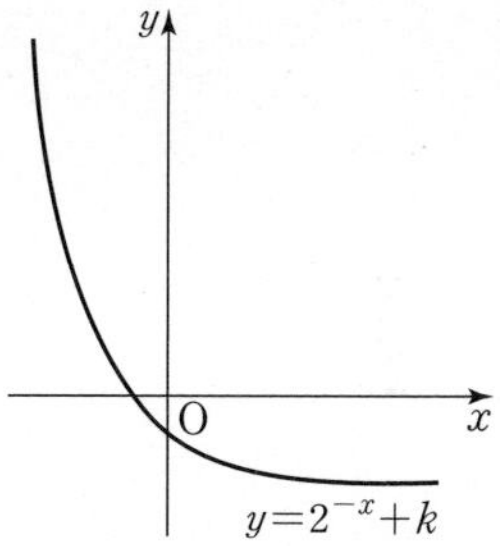

풀이

답 ①

함수 $y=2^{-x}+k$의 그래프가 제1사분면을 지나지 않으려면 y절편이 ❶ ☐ 보다 작거나 같아야 한다.

즉 $2^0+k\le 0$이므로

$k\le$ ❷ ☐

따라서 상수 k의 최댓값은 -1이다.

답 ❶ 0 ❷ -1

꼭 알아 두기

- 함수 $y=2^{-x}+k$의 그래프는 함수 $y=\left(\frac{1}{2}\right)^x+k$의 그래프와 같다.
- 함수 $y=2^{-x}+k$와 y축의 교점의 좌표는 $(0,\ k+1)$이다.

꼭 나오는 유형

11 지수함수의 그래프와 내분점

다음 그림과 같이 원점 O에서 곡선 $y=4^x$ 위의 한 점 P를 잇는 선분 OP가 있다. 곡선 $y=2^x$이 선분 OP를 1 : 7로 내분할 때, 점 P의 x좌표는 $\frac{q}{p}$이다. $p+q$의 값은?

(단, p, q는 서로소인 자연수이다.)

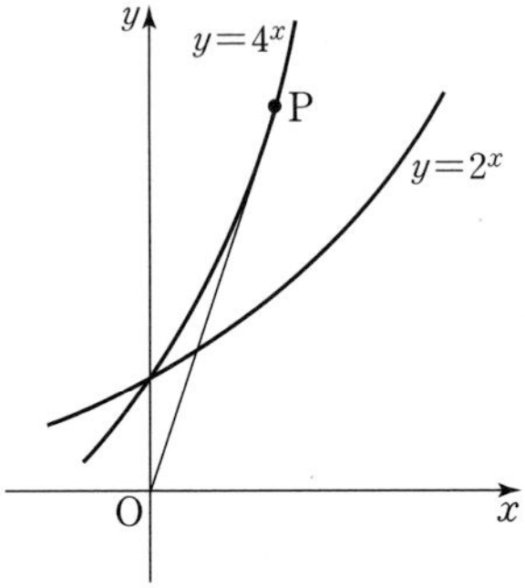

① 10 ② 11 ③ 12 ④ 13 ⑤ 14

Tip

- 두 점 $A(x_1, y_1)$, $B(x_2, y_2)$에 대하여 선분 AB를 1 : 7로 내분하는 점을 P라 하면 $P\left(\frac{x_2+7x_1}{1+7}, \frac{y_2+7y_1}{1+\boxed{❶\quad}}\right)$
- 점 (a, b)가 곡선 $y=4^x$ 위에 있으므로
  $\boxed{❷\quad}=4^a$

답 ❶ 7 ❷ b

풀이

답 ④

점 P의 좌표를 $(a, 4^a)$, 선분 OP를 $1:7$로 내분하는 점을 Q라 하면

Q의 좌표는 $\left(\frac{a}{1+7}, \frac{4^a}{1+7}\right)=\left(\frac{a}{8}, \frac{4^a}{8}\right)$

이때 점 Q는 함수 $g(x)=2^x$의 그래프 위에 있으므로

$2^{\frac{a}{8}}=\frac{4^a}{8}$, $2^{\frac{a}{8}}=2^{2a-3}$

❶ [ ] $=2a-3$, $\frac{15}{8}a=3$

$\therefore a=$ ❷ [ ]

따라서 $p=5$, $q=8$이므로

$p+q=5+8=13$

답 ❶ $\frac{a}{8}$ ❷ $\frac{8}{5}$

꼭 알아 두기

- 두 점 $A(x_1, y_1)$, $B(x_2, y_2)$에 대하여 선분 AB를 $m:n$으로 내분하는 점의 좌표는

$\left(\frac{mx_2+nx_1}{m+n}, \frac{my_2+ny_1}{m+n}\right)$

내분점의 위치는 어디일까?
선분 AB의 내분점 P는 이처럼 선분 AB 안쪽에 있어.
A
m
P
n
B
내분점

꼭 나오는 유형

12 지수함수의 그래프와 도형의 활용

다음 그림과 같이 두 함수 $y=2^x$, $y=2^{x-2}$의 그래프와 직선 $y=k$의 교점을 각각 P_k, Q_k, 점 Q_k에서 x축에 내린 수선의 발을 H_k라 하자. 사각형 $OH_kQ_kP_k$의 넓이를 S_k라 할 때, S_4의 값은? (단, k는 자연수이고, O는 원점이다.)

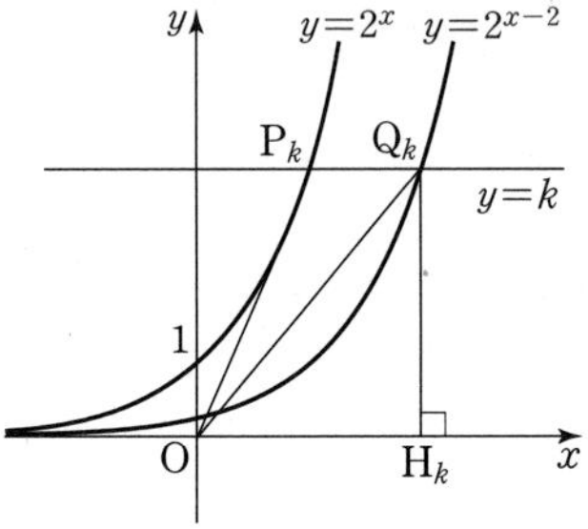

① 6 ② 12 ③ 18 ④ 24 ⑤ 30

Tip

- 두 점 Q_k, H_k의 ❶ ______ 좌표는 서로 같다.
- 두 점 P_k, Q_k의 ❷ ______ 좌표가 같으므로 두 점 사이의 거리 $\overline{P_kQ_k}$는 두 점 P_k, Q_k의 x좌표의 차이다.

답 ❶ x ❷ y

풀이

답 ②

점 P_k의 좌표를 $(a,\ 2^a)$이라 하면

두 점 P_k, Q_k의 y좌표가 서로 같으므로 점 Q_k의 y좌표는 2^a

점 Q_k는 함수 $y=2^{x-2}$의 그래프 위의 점이므로

$2^a=2^{x-2}$에서 $a=$ ❶ ______

$\therefore\ x=a+2$

즉 점 Q_k의 좌표가 $(a+2,\ 2^a)$이므로

$\overline{P_kQ_k}=(a+2)-a=2$

한편, 사각형 $OH_kQ_kP_k$의 넓이 S_k는

$$S_k=\frac{1}{2}\times(2+a+2)\times2^a=\frac{(a+4)2^a}{2}$$

이때 $k=2^a$이므로 $k=4$일 때, $a=$ ❷ ______

$$\therefore\ S_4=\frac{6\times4}{2}=12$$

답 ❶ $x-2$ ❷ 2

(사다리꼴의 넓이)
$=\frac{1}{2}\times$(윗변+아랫변)$\times$(높이)
로 구해~

꼭 알아 두기

- 두 점 $A(x_1,\ y_1)$, $B(x_2,\ y_1)$ 사이의 거리는
  $\overline{AB}=|x_2-x_1|$

꼭 나오는 유형

13 지수함수의 평행이동과 대칭이동

함수 $y=5^x$의 그래프를 y축에 대하여 대칭이동한 후, x축의 방향으로 1만큼 평행이동한 그래프가 점 $(2,\ a)$를 지날 때, $5a$의 값을 구하시오.

Tip

지수함수 $y=5^x$의 그래프를 ❶ [　　] 축에 대하여 대칭이동한 그래프의 식은

❷ [　　] $=-5^x$

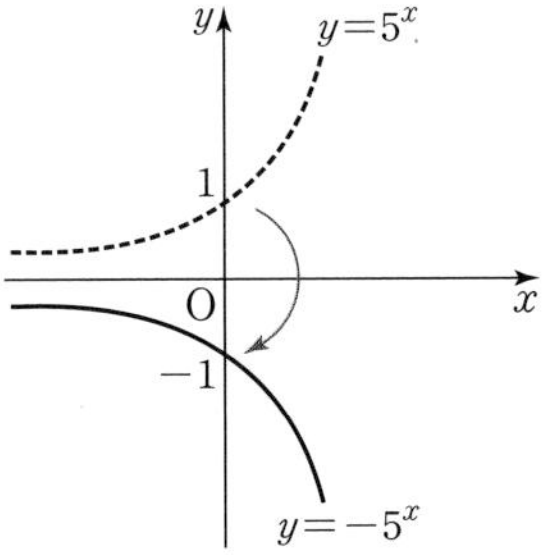

답 ❶ x ❷ y

풀이

답 1

함수 $y=5^x$의 그래프를 ❶ [　　] 축에 대하여 대칭이동한 그래프의 식은

$y=5^{-x}$

또 이 그래프를 x축의 방향으로 1만큼 평행이동한 그래프의 식은

$y=5^{-(x-1)}=5^{-x+1}$

이때 함수 $y=5^{-x+1}$의 그래프가 점 $(2,\ a)$를 지나므로

$a=5^{-2+1}=5^{-1}=$ ❷ [　　]　　$\therefore\ 5a=5\times\frac{1}{5}=1$

답 ❶ y ❷ $\frac{1}{5}$

꼭 알아 두기

- 지수함수 $y=a^x$ $(a>0,\ a\neq1)$의 그래프를
  - (1) y축에 대하여 대칭이동한 그래프의 식은 $y=-a^x$
  - (2) x축의 방향으로 b만큼 평행이동한 그래프의 식은 $y=a^{x-b}$

꼭 나오는 유형

14 제한된 범위에서 지수함수의 최대, 최소

정의역이 $\{x|-2\le x\le 1\}$인 함수 $y=2^{x+3}-3$의 최댓값을 M, 최솟값을 m이라 할 때, $M-m$의 값은?

① 15 ② 14 ③ 13 ④ 12 ⑤ 11

Tip

함수 $y=2^{x+3}-3$은 밑 2가 1보다 크므로 ❶ ______ 함수이다.

즉 $x=-2$에서 최솟값, $x=1$에서 ❷ ______ 을 갖는다.

답 ❶ 증가 ❷ 최댓값

풀이

답 ②

함수 $y=2^{x+3}-3$은 밑 ❶ ______ 가 1보다 크므로

$x=1$일 때 최댓값 $2^{1+3}-3=13$,

$x=$ ❷ ______ 일 때 최솟값 $2^{-2+3}-3=-1$을 갖는다.

따라서 $M=13$, $m=-1$이므로

$M-m=13-(-1)=14$

답 ❶ 2 ❷ -2

꼭 알아 두기

- 정의역이 $\{x|m\le x\le n\}$인 지수함수 $y=a^x$는
  - (1) $a>1$이면
    $x=m$일 때 최솟값 a^m,
    $x=n$일 때 최댓값 a^n을 갖는다.
  - (2) $0<a<1$이면
    $x=m$일 때 최댓값 a^m,
    $x=n$일 때 최솟값 a^n을 갖는다.

꼭 나오는 유형

15 함수 $y=a^{f(x)}$ 꼴의 최대, 최소

정의역이 $\{x|-1\le x\le 3\}$인 함수 $y=2^{x^2-2x+7}$이 $x=a$에서 최솟값 b를 가질 때, $a+b$의 값은?

① 63 ② 64 ③ 65 ④ 66 ⑤ 67

Tip

이차함수 $y=x^2-2x+7=(x-1)^2+$ ❶ ☐ 이므로

꼭짓점의 좌표는 ❷ ☐ 이다.

즉 정의역이 $\{x|-1\le x\le 3\}$인 이차함수 $y=x^2-2x+7$은

$x=1$에서 최솟값을 갖는다.

답 ❶ 6 ❷ $(1, 6)$

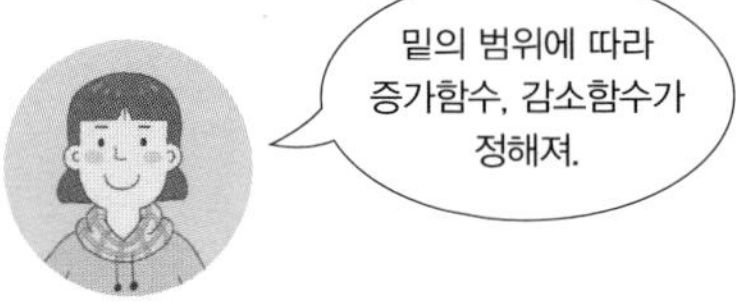

풀이

답 ③

$f(x)=x^2-2x+7$이라 하면 $f(x)=x^2-2x+7=(x-1)^2+6$

즉 $-1\le x\le 3$에서 함수 $y=f(x)$는 $x=$ ❶ ☐ 일 때 최솟값 6,

$x=3$일 때 최댓값 10을 갖는다.

이때 함수 $y=2^{x^2-2x+7}$은 밑 ❷ ☐ 가 1보다 크므로

$x=1$에서 최솟값 $2^6=64$를 갖는다.

따라서 $a=1$, $b=64$이므로

$a+b=1+64=65$

답 ❶ 1 ❷ 2

꼭 알아 두기

- 함수 $y=f(x)=a(x-b)^2+c$ $(a\ne 0)$의 꼭짓점의 좌표는 (b, c)이다.
  이때 $a>0$이면 최솟값 c, $a<0$이면 최댓값 c를 갖는다.

꼭 나오는 유형

16 a^x 꼴이 반복되는 함수의 최대, 최소

함수 $f(x)=3^x+3^{-x+4}$의 최솟값은?

① 19　② 18　③ 17　④ 16　⑤ 15

Tip

a^x 꼴이 반복되는 함수의 최대, 최소는 ❶ ☐ 을 같게 한 후, 한 문자로 ❷ ☐ 하여 구한다.

답 ❶ 밑 ❷ 치환

풀이

답 ②

모든 실수 x에 대하여 $3^x>0$, $3^{-x+4}>0$이므로

$$\begin{aligned} f(x)&=3^x+3^{-x+4} \\ &=3^x+\frac{❶\ \square}{3^x} \\ &\ge 2\sqrt{3^x\times\frac{81}{3^x}} \\ &=2\sqrt{81}=❷\ \square \end{aligned}$$

(단, 등호는 $3^x=3^{-x+4}$일 때 성립한다.)

따라서 함수 $f(x)$의 최솟값은 18이다.

답 ❶ 81 ❷ 18

꼭 알아 두기

● **산술평균과 기하평균의 관계**

$a>0$, $b>0$일 때, $\frac{a+b}{2}\ge\sqrt{ab}$ (단, 등호는 $a=b$일 때 성립한다.)

꼭 나오는 유형

17 로그함수의 그래프

두 곡선 $y=\log_3 x$, $y=\log_9 x$가 직선 $x=81$과 만나는 점을 각각 P, Q라 할 때, 두 점 P, Q 사이의 거리는?

① 1 ② 2 ③ 3 ④ 4 ⑤ 5

Tip

두 점 P, Q의 ❶ [ ] 좌표가 같으므로

두 점 사이의 거리 $\overline{PQ}$는 두 점 P, Q의 ❷ [ ] 좌표의 차이다.

답 ❶ x ❷ y

로그함수 $y=\log_a x$의 그래프는
항상 점 (1, 0)을 지나.

풀이

답 ②

곡선 $y=\log_3 x$와 직선 ❶ [ ] 의 교점의 좌표는

$(81,\ \log_3 81)=(81,\ 4)$

곡선 $y=\log_9 x$와 직선 $x=81$의 교점의 좌표는

$(81,\ \log_9 81)=(81,\ 2)$

따라서 $\mathrm{P}(81,\ 4)$, $\mathrm{Q}(81,\ 2)$이므로

두 점 P, Q 사이의 거리는 $4-2=$ ❷ [ ]

답 ❶ $x=81$ ❷ 2

꼭 알아 두기

- 두 점 $\mathrm{A}(x_1,\ y_1)$, $\mathrm{B}(x_1,\ y_2)$ 사이의 거리는
  $\overline{\mathrm{AB}}=|y_2-y_1|$

꼭 나오는 유형

18 로그함수의 그래프의 기본 성질

함수 $y=3-\log_2(x+a)$의 그래프의 점근선의 방정식이 $x=4$이다. 이 그래프가 점 $(8, k)$를 지날 때, $a+k$의 값은? (단, a는 상수이다.)

① -1　　② -3　　③ -5　　④ -7　　⑤ -9

Tip

함수 $y=3-\log_2(x+a)$의 그래프의 점근선의 방정식은 $x=$ ❶ ☐

이 그래프가 점 $(8, k)$를 지나므로

❷ ☐ $=3-\log_2(8+a)$

답 ❶ $-a$ ❷ k

풀이

답 ②

함수 $y=3-\log_2(x+a)$의 그래프의 점근선의 방정식이

$x=$ ❶ ☐ 이므로 $-a=4$　　$\therefore a=-4$

또 이 그래프가 점 $(8, k)$를 지나므로

$k=3-\log_2(8-4)$, $k=3-\log_2 4=3-2=$ ❷ ☐

따라서 $a=-4$, $k=1$이므로

$a+k=-4+1=-3$

답 ❶ $-a$ ❷ 1

꼭 알아 두기

- 로그함수 $y=\log_a x\ (a>1)$의 그래프는
  (1) 정의역이 양의 실수 전체의 집합, 치역이 실수 전체의 집합이다.
  (2) x의 값이 증가하면 y의 값도 증가한다.
  x의 값이 감소하면 y의 값도 감소한다.
  (3) 점 $(1, 0)$을 항상 지나고 점근선은 y축이다.

꼭 나오는 유형

19 지수함수와 로그함수의 관계

함수 $y=5^{x-1}+2$의 그래프를 x축의 방향으로 m만큼 평행이동한 그래프가 함수 $y=\log_5 25x$의 그래프를 x축의 방향으로 2만큼 평행이동한 그래프와 직선 $y=x$에 대하여 대칭일 때, m의 값은?

① 1 ② 2 ③ 3 ④ 4 ⑤ 5

Tip

로그함수 $y=\log_5 25x$의 그래프를 x축의 방향으로 2만큼 ❶ [ ] 이동한 그래프의 식은 $y=\log_5 25x=\log_5($❷ [ ]$)+2$

답 ❶ 평행 ❷ $x-2$

풀이

답 ①

함수 $y=5^{x-1}+2$의 그래프를 x축의 방향으로 ❶ [ ] 만큼 평행이동한 그래프의 식은

$y=5^{x-m-1}+2$ …… ㉠

또 함수 $y=\log_5 25x=\log_5 x+2$의 그래프를 x축의 방향으로 2만큼 평행이동한 그래프의 식은

$y=\log_5(x-2)+2$

이때 그래프를 직선 ❷ [ ] 에 대하여 대칭이동한 그래프의 식은

$x=\log_5(y-2)+2$에서 $x-2=\log_5(y-2)$

$y-2=5^{x-2}$ $\therefore y=5^{x-2}+2$ …… ㉡

즉 ㉠과 ㉡이 일치해야 하므로

$-m-1=-2$ $\therefore m=1$

답 ❶ m ❷ $y=x$

꼭 알아 두기

- 지수함수 $y=a^x$ $(a>1, a\neq1)$의 역함수는 로그함수 $y=\log_a x$ $(a>0, a\neq1)$이다.
  이때 두 함수의 그래프는 직선 $y=x$에 대하여 대칭이다.

20 로그함수 평행이동과 대칭이동

함수 $y=\log_2 x$의 그래프를 x축에 대하여 대칭이동한 후 y축의 방향으로 2만큼 평행이동한 그래프가 점 $(a, 4)$를 지날 때, $\frac{1}{a}$의 값은?

① 1 ② 2 ③ 3 ④ 4 ⑤ 5

Tip

로그함수 $y=\log_2 x$의 그래프를 y축의 방향으로 1만큼 [❶] 이동한 그래프의 식은 $y=\log_2 x+$ [❷]

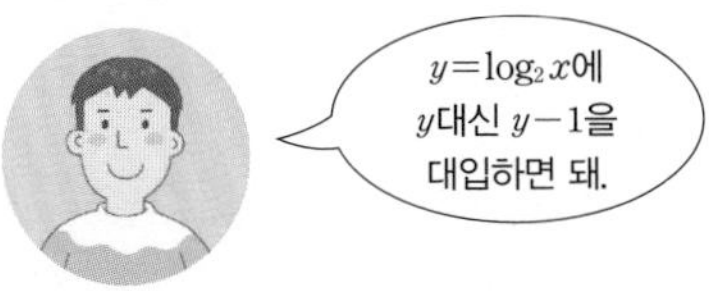

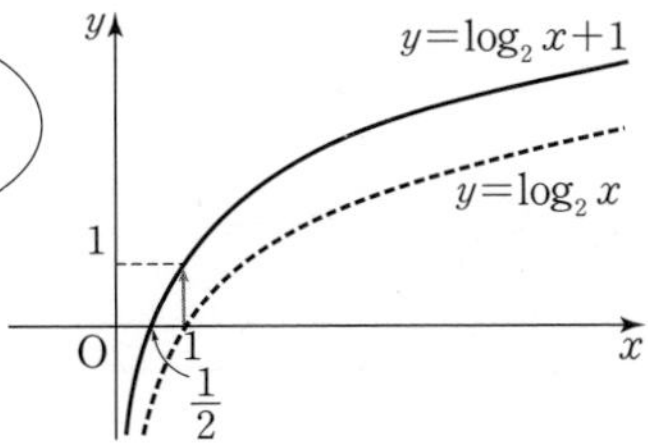

답 ❶ 평행 ❷ 1

풀이

답 ④

함수 $y=\log_2 x$의 그래프를 x축에 대하여 대칭이동한 그래프의 식은

$y=-\log_2 x$

또 이 그래프를 y축의 방향으로 2만큼 평행이동한 그래프의 식은

$y=-\log_2 x+$ [❶]

이때 함수 $y=-\log_2 x+2$의 그래프가 점 $(a, 4)$를 지나므로

[❷] $=-\log_2 a+2$, $\log_2 a=-2$ $\therefore \frac{1}{a}=4$

답 ❶ 2 ❷ 4

꼭 알아 두기

- 로그함수 $y=\log_a x$ $(a>0, a\neq 1)$의 그래프를
  (1) x축에 대하여 대칭이동한 그래프의 식은 $y=-\log_a x$
  (2) y축의 방향으로 b만큼 평행이동한 그래프의 식은 $y=\log_a x+b$

꼭 나오는 유형

21 로그함수의 그래프의 활용

다음 그림과 같이 함수 $y=\log_3 x$의 그래프와 직선 $y=k$가 만나는 점을 P_k, 직선 $y=k$와 y축의 교점을 Q_k, 함수 $y=\log_3 x$의 그래프와 x축과 만나는 점을 A라 하자. 사각형 OAP_kQ_k의 넓이를 S_k라 할 때, $S_k=10$을 만족시키는 k의 값은?

(단, k는 자연수이고, O는 원점이다.)

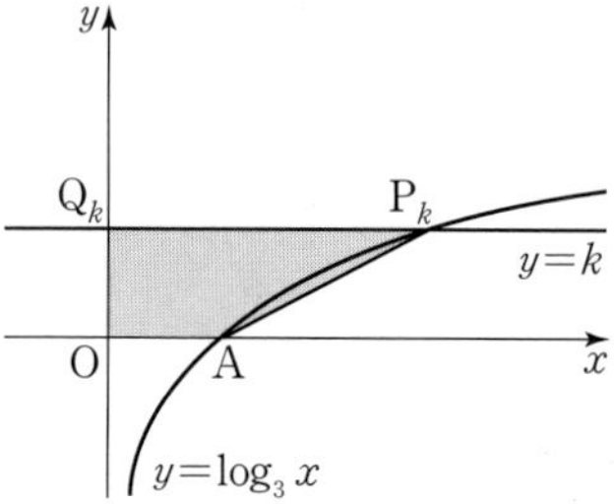

① 1 ② 2 ③ 3 ④ 4 ⑤ 5

Tip

- 주어진 로그함수의 그래프와 직선 $y=k$의 교점의 좌표를 구하고, 사각형 OAP_kQ_k의 넓이를 구하여 문제를 해결한다.
- 로그함수 $y=\log_a x$의 그래프는 항상 점 (❶ ______, 0)을 지나고 점근선은 ❷ ______ 축이다.

답 ❶ 1 ❷ x

풀이

답 ②

점 P_k의 좌표를 $(a, \log_3 a)$라 하면 $k=\log_3 a$

두 점 P_k, Q_k의 y좌표가 서로 같으므로 점 Q_k의 y좌표는 ❶ [ ]

점 A는 함수 $y=\log_3 x$의 그래프와 ❷ [ ]축이 만나는 점이므로

$A(1, 0)$

즉 사각형 OAP_kQ_k의 넓이 S_k는

$$S_k=\frac{1}{2}\times(a+1)\times\log_3 a=\frac{(a+1)\log_3 a}{2}$$

이때 $S_k=\dfrac{(a+1)\log_3 a}{2}=10$이므로 $\log_3 a^{a+1}=20$

$a^{a+1}=3^{20}=9^{10}$ $\quad\therefore a=9$

$\therefore k=\log_3 a=\log_3 9=2$

답 ❶ $\log_3 a$ ❷ x

사각형의 넓이의 식이 a에 대한 식인데 어떻게 k의 값을 구할 수 있어?
a의 값과 k의 값이 어떻게 대응되는지 확인해 보자.

꼭 알아 두기

- (사다리꼴의 넓이)$=\frac{1}{2}\times$(윗변$+$아랫변)$\times$(높이)
- 두 점 $A(x_1, y_1)$, $B(x_2, y_1)$ 사이의 거리는
  $\overline{AB}=|x_2-x_1|$

꼭 나오는 유형

22 제한된 범위에서 로그함수의 최대, 최소

정의역이 $\{x \mid -1 \leq x \leq 6\}$인 함수 $y=\log_2(x+2)+1$의 최댓값을 M, 최솟값을 m이라 할 때, $\frac{M}{N}$의 값은?

① 1　　② 2　　③ 3　　④ 4　　⑤ 5

Tip

함수 $y=\log_2(x+2)+1$의 그래프는 함수 $y=\log_2 x$의 그래프를 x축의 방향으로 [❶　] 만큼 y축의 방향으로 [❷　] 만큼 평행이동한 그래프이다.

답 ❶ -2 ❷ 1

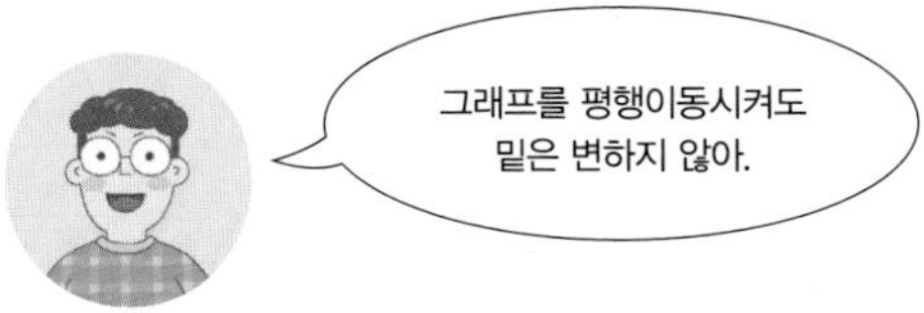

풀이

답 ④

함수 $y=\log_2(x+2)+1$은 밑 2가 1보다 크므로

$x=$ [❶　] 일 때 최댓값 $\log_2 8+1=4$,

$x=-1$일 때 최솟값 $\log_2 1+1=$ [❷　] 을 갖는다.

따라서 $M=4$, $m=1$이므로

$\frac{M}{N}=\frac{4}{1}=4$

답 ❶ 6 ❷ 1

꼭 알아 두기

- 정의역이 $\{x \mid m \leq x \leq n\}$인 로그함수 $y=\log_a x$는
  (1) $a>1$이면
  $x=m$일 때 최솟값 $\log_a m$,
  $x=n$일 때 최댓값 $\log_a n$을 갖는다.
  (2) $0<a<1$이면
  $x=m$일 때 최댓값 $\log_a m$,
  $x=n$일 때 최솟값 $\log_a n$을 갖는다.

꼭 나오는 유형

23 함수 $y=\log_a f(x)$ 꼴의 최대, 최소

정의역이 $\{x|-1\le x\le 3\}$인 함수 $y=\log_3(-x^2+2x+8)$이 $x=a$에서 최댓값 b를 가질 때, $a+b$의 값은?

① -1　　② 0　　③ 1　　④ 2　　⑤ 3

Tip

이차함수 $y=-x^2+2x+8=-(x-1)^2+$ ❶ ☐ 이므로

꼭짓점의 좌표는 ❷ ☐ 이다.

즉 정의역이 $\{x|-1\le x\le 3\}$인 이차함수 $y=-x^2+2x+8$은

$x=1$에서 최댓값을 갖는다.

답 ❶ 9 ❷ $(1, 9)$

풀이

답 ⑤

$f(x)=-x^2+2x+8$이라 하면

$f(x)=-x^2+2x+8=-(x-1)^2+9$

즉 $-1\le x\le 3$에서 함수 $f(x)$는 $x=$ ❶ ☐ 일 때 최댓값 9를 갖는다.

이때 함수 $y=\log_3(-x^2+2x+8)$은 밑 3이 1보다 크므로

$x=1$에서 최댓값 $\log_3 9=2$를 갖는다.

따라서 $a=1$, $b=2$이므로

$a+b=$ ❷ ☐

답 ❶ 1 ❷ 3

꼭 알아 두기

- 함수 $y=f(x)=a(x-b)^2+c\ (a\ne 0)$의 꼭짓점의 좌표는 (b, c)이다.
  이때 $a>0$이면 최솟값 c, $a<0$이면 최댓값 c를 갖는다.

꼭 나오는 유형

24 산술평균과 기하평균의 관계를 이용한 최대, 최소

$x>1$일 때, 함수 $y=\log_x 4+\log_{256} x$의 최솟값은?

① -1　② 0　③ 1　④ 2　⑤ 3

Tip

두 수가 ❶ [　　] 이고 서로 역수 관계이면 ❷ [　　] 평균과 기하평균의 관계를 이용하여 문제를 해결할 수 있다.

답 ❶ 양수 ❷ 산술

풀이

답 ③

$x>1$인 모든 실수 x에 대하여 $\log_x 4>0$, $\log_{256} x>0$이므로

$$y=\log_x 4+\log_{256} x=\log_x 4+\frac{❶\ \square}{\log_x 256}$$

$$\geq 2\sqrt{\log_x 4\times\frac{1}{\log_x 256}}$$

$$=2\sqrt{\frac{\log_x 4}{\log_x 256}}=2\sqrt{\log_{256} 4}$$

$$=2\sqrt{\log_{4^4} 4}=2\times ❷\ \square=1$$

$\left(\text{단, 등호는 } \log_x 4=\frac{1}{\log_x 256}\text{일 때 성립한다.}\right)$

따라서 $x>1$일 때, 함수 $y=\log_x 4+\log_{256} x$의 최솟값은 1이다.

답 ❶ 1 ❷ $\frac{1}{2}$

꼭 알아 두기

● **산술평균과 기하평균의 관계**

$a>0$, $b>0$일 때, $\frac{a+b}{2}\geq\sqrt{ab}$ (단, 등호는 $a=b$일 때 성립한다.)

꼭 나오는 유형

25 밑을 같게 할 수 있는 지수방정식의 풀이

방정식 $\left(\frac{1}{2}\right)^{2x}-\sqrt{2}=0$을 만족시키는 실수 x의 값을 a라 할 때, $4a$의 값은?

① -1 ② -2 ③ -3 ④ -4 ⑤ -5

Tip

밑을 같게 할 수 있으면 ❶ [ ] 을 같게 하여 지수에 대한 방정식을 세우고 해를 구한다.

예 방정식 $25^x=5^{x-1}$의 해 구하기

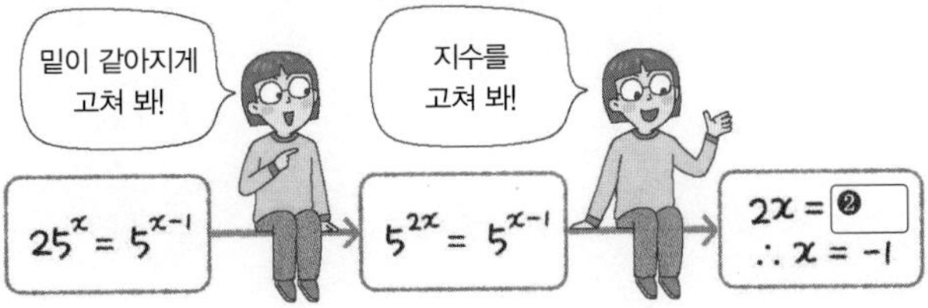

밑이 같아지게 고쳐 봐!
지수를 고쳐 봐!
25^x = 5^{x-1}
5^{2x} = 5^{x-1}
2x = ❷
∴ x = -1

답 ❶ 밑 ❷ $x-1$

풀이

답 ①

방정식 $\left(\frac{1}{2}\right)^{2x}-\sqrt{2}=0$의 실근이 a이므로

$\left(\frac{1}{2}\right)^{2a}-\sqrt{2}=0$에서 $\left(\frac{1}{2}\right)^{2a}=$ ❶ [ ], $\left(\frac{1}{2}\right)^{2a}=\left(\frac{1}{2}\right)^{-\frac{1}{2}}$

즉 ❷ [ ] $=-\frac{1}{2}$이므로

$a=-\frac{1}{4}$ $\quad\therefore 4a=4\times\left(-\frac{1}{4}\right)=-1$

답 ❶ $\sqrt{2}$ ❷ $2a$

꼭 알아 두기

- **밑을 같게 할 수 있는 지수방정식의 풀이**

  주어진 방정식을 $a^{f(x)}=a^{g(x)}$ $(a>0,\ a\neq1)$ 꼴로 변형한 후

  $a^{f(x)}=a^{g(x)} \Longleftrightarrow f(x)=g(x)$

  임을 이용하여 방정식 $f(x)=g(x)$를 푼다.

꼭 나오는 유형

26 a^x 꼴이 반복되는 지수방정식의 풀이

방정식 $16^x-5\times4^x+4=0$의 모든 실근의 합을 구하시오.

Tip

$16^x-5\times4^x+4=0$에서 $(4^x)^2-5\times4^x+4=0$

즉 ❶ [　　　]이 반복되므로 $4^x=t$라 하면 $t^2-5t+4=0$

이때 $t>$ ❷ [　　　]이다.

답 ❶ 4^x ❷ 0

풀이

답 1

$16^x-5\times4^x+4=0$에서 $(4^x)^2-5\times4^x+4=0$

$4^x=t$ $(t>0)$라 하면 $t^2-5t+4=0$

$(t-1)(t-4)=0$ $\quad\therefore t=$ ❶ [　　　] 또는 $t=4$

즉 $4^x=1$ 또는 $4^x=4$이므로 $x=0$ 또는 $x=$ ❷ [　　　]

따라서 방정식 $16^x-5\times4^x+4=0$의 모든 실근의 합은 $0+1=1$

답 ❶ 1 ❷ 1

꼭 알아 두기

- **a^x 꼴이 반복되는 지수방정식의 풀이**

  지수방정식 $pa^{2x}+qa^x+r=0$의 해는 $a^x=t$ $(t>0)$로 치환하여 나타낸 t에 대한 이차방정식 $pt^2+qt+r=0$의 해를 이용하여 구한다.

꼭 나오는 유형

27 밑을 같게 할 수 있는 지수부등식의 풀이

부등식 $25^{x-1}>5^{2x^2-x-1}$의 해가 $\alpha<x<\beta$일 때, $2\alpha+\beta$의 값은?

① -1 ② 0 ③ 1 ④ 2 ⑤ 3

Tip

$25^{x-1}>5^{2x^2-x-1}$에서 $25=5^2$이므로 ❶ [ ] 을 같게 할 수 있다.

즉 $5^{2(x-1)}>5^{2x^2-x-1}$이고 밑 ❷ [ ] 가 1보다 크므로

$2(x-1)>2x^2-x-1$

답 ❶ 밑 ❷ 5

풀이

답 ④

$25^{x-1}>5^{2x^2-x-1}$에서 $5^{2(x-1)}>5^{2x^2-x-1}$

2(❶ [ ])$>2x^2-x-1$, $2x^2-3x+1<0$

$(2x-1)(x-1)<0$ $\therefore \frac{1}{2}<x<$ ❷ [ ]

따라서 $\alpha=\frac{1}{2}$, $\beta=1$이므로

$2\alpha+\beta=2\times\left(\frac{1}{2}\right)+1=2$

답 ❶ $x-1$ ❷ 1

꼭 알아 두기

- **밑을 같게 할 수 있는 지수부등식의 풀이**

  주어진 부등식을 $a^{f(x)}<a^{g(x)}$ $(a>0,\ a\neq1)$ 꼴로 변형한 후 다음을 이용한다.

  (1) $a>1$이면 $f(x)<g(x)$

  (2) $0<a<1$이면 $f(x)>g(x)$

28 실생활과 관련된 지수부등식

어떤 전자레인지로 냉동육 $n\times100\,(\mathrm{g})$을 해동하는 데 걸리는 시간을 $f(n)$(분)이라 하면

$$f(n)=3\times2^{\frac{n}{3}-1}$$

이 성립한다고 한다. 이 전자레인지로 그릇에 있던 냉동육을 완전히 해동하기 위해 6분 이상 데워야 한다고 할 때, 이 냉동육의 최소 무게는 몇 g인가? (단, $0\leq n<10$)

① 200 ② 300 ③ 400 ④ 500 ⑤ 600

Tip

그릇에 있던 냉동육을 완전히 해동하는 데 걸리는 시간은 ❶ ____ 분 이상이므로

$f(n)=$ ❷ ____ $\times 2^{\frac{n}{3}-1} \geq 6$

답 ❶ 3 ❷ 6

풀이

답 ⑤

그릇에 있던 냉동육의 무게를 $n \times 100\,(\mathrm{g})$이라 하면

이를 완전히 해동하기 위해 6분 이상 데워야 하므로

$f(n)=3\times 2^{\frac{n}{3}-1}\geq 6$에서 $2^{\frac{n}{3}-1}\geq$ ❶ ____

밑 2가 1보다 크므로

$\frac{n}{3}-1\geq 1,\ \frac{n}{3}\geq 2 \qquad \therefore n\geq$ ❷ ____

따라서 그릇에 있던 냉동육의 최소 무게는

$6\times 100=600\,(\mathrm{g})$

답 ❶ 2 ❷ 6

꼭 알아 두기

- 지수방정식과 지수부등식의 실생활에의 활용문제는 주어진 조건에 맞게 식을 세운 후, 지수방정식 또는 부등식을 풀어 문제를 해결한다.

꼭 나오는 유형

29 a^x 꼴이 반복되는 지수부등식의 풀이

부등식 $4^x-12\times2^x+32<0$의 해가 $\alpha<x<\beta$일 때, $\beta-\alpha$의 값은?

① 1 ② 2 ③ 3 ④ 4 ⑤ 5

Tip

$4^x-12\times2^x+32<0$에서 $(2^x)^2-12\times2^x+$ ❶ <0

즉 2^x이 반복되므로 $2^x=t$라 하면 $t^2-12t+32<0$

이때 $t>$ ❷ 이다.

답 ❶ 32 ❷ 0

풀이

답 ①

$4^x-12\times2^x+32<0$에서

$(2^x)^2-12\times2^x+32<0$

$2^x=t\ (t>0)$라 하면 $t^2-12t+32<0$

$(t-4)(t-$ ❶ $)<0$ $\therefore 4<t<8$

즉 $4<2^x<8$이므로 $2<x<$ ❷

따라서 $\alpha=2$, $\beta=3$이므로

$\beta-\alpha=3-2=1$

$2^x=t$라 하면
모든 실수 x에 대하여
$2^x>0$이므로 $t>0$
이야.

답 ❶ 8 ❷ 3

꼭 알아 두기

- **a^x 꼴이 반복되는 지수부등식의 풀이**

지수부등식 $pa^{2x}+qa^x+r>0$의 해는 $a^x=t\ (t>0)$로 치환하여 나타낸 t에 대한 이차부등식 $pt^2+qt+r>0$의 해를 이용하여 구한다.

꼭 나오는 유형

30 지수를 포함한 부등식의 응용

모든 실수 x에 대하여 부등식 $4^{x+1}-2^{x+3}+a>0$이 항상 성립하도록 하는 자연수 a의 최솟값은?

① 1　　② 2　　③ 3　　④ 4　　⑤ 5

Tip

a^x가 반복되는 부등식은 $a^x=t$로 [❶]하여 푼다.
이때 t [❷] 0임에 주의한다.

답 ❶ 치환 ❷ >

풀이

답 ⑤

$4^{x+1}-2^{x+3}+a>0$에서 [❶] $(2^x)^2-8\times2^x+a>0$

$2^x=t\ (t>0)$라 하면 $4t^2-8t+a>0$

즉 $t>0$에서 이차부등식 $4t^2-8t+a>0$이 항상 성립해야 하므로 이차방정식 $4t^2-8t+a=0$의 판별식을 D라 하면

$\frac{D}{4}=4^2-4a$ [❷] 0, $16<4a$

$\therefore\ a>4$

따라서 자연수 a의 최솟값은 5이다.

답 ❶ 4 ❷ <

꼭 알아 두기

- 모든 실수 x에 대하여 이차부등식 $ax^2+bx+c>0$이 항상 성립하려면 이차방정식 $ax^2+bx+c=0\ (a>0)$의 판별식 D에 대하여 $D<0$이어야 한다.

꼭 나오는 유형

31 밑을 같게 할 수 있는 로그방정식의 풀이

방정식 $\log_5(x^2-24x)=2$의 모든 실근의 합은?

① 23 ② 24 ③ 25 ④ 26 ⑤ 27

Tip

- $\log_5(x^2-24x)=2$에서 진수는 ❶ [   ]이므로
  진수의 조건에 의하여 $x^2-24x>0$
- $\log_5$ ❷ [   ] $=2$이므로 $\log_5(x^2-24x)=\log_5 25$
  이때 밑이 5로 같으므로 $x^2-24x=25$

답 ❶ x^2-24x ❷ 25

풀이

답 ②

진수의 조건에 의하여 $x^2-24x>0$, $x(x-24)>0$

$\therefore x<0$ 또는 x ❶ [   ] 24 …… ㉠

$\log_5(x^2-24x)=2$에서 $x^2-24x=25$, $x^2-24x-25=0$

$(x-25)(x+1)=0$ $\therefore x=-1$ 또는 $x=$ ❷ [   ] ($\because$ ㉠)

따라서 방정식 $\log_5(x^2-24x)=2$의 모든 실근의 합은

$25+(-1)=24$

답 ❶ $>$ ❷ 25

꼭 알아 두기

- **밑을 같게 할 수 있는 로그방정식의 풀이**
  주어진 방정식을 $\log_a f(x)=\log_a g(x)$ $(a>0, a\neq1)$ 꼴로 변형한 후
  $\log_a f(x)=\log_a g(x) \Longleftrightarrow f(x)=g(x)$ $(f(x), g(x)>0)$
  임을 이용하여 방정식 $f(x)=g(x)$를 푼다.

꼭 나오는 유형

32 $\log_a x$ 꼴이 반복되는 로그방정식의 풀이

방정식 $(\log_2 4x)^2-3\log_2 4x=0$의 모든 실근의 곱은?

① 1 ② $\frac{1}{2}$ ③ $\frac{1}{3}$ ④ $\frac{1}{4}$ ⑤ $\frac{1}{5}$

Tip

$(\log_2 4x)^2-3\log_2 4x=0$에서 ❶ ______ 가 반복되므로

$\log_2 4x=t$라 치환하면 $t^2-3t=0$

이때 t의 값의 범위는 모든 ❷ ______ 이다.

답 ❶ $\log_2 4x$ ❷ 실수

로그방정식에서
진수의 범위를 고려하는 걸
잊지 마.

풀이

답 ②

$(\log_2 4x)^2-3\log_2 4x=0$에서 $\log_2 4x(\log_2 4x-$ ❶ ______ $)=0$

$\log_2 4x=t$라 하면 $t(t-3)=0$ $\quad\therefore t=0$ 또는 $t=3$

즉 $\log_2 4x=0$ 또는 $\log_2 4x=3$이므로

$4x=1$ 또는 $4x=8$ $\quad\therefore x=\frac{1}{4}$ 또는 $x=$ ❷ ______

따라서 방정식 $(\log_2 4x)^2-3\log_2 4x=0$의 모든 실근의 곱은

$\frac{1}{4}\times 2=\frac{1}{2}$

답 ❶ 3 ❷ 2

꼭 알아 두기

- **$\log_a x$ 꼴이 반복되는 로그방정식의 풀이**
  로그방정식 $p(\log_a x)^2+q\log_a x+r=0$의 해는 $\log_a x=t$로 치환하여 나타낸 t에 대한 이차방정식 $pt^2+qt+r=0$의 해를 이용하여 구한다.

꼭 나오는 유형

33 밑을 같게 할 수 있는 로그부등식의 풀이

부등식 $\log_3(\log_4 x) \le 1$의 해는?

① $x<64$　　② $0<x\le 64$　　③ $1\le x\le 64$

④ $x\le 64$　　⑤ $1<x\le 64$

Tip

$\log_3 3=1$이므로 $\log_3(\log_4 x)\le$ ❶ [　　]

이때 밑 3이 1보다 크므로 $\log_4 x\le 3$

$\log_3(\log_4 x)$의 진수는 $\log_4 x$, $\log_4 x$의 진수는 x이므로

진수의 조건에 의하여 $\log_4 x>$ ❷ [　　], $x>0$

답 ❶ $\log_3 3$ ❷ 0

풀이

답 ⑤

$\log_3(\log_4 x)\le 1$에서 $\log_4 x\le 3$　$\therefore x\le$ ❶ [　　]　…… ㉠

이때 $\log_3(\log_4 x)$의 진수는 $\log_4 x$이므로 진수의 조건에 의하여

$\log_4 x>$ ❷ [　　]　$\therefore x>1$　…… ㉡

또 $\log_4 x$의 진수는 x이므로

진수의 조건에 의하여 $x>0$　…… ㉢

따라서 ㉠, ㉡, ㉢의 공통 범위는

$1<x\le 64$

답 ❶ 64 ❷ 0

꼭 알아 두기

- **밑을 같게 할 수 있는 로그부등식의 풀이**

주어진 부등식을 $\log_a f(x)<\log_a g(x)$ 꼴로 변형한 후 다음을 이용한다.

(1) $a>1$이면 $0<f(x)<g(x)$

(2) $0<a<1$이면 $0<g(x)<f(x)$

꼭 나오는 유형

34 $\log_a x$ 꼴이 반복되는 로그부등식의 풀이

부등식 $(\log_2 x)^2-5\log_2 x+4\le 0$의 해가 $\alpha\le x\le\beta$일 때, $\alpha+\beta$의 값은?

① 15　　② 16　　③ 17　　④ 18　　⑤ 19

Tip

$(\log_2 x)^2-5\log_2 x+4\le 0$에서 ❶ [　　] 가 반복되므로

$\log_2 x=t$로 치환하면 $t^2-5t+4\le 0$

이때 t의 값의 범위는 모든 ❷ [　　] 이다.

답 ❶ $\log_2 x$ ❷ 실수

치환해서 부등식을
정리한 다음, 반드시 구하려는
값으로 바꿔야 해 .

풀이

답 ④

$\log_2 x=t$라 하면 $t^2-5t+4\le 0$

$(t-1)(t-$ ❶ [　　] $)\le 0$　　$\therefore 1\le t\le 4$

즉 $1\le\log_2 x\le 4$이므로 ❷ [　　] $\le x\le 16$　　…… ㉠

또 진수의 조건에 의하여 $x>0$　　…… ㉡

㉠, ㉡의 공통 범위는 $2\le x\le 16$

따라서 $\alpha=2$, $\beta=16$이므로

$\alpha+\beta=2+16=18$

답 ❶ 4 ❷ 2

꼭 알아 두기

- **$\log_a x$ 꼴이 반복되는 로그부등식의 풀이**
  로그부등식 $(\log_a x)^2+p\log_a x+q>0$ ($a>0$, $a\ne 1$, p, q는 상수)의 해는 $\log_a x=t$로 치환하여 나타낸 t에 대한 이차부등식 $t^2+pt+q>0$의 해를 이용하여 구한다.

꼭 나오는 유형

35 지수에 로그가 있는 로그부등식의 풀이

부등식 $x^{\log_2 x} \le x$를 만족시키는 정수 x의 개수는?

① 0　　② 1　　③ 2　　④ 3　　⑤ 4

Tip

$x^{\log_2 x} \le x$에서 $x^{\log_2 x} \le x^1$이고 밑이 ❶ [　　] 로 같으므로

$\log_2 x \le$ ❷ [　　]

답 ❶ x ❷ 1

풀이

답 ③

$x^{\log_2 x} \le x$에서 $x^{\log_2 x} \le x^1$, ❶ [　　] ≤ 1　　$\therefore x \le 2$　　…… ㉠

또 진수의 조건에 의하여 $x > 0$　　…… ㉡

㉠, ㉡의 공통 범위는

❷ [　　] $< x \le 2$

따라서 정수 x는 1, 2이므로 그 개수는 2이다.

답 ❶ $\log_2 x$ ❷ 0

꼭 알아 두기

- 로그부등식의 해를 구할 때, 구한 해가 밑, 진수의 조건을 만족시키는지 반드시 확인한다.
  (1) 밑의 조건 ⇨ (밑)>0, (밑)$\neq 1$
  (2) 진수의 조건 ⇨ (진수)>0

36 로그를 포함한 부등식의 응용

이차방정식 $4x^2-(2+\log_2 a)x+1=0$이 서로 다른 두 실근을 갖도록 하는 실수 a의 값의 범위가 $0<a<\frac{q}{p}$ 또는 $a>4$일 때, $p+q$의 값을 구하시오.

(단, p, q는 서로소인 자연수이다.)

Tip

이차방정식 $4x^2-(2+\log_2 a)x+1=0$의 판별식을 D라 하면

$D=(2+\log_2 a)^2-$ ❶ [   ]

이때 서로 다른 두 실근을 가지려면 D ❷ [   ] 0

답 ❶ 16 ❷ $>$

풀이

답 65

$\log_2 a$에서 진수의 조건에 의하여 $a>$ ❶ [   ] ⋯⋯ ㉠

이차방정식 $4x^2-(2+\log_2 a)x+1=0$의 판별식을 D라 하면

$D=(2+\log_2 a)^2-16>0$, $(2+\log_2 a)^2>16$

$2+\log_2 a>4$ 또는 $2+\log_2 a<-4$

$\log_2 a<$ ❷ [   ] 또는 $\log_2 a>2$

이때 밑 2가 1보다 크므로

$a<\frac{1}{64}$ 또는 $a>4$ ⋯⋯ ㉡

㉠, ㉡의 공통 범위는 $0<a<\frac{1}{64}$ 또는 $a>4$

따라서 $p=64$, $q=1$이므로

$p+q=64+1=65$

답 ❶ 0 ❷ -6

꼭 알아 두기

- 이차방정식 $ax^2+bx+c=0$ $(a\neq 0)$의 판별식을 D라 하면
  - (1) $D>0$이면 서로 다른 두 실근을 갖는다.
  - (2) $D=0$이면 중근을 갖는다.
  - (3) $D<0$이면 서로 다른 두 허근을 갖는다.

꼭 나오는 유형

37 실생활과 관련된 로그부등식

어떤 도시에서 확장된 도시화된 지역의 넓이를 $s\,\mathrm{km}^2$, 도시의 연평균 기온을 T℃라 하면

$$T=T_0+\frac{2}{5}\log(s+1)\ (T_0\text{는 상수})$$

이 성립한다고 한다. 연평균 기온이 21.5℃인 이 도시에서 최근 5년 사이 도시화된 지역의 넓이가 늘어나면서 연평균 기온이 22.3℃ 이상이 되었다고 할 때, 도시화된 넓이의 최소 면적은 몇 km^2인가?

① 98 ② 99 ③ 100 ④ 101 ⑤ 102

Tip

- 도시화가 되기 전, 이 지역의 원래 연평균 기온이 21.5℃이므로 $s=$ ❶ ______ 을 대입하여 T_0의 값을 구한다.
- $T=f(s)$가 ❷ ______ ℃ 이상이 되어야 하므로

$$f(s)=T_0+\frac{2}{5}\log(s+1)\ge 22.3$$

답 ❶ 0 ❷ 22.3

풀이

답 ②

$T=f(s)$라 하면 $f(0)=$ ❶ ______ 이므로

$$T_0+\frac{2}{5}\log(0+1)=T_0=21.5$$

$$\therefore f(s)=21.5+\frac{2}{5}\log(s+1)$$

즉 $f(s)\ge 22.3$에서 $21.5+\frac{2}{5}\log(s+1)\ge 22.3$

$\frac{2}{5}\log(s+1)\ge$ ❷ ______ , $\log(s+1)\ge 0.8\times\frac{5}{2}=2$

이때 밑 10은 1보다 크므로 $s+1\ge 100$, $s\ge 99$

따라서 도시화된 넓이의 최소 면적은 $99\,\text{km}^2$이다.

답 ❶ 21.5 ❷ 0.8

꼭 알아 두기

- 로그방정식과 로그부등식의 실생활에의 활용문제는 주어진 조건에 맞게 방정식 또는 부등식을 세운 후, 양변에 상용로그를 취하여 그 해를 푼다.

memo
시
험
대
박

수능전략 | 수학 I

수능에 꼭 나오는
필수 유형 ZIP 1